Grace Burrowes

Grace Burrowes est une autrice de romances historiques. Grande lectrice, elle a été rédactrice et éditrice, avant de devenir avocate. Elle fait partie des romancières qui ont renouvelé le genre avec ses romances pleines de sensibilité et d'émotions. Traduits dans le monde entier, ses livres ont conquis des milliers de lectrices. Autrice d'une trentaine de romans, elle a été finaliste à cinq reprises du prestigieux RITA Award et a reçu de nombreuses récompenses.

Le captif

DE LA MÊME AUTRICE AUX ÉDITIONS J'AI LU

Le traître
Le chef du clan

Les lords solitaires
1 – *Darius*
2 – *Nicolas*
3 – *Ethan*
4 – *Beckman*
5 – *Gabriel*
6 – *Gareth*
7 – *Andrew*
8 – *Douglas*
9 – *David*

Les fiancées Windham
1 – *Le charme caché du Highlander*
2 – *Un Écossais à Londres*
3 – *Un Gallois au cœur tendre*
4 – *Le prix d'un baiser*

La famille Wentworth
1 – *Condamnés à s'aimer*
2 – *Elle rêvait au bonheur*

Les MacGregor
1 – *Ian et Augusta*
2 – *Un Anglais en Écosse*

GRACE BURROWES

Le captif

Traduit de l'anglais (États-Unis)
par Sophie Dalle

POUR elle

Si vous souhaitez être informée en avant-première
de nos parutions et tout savoir sur vos autrices préférées,
retrouvez-nous ici :

www.jailu.com

Abonnez-vous à notre newsletter
et rejoignez-nous sur Facebook !

Titre original
THE CAPTIVE

Éditeur original
Sourcebooks Casablanca, an imprint of Sourcebooks, Inc.

© Grace Burrowes, 2014

Pour la traduction française
© Éditions J'ai lu, 2016

À ceux qui sont en guerre,
surtout les guerres invisibles,
puissiez-vous trouver la paix.

1

Dans son enfer personnel, Christian Donatus Severn, huitième duc de Mercie, jugeait les épisodes pédagogiques à la fois insoutenables et précieux. Ces journées – où ses tortionnaires utilisaient ses souffrances pour lui démontrer que l'art obscur de l'interrogatoire pouvait lui coûter sa santé mentale, voire son honneur – renforçaient sa détermination. Un jour, une nuit, dans l'éternité si nécessaire, il savourerait la satisfaction suprême. La vengeance.

— Caporal, vous voyez devant vous la forme mortelle d'un homme naguère grand et puissant, lança Girard, qui allait et venait à pas lents entre la table où était attaché son prisonnier et le mur de pierre humide contre lequel son interlocuteur se tenait au garde-à-vous.

Girard ignorait la précipitation, trait nécessaire à tout tortionnaire digne de ce nom. Grand et mince acolyte du Corse, il hantait la conscience de Christian comme la phtisie habite l'esprit de ceux qui en sont affligés.

— Selon moi, notre duc est encore grand, reprit Girard, car Sa Grâce plie mais ne rompt point.

Il continua de déblatérer en un français à l'accent subtil que Christian, malgré lui, n'avait aucune difficulté à traduire. Pendant ce temps, son supérieur, Henri Anduvoir, restait tapi dans l'ombre.

Les bourreaux n'étaient pas l'apanage de l'armée de Wellington. Girard avait le don d'arracher la vérité aux plus obstinés et la maltraitance physique n'était pas son unique outil.

Anduvoir, une âme plus simple et à bien des égards plus cruelle, aimait de toute évidence faire du mal pour le simple plaisir.

Christian se consola en songeant qu'un jour, à son tour, Anduvoir souffrirait le martyre.

— Pas encore. Notre duc n'a pas *encore* cédé, insista Girard. Caporal, je vous défie d'imaginer le supplice ou la récompense qui pourraient le pousser à bout. Toutefois, n'oubliez pas que, plus Sa Grâce gardera le silence, plus l'entreprise sera difficile. Quand le Tout-Puissant nous a remis Mercie entre les mains il y a quelques mois, nous avons tenté de savoir par quel col Wellington comptait déplacer ses troupes. Aujourd'hui, nous le savons. Quel est donc, par conséquent, le but de l'exercice ? Pourquoi ne pas jeter directement cette carcasse vivante aux loups ?

Je vous en supplie, faites !

Puis une autre pensée s'immisça dans l'esprit de Christian tandis qu'il cherchait désespérément à se distancier de la scène. Girard sous-entendait-il que Wellington avait gagné la France ? D'une habileté diabolique au jeu du chat et de la souris, de l'espoir et de la démoralisation, Girard interprétait son rôle de persécuteur/protecteur avec une finesse qui aurait sans doute fasciné un homme mieux nourri.

— Nous continuons à apprécier la charmante compagnie de Sa Grâce car le duc sert un autre objectif, poursuivit Girard. Il n'a pas rompu, aussi devons-nous en conclure qu'il nous a été envoyé pour nous enseigner l'art de briser un homme fort, voire d'une force inhumaine. À présent…

De riches effluves de tabac turc titillèrent les narines de Christian, dominant la fragrance de lavande qu'affectionnait Girard et l'odeur perpétuelle de moisi imprégnant les sous-sols du château. Le frugal petit déjeuner de Christian lui remonta dans la gorge. Il se concentra sur le discours philosophique de Girard, maîtrisant dc son mieux la nausée, ayant appris à ses dépens que l'on pouvait s'étouffer avec son vomi.

Un talon de botte racla le sol et Christian devina qu'Anduvoir émergeait enfin de l'ombre, tel un reptile cherchant sa source de chaleur préférée.

— Assez de sermons, colonel Girard. Votre chouchou ne nous a rien révélé sur les mouvements de troupes. D'ailleurs, il est devenu muet. N'est-ce pas, monsieur le duc ?

Anduvoir tira longuement sur son cigare avant d'en placer délicatement le bout humide sur les lèvres de Christian.

— J'ai très, très envie d'entendre ne serait-ce qu'un seul hurlement anglais.

Christian détourna la tête, ce qui ne surprit guère Girard. Les visites d'Anduvoir n'étaient pas fréquentes et, comme tout hôte attentionné – ou subordonné prudent –, Girard se mettait en quatre pour le divertir.

Anduvoir apparut dans la ligne de mire de Christian. Petit, brun, les traits grossiers, derrière ses gesticulations de Latin se cachait la jubilation d'une brute coriace.

— Un homme silencieux, notre duc, murmura-t-il, exhalant sa fumée par le nez. À moins que...

Il appliqua le bout incandescent de son cigare dans le creux du coude de Christian ; un bref silence tomba tandis que se répandait une odeur de chair brûlée.

La douleur fulgurante jaillit du bras de Christian vers son cerveau, rejoignant le souvenir de mille et un sévices semblables et s'unissant à eux pour entonner un refrain lancinant.

Vengeance !

Le Dr Martin se racla la gorge, une manie que Gilly commençait à abhorrer autant qu'elle avait détesté la vue de Greendale allumant l'un de ses horribles cigares dans son boudoir.

— Sa Seigneurie était un homme de grande influence.

— En effet, convint Gilly, les yeux baissés comme il convenait pour une veuve.

Comme prévu, la mauvaise nouvelle tomba.

— Il y aura certainement une enquête, comtesse.

— Une enquête ?

D'un geste, elle invita le médecin à s'asseoir. Huit années de mariage avec Greendale lui avaient appris à conserver son calme en toutes circonstances.

— Theophilus, permettez-moi de vous rappeler que ledit homme de grande influence était universellement haï, qu'il allait avoir soixante-dix ans et qu'il est mort d'une crise d'apoplexie au beau milieu d'un dîner organisé pour vingt-huit de ses flagorneurs les plus fiables. À quoi servirait une enquête ?

Depuis l'attaque fatale de Greendale, Gilly exigeait que l'on entretienne un feu dans son boudoir à longueur de journée mais les paroles du Dr Martin l'avaient glacée.

— Lady Greendale...

Martin changeait sans cesse sa sacoche noire de main, faisant tinter son contenu. Gilly était persuadée que la serviette ne contenait qu'un assortiment de flasques de poche.

— Comtesse, vous devez mesurer vos paroles, même avec moi. Je serai sûrement interrogé sous serment. Je n'ose imaginer combien certains mots maladroits relevés par les avocats pourraient ternir votre réputation.

Ses mots à *lui*, bien sûr, sur lesquels il n'avait aucun contrôle. Un Dieu juste infligerait une mort lente et douloureuse à un tel praticien.

— La réputation importe peu si l'on doit être pendu pour meurtre, riposta-t-elle.

— Nous n'en arriverons pas là, affirma Martin.

Il traînait devant la porte, comme si prolonger ce moment risquait de le contaminer non pas de sa culpabilité – Gilly était innocente –, mais de sa vulnérabilité face aux accusations.

— J'ai demandé son avis à Harrison et il a confirmé mon diagnostic par courrier, moins de deux jours après l'accident.

Le Dr Theophilus Martin avait pris cette précaution, moins pour protéger la veuve de Greendale que parce que le défunt et non regretté lord avait réussi à créer autour de lui une aura de défiance suffisamment dense pour polluer chaque recoin de la maison.

— Que pourrait-on me reprocher ?

Sa stupidité, certainement, pour avoir épousé Greendale. Mais ses parents s'étaient montrés catégoriques (*Rends-toi compte, tu seras comtesse !*) et elle était si jeune...

Le Dr Martin lissa ses cheveux blancs.

— Vous n'êtes accusée de rien.

Un examen silencieux du psaume 23 encadré et accroché au-dessus de la console confirma que Gilly ferait bel et bien l'objet de soupçons. Sa vie n'était plus qu'une série de diffamations uniquement fondées sur l'imagination fébrile d'un vieillard, et émises, de préférence, en présence de domestiques.

— On dira que je l'ai étouffé avec un oreiller, n'est-ce pas ?

— Impossible. Vous n'étiez jamais seule dans la chambre. Très joli travail de broderie, comtesse.

Exact. Elle avait toujours été accompagnée par deux infirmières ou le médecin. Quant à l'ouvrage remarqué par ce dernier, il irait à l'hospice dès la fin de l'enquête.

— N'est-ce pas ? dit-elle pour répondre à son compliment. Les infirmières risquent-elles de figurer parmi les suspects ?

Elle ne demanda pas à Martin s'il craignait d'être lui-même mis en cause car, en toute franchise, elle était trop terrorisée pour se poser la question. Il avait beaucoup fréquenté Greendale Hall, en tant que médecin et ami du maître des lieux. Sa sollicitude actuelle envers Gilly s'expliquait surtout par son désir de percevoir enfin ses honoraires.

— Je les ai engagées en toute connaissance de cause, je doute qu'elles soient importunées, assura-t-il.

Voyant qu'il jetait de fréquents coups d'œil vers la porte, Gilly décida de se lancer. Au diable, la dignité.

— Qui est derrière tout cela, Theophilus ? Mon mari n'est pas encore enterré que déjà, vous évoquez la possibilité d'une instruction.

Il avait au moins eu l'amabilité de la mettre en garde. La façon dont ses doigts se crispèrent sur la poignée de sa serviette trahit son malaise.

— Je ne voulais pas vous infliger prématurément ce fardeau, mais il semble que lord Greendale en personne ait confié à son héritier la charge de régler toutes les formalités.

« Quand je pense que j'ai prié pour que mon mari se remette ! » songea Gilly.

— C'est donc Easterbrook qui ordonne une enquête ? Il est toujours en France, en Espagne ou ailleurs, au service de la Couronne.

— En tant qu'héritier du titre et de la fortune de lord Greendale, Marcus Easterbrook aura transmis ses instructions à ses hommes de loi qui, à leur tour, se seront mis en rapport avec le Conseil du roi et le magistrat local.

Ah, les hommes ! Toujours très organisés dès qu'il s'agissait de protéger leurs biens.

— Greendale était le magistrat en question. À qui revient désormais ce douteux honneur ?

— Probablement à Gordon.

Propriétaire terrien passionné de chiens et de chevaux, Gordon n'avait jamais léché les bottes de Greendale. La panique de Gilly reflua légèrement.

— Voulez-vous une tasse de thé, Theophilus ? Il est chaud.

Et bien fort, pour changer – deuxième acte de rébellion contre les économies infernales que lui avait imposées Greendale.

— Non, merci, comtesse.

Martin se tourna vers la porte, hésita, la main sur la poignée.

— Inutile de vous attarder, Theophilus. Vous avez servi cette famille avec loyauté et cela n'a pas été facile.

Il avait aussi fait preuve d'une discrétion exemplaire.

— Nous nous croiserons au cours de l'instruction, je suppose.

Il hocha la tête et s'éclipsa, confirmant par ce geste qu'il ne se présenterait plus chez elle, même en qualité de médecin, tant que les problèmes juridiques ne seraient pas résolus. Du moins, pas s'il voulait maintenir une apparence d'impartialité. Il ne tenait pas du tout à ce que les hommes de la Couronne s'intéressent de trop près à lui.

Gilly remit du charbon dans le feu – reposez en paix, lord Greendale – et contempla les flammes un long moment, soupesant les choix qui s'offraient à elle.

Tandis que son thé refroidissait, elle s'assit et s'empara d'une feuille de papier et d'une plume pour solliciter un rendez-vous auprès de Gervaise Stoneleigh, l'avocat le plus intransigeant, le plus malin et le plus onéreux à avoir dédaigné l'argent de Greendale.

Une décision qui lui sauva très probablement la vie.

— Girard m'a transmis ses ordres ultimes vous concernant.

Christian tourna lentement la tête. Il se remettait péniblement de sa dernière « journée d'enseignement », une tentative vaine de la part du caporal consistant à lui infliger divers supplices dans le seul but d'amuser Anduvoir, sous l'œil réprobateur de Girard.

Ce dernier désapprouvait les manœuvres brutales qui ne produisaient aucun résultat. L'on ne pouvait que respecter son sens de l'efficacité.

— Vous vous fichez de savoir s'il m'a donné l'ordre de vous tuer, n'est-ce pas ?

Le geôlier devait être d'origine irlandaise ou écossaise et Christian était toujours heureux d'entendre quelqu'un s'adresser à lui dans un anglais dépourvu d'accent français. L'homme était aussi à l'origine de petites attentions destinées à tourmenter le prisonnier avec la plus affûtée des armes : l'espoir.

— Girard m'a interdit de vous maltraiter vu ce que vous avez déjà subi. D'après lui, vous avez gagné votre médaille de combattant, pour ainsi dire, mais vous laisser rejoindre votre duchesse et votre fils dans la tombe serait un acte de clémence. Il assure que vous ne devrez faire confiance à personne et que l'existence qui vous attend ne vaudra pas la peine d'être vécue, en admettant que vos ennemis ne vous tendent pas une embuscade dès votre arrivée dans le Surrey.

Mensonge. Christian n'avait pas d'ennemis dans le Surrey où sa femme et son fils vivaient en paix. Severn était une véritable forteresse, dotée d'une armée de serviteurs dont la loyauté remontait à plusieurs générations. Girard n'était qu'un petit tyran autorisé à s'épanouir dans les entrailles d'un avant-poste de la Grande Armée sur les pentes des Pyrénées et cette affirmation selon laquelle Helene et Evan étaient morts n'était qu'une manigance parmi tant d'autres.

Girard la regretterait amèrement.

Christian s'efforça d'ignorer l'homme qui s'adressait à lui, un grand blond aux yeux verts vouant une admiration méfiante à Girard. Ce dernier l'appelait Michel ; les autres gardes employaient des termes moins respectueux.

Il tenait à la main un couteau étincelant au manche en os auquel Christian demeurait indifférent – presque. Il avait même considéré cet objet comme une sorte d'ami jusqu'à ce qu'Anduvoir en fasse un usage inconcevable pour un homme sain d'esprit.

— Orthez est tombé en février, annonça le caporal.

La porte de la cellule était ouverte, comme pour narguer Christian puisqu'il était dans l'incapacité de s'enfuir.

— C'était il y a plusieurs semaines. Bordeaux a capitulé le mois dernier, Toulouse aussi et il paraît que Napoléon a abdiqué. Quant à Girard, il a décampé.

Rien de cela n'était vrai. Ces contes de fées n'étaient qu'une variante des histoires que le gardien racontait de temps en temps pour lui redonner espoir. Christian n'était pas dupe.

Le blond se rapprocha.

— J'ai vu ce qui s'est passé ici et j'en suis navré, déclara-t-il avec une sincérité déconcertante. Girard le regrette aussi. Nous sommes en guerre, certes, mais les agissements d'Anduvoir...

Il pouvait toujours parler. Comme souvent, Christian était ligoté à son lit. Comble de la cruauté, Girard se débrouillait pour maintenir son prisonnier en vie. Le matelas était mince mais propre, et Christian disposait sans doute de plus de couvertures que les soldats d'infanterie cantonnés dans une aile du château.

On le nourrissait.

S'il refusait de s'alimenter, on le gavait de force. S'il refusait de se laver, on le baignait de force. S'il refusait l'occasionnelle promenade dans la cour où l'air frais et le soleil agressaient ses sens avec une violence égale à celle de ses geôliers, on l'y escortait de force.

Au fil du temps, l'usage de l'autorité était devenu inutile. S'il voulait se venger un jour, Christian devait se préserver. Il s'était donc plié aux règles imposées, acceptant les sorties et mangeant ce qu'on lui donnait, histoire de nourrir ses rêves de vengeance, sinon son corps.

Entre les séances de torture infligées par Girard ou ses complices, on lui laissait le temps de se remettre. Quand certains – Anduvoir, surtout – dérapaient, on le soignait. Il estimait mériter une mort simple et relativement indolore.

Il s'efforça d'éprouver un sentiment de gratitude, de peur, de soulagement. N'importe quoi plutôt que ce regret immense d'être privé de sa vengeance.

— Je suis désolé. Vraiment désolé.

Girard avait prononcé des paroles semblables, sur ce même ton, en le déposant avec douceur sur son lit après un interrogatoire particulièrement brutal.

Christian sentit la lame trancher ses liens, la douleur atroce du sang affluant brusquement dans ses mains et ses pieds.

— Je suis désolé, répéta le caporal.

Après quoi, Christian ne sentit… absolument rien.

2

— Dès que les canons se taisent, les ordres fusent dans toutes les directions.

Devlin St. Just – le colonel St. Just, s'il vous plaît – se plaignait de la paix, un privilège douteux réservé aux militaires de carrière.

— Pendant la guerre, la paperasserie se limitait à un côté de la frontière, enchaîna-t-il. Aujourd'hui, nous sommes obligés de parcourir l'Europe en long et en large parce que les pigeons s'y refusent.

— Si vous apportez des ordres de Baldridge, ce doit être important, observa Marcus Easterbrook – désormais lord Greendale.

Il ne l'ébruiterait toutefois pas avant de connaître les résultats de l'enquête, les révélations de mauvais aloi équivalant à une trahison au sein des officiers de Wellington.

Easterbrook but une gorgée de cognac avant de passer la bouteille à son camarade, car une armée victorieuse se devait d'être une institution affable et enjouée – et aussi parce que, comme de nombreux messagers militaires, St. Just avait l'oreille des généraux. Hélas, hormis la visite occasionnelle d'une catin, le cognac constituait la seule gâterie disponible sous la tente d'Easterbrook !

Bâti comme une armoire, grand, musclé, le colonel St. Just maniait le fusil ou l'épée avec une intensité meurtrière, mais Easterbrook n'enviait guère son rôle. Pour épargner son cheval, St. Just devait voyager léger, et pour mener ses missions à bien, il devait presser le mouvement, empruntant souvent des raccourcis en faisant fi des dangers.

— On ne fait pas tourner un bon cognac dans son verre, Easterbrook, observa St. Just en s'en reversant un doigt. C'est vulgaire.

St. Just était un fils illégitime – mais d'un duc. Easterbrook se resservit généreusement et répliqua :

— Pendant la guerre, on développe une certaine tolérance envers les écarts de conduite.

— N'est-ce pas ? renchérit St. Just.

Il fit tournoyer son alcool, le huma, puis le reposa sur la table.

— Parlez-moi de ce duc disparu, reprit-il. Tout le camp en parle, pourtant, nous n'avons jamais entendu son nom à Paris.

Une chance.

— Ici dans le Sud, le duc disparu est une légende, répliqua Easterbrook, vaguement agacé que St. Just s'adonne ainsi aux commérages. Le huitième duc de Mercie avait rejoint l'armée de Wellington, servant essentiellement au sein de son état-major. Il avait eu un héritier et acheté une commission comme le voulait la tradition familiale.

— Un enfant ne suffit pas à garantir une succession ducale.

Hélas pour le pauvre duc, non ! Toutefois, si la mémoire d'Easterbrook était bonne, St. Just possédait une nombreuse fratrie légitime.

— Vous avez dû connaître Mercie, reprit Easterbrook. Il avait beaucoup d'influence, et était aussi arrogant que peut l'être un duc né et élevé en tant que tel. Étant son cousin, je peux vous assurer que la succession n'était pas en péril. Mon père était le frère cadet de l'héritier du duché, bien qu'il ait pris le patronyme de son épouse pour satisfaire aux exigences du contrat de mariage. Je suis un Severn jusqu'au bout des ongles.

— Vous connaissez Sa Grâce ?

Comme si un duc refuserait de s'associer avec un quelconque cousin ?

— C'était mon unique proche du côté de mon père, le sien étant le plus âgé de mes oncles. Quoi qu'il en soit, Mercie a acheté ses couleurs et servi honorablement puis, un beau matin l'été dernier, il s'est volatilisé. Nous avons retrouvé son uniforme, sa trousse de rasage et son cheval près d'un ruisseau au nord du campement et conclu qu'il s'était noyé en se lavant.

Enfant, Christian nageait pourtant comme un poisson. Easterbrook avait d'ailleurs signalé ce détail aux officiers chargés de l'enquête, qui avaient par conséquent penché pour l'hypothèse d'une désertion.

Défection d'un pair et officier. La commission d'enquête ne s'était guère apitoyée sur le sort du duc. Dommage.

St. Just n'était de toute évidence guère impressionné par la qualité du cognac car il semblait préférer effleurer le rebord de son verre du bout du doigt plutôt que d'en déguster le contenu.

— Un homme adulte, noyé dans un ruisseau ? s'étonna-t-il.

— Vous avez servi en Espagne ?

— Pendant des années, et au Portugal avant cela. Oui, je sais, inondations soudaines, romanichels, autochtones sympathisants des Français, déserteurs français... C'est sans doute une bénédiction que Sa Grâce soit morte engloutie par les eaux.

— Il en conviendrait probablement s'il était encore en vie, acquiesça Eastbrook. Vous fumez ?

— Non, merci.

21

Il ne fumait pas, il filait comme le vent et il s'était offert un moment de repos, paupières closes, avant de consommer son déjeuner : pain noir, beurre, pommes de terre bouillies et ragoût de bœuf. Après celle de ses camarades du mess, la compagnie de ce parangon de vertu aurait dû réconforter Easterbrook. Or, il n'en était rien.

Easterbrook coupa le bout d'un cigare.

— Quelques semaines après la disparition de Mercie, nous avons entendu des rumeurs selon lesquelles les Français avaient capturé un officier anglais de haut rang en civil.

St. Just déplaça son tabouret vers l'entrée de la tente dont les pans étaient ouverts pour laisser passer la brise.

— Pauvre bougre.

— J'ai connu des hommes qui refusaient de se laver par peur de perdre la protection que leur conférait leur uniforme d'officier.

Car les Français, considérant comme espion tout officier anglais capturé en civil, donnaient sans limites et sans pitié libre cours à leurs fantaisies au cours des interrogatoires de ces infortunés.

— Je garde toujours mon uniforme à portée de main, avoua St. Just.

Easterbrook passa son cigare sous son nez pour humer une bouffée de privilège et de plaisir, si mineurs fussent-ils.

— Moi aussi, admit-il. Quand les rumeurs se sont tues, un courrier est arrivé d'on ne sait où, adressé à l'un des aides de camp de Wellington. Il n'était pas signé mais son auteur prétendait être un médecin français. Il expliquait qu'un officier anglais titré était détenu sous la torture et que le paiement discret d'une rançon serait opportun.

— Inhabituel, marmonna St. Just.

Officiellement, il était hors de question de céder à de tels chantages, les deux parties ayant décidé de retenir leurs prisonniers pendant la durée des hostilités. Au dernier décompte, certains Anglais jouissaient de l'hospitalité aléatoire de Verdun depuis plus de dix ans.

— Et même, louche, rétorqua Easterbrook. Cette lettre s'est perdue dans les voies diplomatiques, mais des espions expédiés sur place ont rapporté à Wellington qu'ils n'avaient rien trouvé, rien entendu, rien vu.

Dieu merci.

— Et pourtant, cela vous a redonné espoir ?

— L'espoir de quoi ? Mercie avait disparu depuis plusieurs mois. Il a grandi dans le luxe et s'est toujours fait plaisir. Même dans le camp d'internement des officiers de Verdun, il aurait craqué. Comment voulez-vous qu'un homme de son milieu supporte la torture ? Ou n'importe quel homme, d'ailleurs ? En outre, après tout ce temps, on ne pouvait s'empêcher de se demander si Mercie souhaitait encore être sauvé.

St. Just examinait son breuvage, alors que la plupart de ses camarades l'auraient avalé depuis longtemps et se seraient resservis.

— Sa Grâce avait une épouse et un fils. Pourquoi aurait-il refusé d'être secouru ?

— En faisant le ménage après le passage de Soult, nous avons libéré des prisonniers de guerre. Ils n'ont pas tenu le coup aux mains des Français.

— Les Français eux-mêmes ont souffert, argua St. Just.

Il étudia l'étiquette sur la bouteille de cognac comme s'il lisait ce qui y était inscrit – en français, bien sûr.

— Peu importe à quel camp ils appartiennent, les prisonniers n'ont jamais droit à des rations complètes.

— Les privations ne sont qu'une partie d'un tout.

Avant de remplir son verre, Easterbrook se servit de la lampe à pétrole sur la table pour allumer son cigare. Il scruta les alentours, soudain pressé de changer de sujet.

— Quoi de plus gratifiant que d'honnêtes libations, une catin appétissante et un bon cigare ?

— Une paix juste et durable, riposta St. Just, les yeux tournés vers le nord, en direction de cette bonne vieille Angleterre. Mais vous me parliez de votre cousin.

Le colonel préférait parler d'un duc disparu que des filles de joie. Décidément, la guerre en poussait certains à d'étranges comportements.

— Le duc disparu, qui selon moi est auprès de son Créateur. Quand Toulouse est tombé, il y a quelques semaines, un Irlandais éméché et d'une loyauté contestable a laissé entendre qu'un officier anglais titré avait été retenu dans un château en ruine au pied des montagnes. Apparemment, l'édifice bâti sur le site d'une forteresse médiévale comportait plusieurs donjons. D'après lui, le prisonnier était libre depuis que les galants Français avaient abandonné les lieux.

— Les Français vaincus.

— Exact, approuva Easterbrook en levant son verre.

Il tira sur son cigare et tenta une fois de plus de réorienter la conversation.

— Vous partez pour le Canada avec les autres ?

— Sans renier ma patrie, j'ai des obligations familiales, répondit St. Just avant d'enchaîner : Si je comprends bien, vous en avez déduit que cet Irlandais mentait ?

C'était cette ténacité infaillible qui lui permettait de mener ses missions à bien. Easterbrook commençait à le haïr presque autant qu'il le respectait.

— Cet Irlandais était...

Il marqua une pause, contempla le plafond de la tente. Que dire ? Rêver de récupérer un duché prospère n'était pas un crime, tout de même ?

— Ce type était ivre et ses motivations discutables. Que fabriquait-il dans ce fameux château ? Et où se trouve le duc disparu, maintenant que tout le monde est au courant de l'abdication de l'empereur ?

St. Just écarta davantage le pan de la tente comme pour laisser entrer plus de lumière. De son côté, Easterbrook se réjouit de l'incommoder avec sa fumée.

— Si Mercie a été torturé, ses facultés mentales ne sont peut-être pas au mieux, fit remarquer St. Just. Et qu'aurait-il à gagner à venir jusqu'ici plutôt que de rentrer directement chez lui depuis la côte ?

— Comment aurait-il pu payer la traversée ? Comment un homme soumis à des privations et à des tortures physiques pendant tous ces mois pourrait-il parcourir une telle distance à pied ? En supposant qu'il soit vivant, ce que je ne crois plus depuis longtemps, ce type serait un héros. Quant à ceux qui tentent de se faire passer pour Mercie, nous leur offrons un repas chaud et les traitons avec un minimum de courtoisie jusqu'à ce que je sois en mesure d'assurer nos généraux que ce sont des imposteurs.

Impassible, St. Just croisa les bras en contemplant les volutes de fumée grises.

— Qu'un médecin français ait pris le risque d'écrire une telle missive m'étonne. Si elle était tombée entre de mauvaises mains, il aurait été fusillé pour avoir trahi la République.

Le tabac étant censé calmer les nerfs, Easterbrook tira avec force sur son cigare jusqu'à ce que l'extrémité rougeoie, puis il exhala la fumée par le nez.

— Mercie a peut-être été capturé, mais quelles chances y a-t-il que les Français s'emparent d'un homme en train de se baigner, lui interdisent de revêtir son uniforme, s'aperçoivent qu'il est duc et continuent malgré tout à le retenir pour l'interroger ? C'est inimaginable. D'ailleurs, poursuivit Easterbrook en se levant, pressé de se débarrasser de son hôte, rien ne nous permet d'affirmer que le détenu en question pourrait être Mercie. Ce dernier était de toutes les réunions, on le consultait dès qu'il s'agissait de stratégie, il avait même exploré certains cols. En dépit de son arrogance, c'est – c'*était* – un type rusé, et mettre la main sur lui aurait été fort utile aux Français.

— À condition qu'il fléchisse.

Easterbrook porta la bouteille à ses lèvres car, comme par hasard, elle serait vide à son retour, nonobstant la victoire et l'affabilité.

— Je ne résisterais pas, murmura-t-il.

Peut-être avait-il un peu trop bu, à moins que ce ne soit la compagnie de ce modèle de colonel St. Just.

— Certes, je m'efforcerais de tenir, reprit-il, mais j'ai entendu des histoires abominables. Entre nous, St. Just, j'ai le regret de vous dire que je m'effondrerais.

— Vous n'en savez rien.

St. Just se leva avec une aisance déconcertante pour un homme qui avait chevauché depuis Paris.

— Merci pour votre hospitalité, le repas, le cognac, votre présence. Je vais voir mon cheval.

Dieu bénisse cette pauvre bête !

— Votre cheval ?

— J'ai mes propres montures. C'est plus prudent. Bien que nous ayons franchi de longues distances ces derniers jours, je dois le faire marcher pour lui délier les jambes. Vous pouvez vous joindre à moi si vous le souhaitez.

— Excusez-moi, colonel Easterbrook, colonel St. Just ?

Un subalterne à peine en âge de se raser s'immobilisa, haletant, devant la tente avant de les saluer avec l'enthousiasme exagéré d'un jeune guerrier n'ayant jamais connu le front.

— Anders.

Easterbrook aspira une dernière bouffée de fumée, jeta son mégot à terre et l'écrasa du bout de sa botte.

— Vous venez de la part de Baldridge ?

— Le général Baldridge a encore un duc disparu pour vous. Nous l'avons emmené au mess des officiers.

— Épatant, grommela Easterbrook. Celui-ci parle-t-il au moins l'anglais ?

— Il ne dit rien du tout, mon colonel. Il a des yeux d'un bleu incroyable.

— Un point pour lui. Allez me chercher mon cheval, Anders. St. Just et moi reviendrons aussitôt après nous être débarrassés de Sa toute dernière Grâce. Venez, St. Just. Les ducs disparus ne se présentent qu'environ une fois par semaine dans ce coin perdu. Maintenant que les mangeurs de grenouilles nous ont délaissés, c'est notre principal divertissement.

Debout devant la tente, Christian claquait des dents dans la brise nocturne, ce qui ne l'avait pas empêché d'entendre l'échange qui avait eu lieu à l'intérieur.

— Encore un duc disparu, avait annoncé le subalterne à un général, d'un ton monocorde. C'est le troisième ce mois-ci. Nous avons envoyé chercher le colonel Easterbrook.

— Pauvre Easterbrook, avait soufflé l'officier supérieur. Celui-ci a aussi une histoire rocambolesque à nous raconter, je suppose ?

— Pas que je sache, colonel. Il paraît... eh bien...

— Vous êtes autorisé à vous exprimer librement, Blevins.

— Si je prétendais avoir erré à travers les collines pendant des mois, vécu de rien, perdu la raison à la suite d'un coup sur la tête ou été capturé par les Français, je serais bien content de lui ressembler.

— Expliquez-vous.

— Il est maigre comme un coucou, il a le regard d'un homme qui a connu l'enfer. Il ne babille pas comme les deux précédents.

— Les quatre précédents, vous voulez dire. Easterbrook devra sans doute le dénoncer aussi, mais une bonne action n'est jamais perdue. Emmenez-le au mess, donnez-lui un repas convenable. On ne sait jamais, et offenser un duc serait malvenu, surtout s'il est fou.

— À vos ordres, colonel.

Blevins émergea de la tente et en rattacha conscien-cieusement le rabat, qui continua toutefois de claquer dans le vent.

Christian se réhabituait peu à peu à entendre d'autres bruits que le fracas de portes en fer, le trottinement des rats, les propos pseudo-philosophiques de Girard et les bougonnements de ses geôliers.

— On va vous nourrir en attendant les ordres, lui annonça le blond et rougeaud Blevins.

À en juger par son uniforme impeccable, soit il était issu d'un milieu aisé, soit il était particulièrement atten-tif à son apparence – à moins qu'il n'ait récemment acheté ses couleurs.

— Votre Grâce, murmura Christian.

— Je vous demande pardon ?

— On va vous nourrir, *Votre Grâce*, articula Christian au prix d'une gymnastique mentale épuisante.

— Ah, oui ! Bien sûr, euh... Votre Grâce.

Écarlate, Blevins s'éloigna au pas de charge. Il dut ralentir l'allure pour attendre Christian. Son embarras n'était pas tant le résultat d'une absence de bonnes manières que d'un sentiment de pitié envers cet homme ayant visiblement perdu la raison et sa trousse de rasage depuis un bon moment.

— Ce sera un humble repas, Votre, euh... Grâce. Ragoût de bœuf, pommes de terre bouillies avec du sel et du beurre, et l'inévitable pain rassis. C'est mieux que rien. La situation est moins pénible depuis que ce cher Wellington a remis Soult à sa place. Les autochtones sont heureux de nous donner à manger en échange de quelques pièces.

Ce flot de mots anglais résonnait aux oreilles de Christian comme un chant d'oiseau à l'aube d'une journée d'été. Easterbrook était en chemin, il l'aiderait à regagner l'Angleterre, à rejoindre son épouse dévouée, sinon aimante, et leurs enfants. À présent, Evan devait marcher et parler, il avait sûrement perdu ses boucles de bébé. Peut-être même était-il assez grand pour une promenade tranquille à cheval avec son papa.

Au cours de sa séquestration, Christian avait entretenu d'innombrables et délicieuses conversations imaginaires avec son fils. Il lui avait choisi son premier poney, lui avait lu ses histoires préférées avant de le border dans son lit, et même offert un ou deux chiots. En esprit, il avait expliqué avec douceur à l'enfant que papa avait quelques Français à tuer, mais qu'il rentrerait très vite à la maison.

Telle une gifle, un arôme de bœuf bouilli interrompit le fil de ses réflexions. Il avait pris l'habitude de cataloguer ses perceptions. Les odeurs pouvaient être anglaises, ou rurales, ou françaises. Le bœuf bouilli était incontestablement anglais. La boue envahissante fleurait la campagne. Ce fichu chat roux aux poils emmêlés qui se frottait contre ses bottes était français.

Il se pencha prudemment pour le repousser – sans le lancer, sans lui tordre le cou – à un mètre. Les chats étaient forcément français.

— Voulez-vous du thé, Votre Grâce ? lui demanda Blevins avec un empressement qui frisait l'ironie. Les épouses nous en fournissent, contrairement aux régisseurs.

— Je me contenterai d'une tasse d'eau chaude. Merci.

La seule pensée d'avaler une gorgée de thé suffisait à lui donner la nausée.

— Entendu, Votre Grâce.

Les ducs n'avaient-ils plus coutume de remercier leurs serviteurs ? Le visage de Blevins s'éclaira et il s'éclipsa. Peut-être espérait-il que Christian prendrait enfin la peine de se raser avant qu'il revienne ?

Bientôt, Easterbrook serait là, puis ce serait le retour en Angleterre où Christian pourrait échafauder des plans pour se venger d'Anduvoir et de Girard. Après quoi, tout redeviendrait comme avant.

— Perdre tout espoir doit être douloureux, observa St. Just tandis qu'Easterbrook et lui se dirigeaient vers le mess des officiers. Après tout, Mercie est votre cousin.

Il avait adopté un ton désinvolte mais était vaguement décontenancé par l'attitude d'Easterbrook. Si un membre de sa propre famille avait ressurgi après une longue disparition, il aurait sauté de joie.

Or, Easterbrook paraissait inquiet.

— Mercie est jeune. Si c'est bien lui, s'il a encore toute sa tête et s'il n'est pas brisé physiquement, il pourrait reprendre le cours de son existence d'avant, ou à peu près.

Quiconque retenu pendant des mois par les Français possédait une force intérieure que St. Just ne pouvait qu'envier. Pourtant, la créature qu'ils découvrirent sous la tente lui inspira un élan de pitié.

Assis tout seul au bout d'une table, Mercie prenait de minuscules bouchées de pommes de terre, posait sa fourchette, mâchait soigneusement, recommençait. Il n'avait pas touché à sa viande. D'apparence négligée, les traits anguleux, il évoquait un saint revenu d'une expédition de prières et de combats contre les démons.

— Un véritable duc se tient bien, commenta Easterbrook en se rapprochant. Mais il se jetterait sur ce ragoût s'il n'en avait pas mangé depuis des semaines. Je suis Easterbrook.

Il s'installa en face de l'individu efflanqué et silencieux, aux yeux d'un bleu étincelant, et croisa les bras.

— Mes dents branlent, colonel. Je ne peux pas goûter à ce bœuf parce que les Français étaient trop parcimonieux pour me donner ne serait-ce qu'une orange.

— Ah, bien sûr ! Ces pingres de Français.

Easterbrook jeta un coup d'œil sévère aux officiers qui faisaient mine de vomir, deux tables plus loin.

— Peut-être ferions-nous mieux de discuter dehors.

St. Just aurait préféré qu'il chasse ses camarades car l'air froid de la montagne risquait d'anéantir ce fantôme d'homme.

— Peut-être ferions-nous mieux de discuter dehors, *Votre Grâce*, Marcus, rectifia le spectre posément.

— Pardonnez-moi, répliqua Easterbrook si courtoisement qu'il semblait se moquer. Votre Grâce, bien sûr.

L'homme se leva avec lenteur et personne ne lui vint en aide. La détermination dans son regard suffisait à décourager qui que ce soit, songea St. Just.

— Si vous étiez Christian Severn, duc de Mercie, attaqua Easterbrook dès qu'ils furent à l'écart de la tente, vous ne porteriez pas cette barbe. Vous semblez ne pas vous être rasé depuis des semaines, vos mains sont sales et, pour être franc, vous sentez mauvais.

— Mes mains tremblent trop pour manier le rasoir, cousin. Les Français refusaient de le faire à ma place, de peur que je ne réussisse à arracher la lame au barbier pour me trancher la gorge. En revanche, de temps en temps, ils me taillaient la barbe.

L'explication était logique, pourtant Easterbrook l'éluda d'un geste – incertain – de la main.

— Pour l'amour du ciel, le duc de Mercie était dans la fleur de l'âge. Vous avez la peau sur les os, vous n'êtes pas en uniforme, vous n'arborez aucune chevalière.

Normal. Les Français la lui auraient confisquée immédiatement.

À l'intérieur de la tente, des bruits de pas et des murmures indiquaient que les officiers s'étaient rapprochés de l'ouverture pour écouter l'échange.

— J'ai été juste assez nourri pour rester vivant, pas pour conserver mes forces. Vous insultez votre cousin, Easterbrook.

— La moitié de ce camp sait que j'étais le cousin de Mercie, cracha Easterbrook tandis qu'Anders lui amenait son cheval. M'obliger à identifier les imposteurs est devenu un vieux sujet de plaisanterie. Mon cousin était gaucher. Vous mangiez avec la main droite. Éclaircissez donc ce mystère.

L'explication donna à St. Just l'envie furieuse d'enfourcher sa monture et de filer n'importe où – à Paris, à Moscou, à Rome –, mais le plus loin possible. Sa Grâce venait de lever le bras gauche. Ses deux derniers doigts étaient déformés et arboraient d'affreuses cicatrices.

— En guise de cadeau pour leur chef, les geôliers ont décidé en son absence que je devais rédiger une confession. Ils voulaient la lui présenter dès son retour de Toulouse. Ils ignoraient que j'étais gaucher. Ils ont donc concentré leurs efforts sur la main qu'ils jugeaient la moins utile. De toute façon, je n'ai jamais écrit ces aveux. Quand le colonel Girard a eu terminé de les punir, il s'est répandu en excuses, acheva Christian d'un ton narquois.

St. Just s'éloigna de quelques pas pour pouvoir jurer en paix.

— Tous les lecteurs du *Times* connaissent l'histoire du duc disparu, insista Easterbrook avec une pointe de désespoir (selon St. Just). Mon cousin était un homme robuste, séduisant, méticuleux, très soigné de sa personne. Ses relations familiales figurent dans le *Debrett's*[1], et sont connues de tous les gens de la bonne

---

1. Annuaire mondain répertoriant la noblesse britannique. *(N.d.T.)*

société. Vous êtes décharné, sale, abominablement mal habillé...

Il continua ainsi sa diatribe, haussant le ton – probablement pour le bénéfice des curieux sous la tente. C'en était trop.

— Easterbrook, occupez-vous de votre cheval, intervint St. Just.

Anders tenait les rênes d'un énorme alezan, à la fois puissant et pourvu d'une certaine grâce ibérique. La bête piaffait et retroussait la lèvre supérieure tout en tendant le cou vers l'avant.

Vers le duc disparu.

— Aragon ! gronda Easterbrook.

Aux côtés d'Aragon, la monture de St. Just se tenait parfaitement tranquille.

— Non, pas Aragon, répliqua Mercie en s'avançant vers l'animal. Chesterton. Vous avez récupéré mon cheval, cousin, et vous l'avez rebaptisé. Sans doute devrais-je vous remercier d'avoir pris soin de lui. Dieu sait ce qu'il serait devenu s'il était tombé entre les mains des Français.

Le cheval poussa un hennissement joyeux.

La preuve était là, s'il en fallait une, pensa St. Just.

— Tu viens de retrouver ton duc, mon vieux, dit-il. Easterbrook, soit ce cheval a lu le *Debrett's* et monté un complot avec un imposteur, soit vous avez devant vous son maître, en chair et en os.

Une demi-douzaine d'officiers étaient sortis de la tente, leurs uniformes indiquant qu'ils appartenaient à la cavalerie. Pas un seul ne contesta la conclusion de St. Just.

Easterbrook se renfrogna tandis que la bête reniflait les poches du duc disparu. Celui-ci lui caressa l'encolure.

— Parbleu...

Easterbrook fit un pas en avant vers cet homme dont la mort, quoique tragique, l'aurait bien arrangé. Mais le duc leva sa main valide.

— Je vous en prie, ne nous mettez pas tous deux dans l'embarras. Épargnez-nous un déploiement de sentimentalité comparable à celui de cet animal. Apportez-moi plutôt de quoi écrire, que je puisse envoyer un message à la duchesse sans attendre. J'apprécierais aussi une tenue de rechange, un seau d'eau, une serviette de toilette et du savon.

Pour la première fois, l'expression d'Easterbrook trahit un mélange de consternation et... d'effarement.

— Vous n'êtes donc pas au courant ? Dieu vous vienne en aide, personne ne vous a prévenu, pour Helene.

3

— Votre Grâce, vous avez de la visite.

Depuis trois jours et trois nuits que Christian avait réintégré sa demeure londonienne, les domestiques, du majordome au cireur de bottes, ne cessaient de lui adresser des sourires béats.

On l'avait *torturé* durant des mois et eux souriaient comme des simplets. Les voir si heureux, sentir la maisonnée se réjouir à chaque détour de couloir l'exaspérait – et cette réaction irrationnelle, persistante, le tourmentait.

Même Carlton House lui avait envoyé une invitation. Comment pourrait-il se présenter devant le Prince Régent ? Il flotterait littéralement dans son habit de cour.

Le majordome toussota.

Ah, oui ! Une visite.

— À cette heure-ci ?

— Cette personne dit que c'est urgent.

— De qui s'agit-il ?

Meems traversa la pièce et lui présenta un plateau en argent sur lequel était posée une carte.

— Lady Greendale, ce nom ne me dit rien.

Pourtant, un domaine Greendale existait à quelques heures de route de Severn. Son propriétaire, un vieil avare prétentieux, passait son temps à assommer ses pairs de la Chambre des lords avec ses interminables discours sur le respect et la décence. Une bande noire barrait le coin de la carte, signalant que la visiteuse était veuve, peut-être encore en deuil.

— Je ne reçois personne, Meems. Vous le savez bien.

— Oui, bien sûr, Votre Grâce, puisque vous êtes en convalescence. Bien sûr. Elle affirme être un membre de la famille.

Derrière le sourire de Meems, Christian devina la pire des offenses : l'espoir. Le majordome espérait de tout cœur que Sa Grâce allait enfin laisser entrer quelqu'un d'autre qu'un homme d'affaires ou un valet de pied.

Christian caressa le bord du bristol du bout du doigt. Gillian, comtesse de Greendale, le priait de bien vouloir lui accorder un entretien. Une cousine lointaine et âgée de ses défunts parents, peut-être ? Il ne pouvait guère se fier à sa mémoire.

Parfois, il lui était impossible d'échapper à certains devoirs. Signer des dizaines de papiers, par exemple, afin que l'argent gagné par le duché puisse servir à payer les dépenses engendrées par ledit duché. Apprendre à écrire son nom de la main droite s'était révélé un exercice fastidieux. Au prix d'un effort surhumain, Christian s'était borné à froisser les feuilles et à les jeter au feu plutôt que d'envoyer valser l'encrier.

— Conduisez-la au salon.

— Ce ne sera pas nécessaire.

Une petite femme blonde contourna Meems et vint se planter devant le bureau.

— Bonsoir, Votre Grâce. Gillian, lady Greendale.

Elle le gratifia d'une minuscule révérence suggérant une connaissance minime du respect dû à son rang et du rôle de Meems, chargé d'annoncer les visiteurs.

— Nous avons à discuter d'une affaire familiale.

Non, rectifia mentalement Christian, elle ignorait *tout* des bonnes manières et, à en juger par sa tenue, n'avait pas de mari pour les lui enseigner.

Cette femme portait le deuil et elle avait les traits tirés. Elle ne souriait pas, semblait même avoir oublié comment s'y prendre.

Christian en fut presque soulagé.

— Meems, apportez-nous un plateau, je vous prie, et fermez la porte en sortant.

Christian se leva dans l'intention d'aller se poster près de la cheminée, mais la comtesse ôta sa jaquette et la lui tendit. C'était un somptueux vêtement de satin noir, aux ourlets brodés de fils aubergine. Il savoura la sensation du tissu sous sa paume, doux, élégant, imprégné de chaleur. Pour un peu, il en aurait humé le parfum fleuri, celui d'une lady, pas d'une simple femme.

Au fil du temps, loin de s'estomper, les rappels des privations dont il avait été l'objet se multipliaient.

— Bien, commença-t-elle, balayant la pièce du regard.

Intrigué par son audace, Christian plia la veste, la drapa sur le dossier d'un fauteuil et laissa le silence s'installer.

— Bien, répéta-t-il plus doucement. Voulez-vous vous asseoir, lady Greendale ?

Elle n'avait pas trente ans et une silhouette toute en courbes harmonieuses qui ne pouvait que retenir l'attention d'un homme. Ou du moins l'aurait retenue si l'homme en question n'avait pas été davantage préoccupé par la perspective d'échanger des mondanités autour d'une tasse de thé alors qu'il ne pouvait en boire.

Elle prit place sur un canapé face à la cheminée, ce qui rassura Christian puisque cela lui permettait de se placer près de celle-ci. Il y posa le coude, regrettant une fois de plus de s'être arrêté à Londres plutôt que de regagner directement Severn.

— Je suis fort embarrassé, milady. Vous vous revendiquez de la famille, mais la mémoire me fait défaut.

— Au moins, vous ne tournez pas autour du pot.

À la lueur des flammes, ses cheveux paraissaient dorés. Son chignon impeccable était strié de reflets cuivrés et ses sourcils semblaient encore plus roux. Il n'empêche qu'il n'avait aucun souvenir d'elle. Du reste, il avait une préférence pour les blondes graciles.

Il avait eu une préférence pour les blondes graciles.

— J'ai pensé que nous pourrions bavarder jusqu'à ce que les domestiques aient fini d'écouter aux portes, voire échanger des condoléances. Au passage, je vous présente les miennes. En toute sincérité.

Ses traits piquants s'adoucirent, son regard bleu exprima sa compassion bien que Christian mît un instant à en comprendre la raison.

Ah, oui ! La mort de sa femme et de son fils.

Elle continua de babiller, à l'image d'eaux peu profondes glissant sur des galets, épargnant à Christian le besoin de lui répondre. Il finit par se rendre compte que ce torrent de paroles était le signe d'une grande nervosité.

Girard avait-il déblatéré ainsi, philosophant, le sermonnant et le menaçant sous l'effet de l'anxiété ? Christian choisit de rejeter cette possibilité plutôt que d'accorder à Girard ne serait-ce qu'une fraction d'humanité.

— Helene était ma cousine, annonça la comtesse, captant de nouveau l'attention de Christian car personne n'avait encore osé prononcer le nom de la défunte duchesse en sa présence.

— La famille avait prévu de m'offrir à vous, mais Greendale a commencé à me tourner autour, et Helene était de loin la plus jolie des deux. Elle est donc devenue duchesse et moi, une simple comtesse. N'aurait-on pas dû nous apporter le thé, depuis le temps ?

Les souvenirs ressurgirent soudain, de la même façon qu'un seul vers permet de se rappeler un poème entier. En effet, il avait eu l'occasion de rencontrer cette lady Greendale. Elle avait un nom prosaïque, très anglais, qui lui échappait (peut-être venait-elle de le lui révéler, peut-être l'avait-il lu quelque part). Toujours est-il qu'elle avait assisté à son mariage avec Helene. Lord Greendale suivait son épouse des yeux avec une sorte de possessivité porcine et celle-ci s'agitait en tous sens tel un chien battu.

À l'époque, Christian avait eu pitié d'elle. Plus aujourd'hui.

Cela dit, il ne ressentait plus grand-chose.

— Voici ce qui m'amène…

Dieu merci, elle fut interrompue par l'arrivée d'un valet. Sauf qu'il n'était pas chargé d'un simple plateau, comme l'avait demandé Christian. Il poussait une table roulante croulant sous un service en argent, une assiette de gâteaux, une autre de canapés et une coupe remplie d'oranges – car le personnel attentionné et plein d'espoir était décidé à remplumer son maître coûte que coûte.

Ses problèmes de digestion risquaient de prolonger indéfiniment le processus.

— Voulez-vous que je verse le thé ?

Avant que Christian puisse lui répondre, elle enleva ses gants et s'attela à la tâche.

— On se demande comment font ces dames dans les pays où l'on ne boit pas de thé. Existe-t-il un tel rituel autour du café ? Vous prenez le vôtre sans rien, je crois. Helene me l'avait dit.

Décidément, les femmes avaient de drôles de conversations.

— Je n'en bois plus. Mon estomac ne le supporte pas.

Un tel aveu ne gênait guère un homme dont toutes les fonctions physiologiques avaient été scrutées pendant des mois. Christian était davantage humilié et furieux qu'embarrassé.

— D'où le pot d'eau chaude, devina-t-elle. Avez-vous l'intention de rester debout ou accepterez-vous de vous asseoir près de moi ?

Il n'avait pas envie de bouger d'un pouce.

Elle reprit son papotage, ses mains voletant au-dessus des tasses tels deux passereaux en pleine saison des amours. Elle troublait sa tranquillité et il sentit qu'elle s'apprêtait à lui soumettre des exigences auxquelles il ne souhaitait pas se plier.

Pourtant, sa franchise avait quelque chose de réconfortant.

Christian s'installa sur le canapé, à une distance respectable.

— Vous avez sans doute entendu parler du drame qui s'est déroulé à Greendale Hall. Si M. Stoneleigh n'avait pas pris l'initiative de montrer au magistrat le flacon de belladone – plein et encore scellé –, ma présence vous aurait probablement été épargnée. Je ne peux m'empêcher de penser que Greendale l'a fait exprès, qu'il me l'a donné dans le seul but de me mettre du poison entre les mains. Easterbrook avait dû le lui envoyer depuis le continent en toute innocence. Greendale me voulait enterrée à ses côtés, comme la femme d'un pharaon. Tenez, conclut-elle.

Elle lui tendit une tasse d'eau chaude à laquelle elle avait ajouté du sucre et un nuage de crème – un breuvage servi aux jeunes enfants pour leur éviter les effets excitants de la théine.

— Voulez-vous que je vous prépare une assiette ?

Sitôt dit, sitôt fait. Elle y déposa deux mini-sandwichs et deux gâteaux.

— Une orange me suffira.

Elle contempla l'assiette pleine, haussa les épaules, la mit de côté.

— Je vais vous la peler. Les ongles d'une femme sont parfaitement adaptés à cette tâche.

Elle entreprit d'arracher la peau du malheureux agrume avec une efficacité redoutable, le visage impassible. La comtesse avait une affaire à régler et s'y appliquerait avec tout autant de férocité.

Longtemps privé de ce plaisir simple, Christian admira la grâce de ses mains, si féminines, si compétentes, si jolies.

Il but une gorgée de sa boisson, la trouva chaude, sucrée, apaisante, et pourtant insatisfaisante.

— Auriez-vous la bonté de me préciser la raison de votre visite, lady Greendale ?

— Vous en avez assez de bavarder ? Il est vrai que vous venez de passer plusieurs années en compagnie de soldats, Votre Grâce, mais les officiers en permission sont le plus souvent d'une galanterie exemplaire. Cette orange est mûre à point et sent divinement bon.

— Je serais heureux que vous la partagiez avec moi, marmonna-t-il, jaloux de la dextérité avec laquelle elle l'avait pelée.

L'exercice requérait l'usage de ses deux mains, un obstacle auquel il s'était souvent confronté ces trois derniers jours. Cette prise de conscience de ses limites l'accablait autant que les élucubrations pseudo-philosophiques de Girard. S'il était enfin libéré des sévices de son tortionnaire, il devait affronter sans cesse le malheur, les contraintes et les décisions.

— Votre orange ?

Elle lui tendit sa part sans un sourire, sans un reproche.

— Si je puis me permettre, vous avez mal agi, Votre Grâce, enchaîna-t-elle après avoir englouti un quartier du fruit. Après une longue absence, on se doit de rentrer d'abord chez soi, non ? Mais vous avez préféré venir à Londres et votre personnel de Severn s'inquiète pour vous. Vous ne mangez pas, Votre Grâce ? Vous avez tort, cette orange est exquise.

Elle brandit devant lui un morceau juteux et il se pencha pour le saisir entre ses dents.

Lady Greendale se tut enfin. Elle était plutôt séduisante quand elle se calmait. Elle avait des traits classiques, mais un nez qui n'était pas parfait et des sourcils un peu trop fournis.

— Bien, madame. Nous avons mangé, nous avons bu du thé. Le temps est délicieux. Quel est l'objet de votre visite ?

La manière dont elle croisa les mains sur ses genoux trahit son malaise. Elle n'était pas plus heureuse

41

de s'être imposée chez lui juste avant la tombée de la nuit, qu'il ne l'était de la recevoir. Elle avait à peine mangé et son babillage était dû à la nervosité.

Elle avait peur de lui.

Peut-être avait-elle entendu des rumeurs à propos de sa folie ? Peut-être avait-elle oublié qu'il la dominait d'une tête ? Peut-être ne s'était-elle pas attendue que les domestiques les laissent seuls ?

Quoi qu'il en soit, Christian n'aimait pas cela. Après l'espoir, la peur est l'arme la plus efficace du tortionnaire.

— J'apprécierais que vous alliez droit au but, lady Greendale, reprit-il d'un ton posé comme s'il s'adressait à une enfant ou à une personne très âgée. Je suis sûr que vous préféreriez être chez vous à cette heure-ci. Je ne voudrais pas vous détenir inutilement.

Le mot était malheureux. Un civil anglais pris en France pendant la guerre était un *détenu*[1].

— Vous auriez dû vous rendre d'abord à Severn, Votre Grâce. Je n'aurais alors pas eu à vous rappeler votre devoir.

Il patienta. Grâce à Girard, il était devenu expert en cet art.

Le silence se prolongea et, tout à coup, Christian songea que le bavardage ininterrompu de lady Greendale lui manquait.

— C'est à propos de votre fille.

Elle posa sur lui son regard d'un bleu limpide, brillant d'angoisse – mais pour une fois, ce n'était pas lui qui la suscitait et il en éprouva un étrange soulagement.

— Je suis très inquiète pour lady Lucille.

Gilly avait dû rassembler son courage pour se rendre dans cette élégante et chaleureuse demeure londonienne. De Mercie, elle ne se rappelait pas grand-chose, sinon qu'il était grand. Comme l'avait été feu son mari.

---

1. En français dans le texte. *(N.d.T.)*

Les hommes grands étaient sûrs d'eux et influents. Ce qui ne l'arrangeait pas.

Amaigri, Mercie paraissait encore plus immense que lorsqu'il avait dansé avec elle lors de son mariage avec Helene. Ses yeux, de ce fameux bleu Severn, étaient cernés et ses cheveux blonds, rassemblés en catogan. Helene avait souffert de ce qu'elle qualifiait chez son mari « d'une extrême froideur ». Selon elle, le duc était trop sérieux et terriblement imbu de lui-même.

Venant d'Helene (elle-même très imbue d'elle-même), ce commentaire avait frappé Gilly. Quant à Greendale, il avait été le champion toutes catégories de la prétention.

— Parlez-moi de ma fille.

Le ton était encourageant, la question – ou plutôt, l'ordre – allait de soi, pourtant Gilly eut l'impression qu'il était incapable de se rappeler le prénom de son unique enfant survivant. À moins que le fait de le prononcer ne lui soit trop douloureux ?

— Lucille fêtera ses huit ans cet été. Elle est intelligente, elle lit beaucoup, fait preuve d'un certain talent pour le piano. Sa gouvernante et sa nurse l'adorent.

Gilly aussi l'adorait, sans quoi elle n'aurait pas affronté ce lion émacié et taciturne dans sa tanière.

Cela dit, combien de lions buvaient de l'eau chaude aromatisée en guise de thé et pliaient la jaquette d'une dame comme si elle était imprégnée de précieux souvenirs ?

— Cependant, murmura le duc, elle souffre d'un problème, sans quoi vous ne vous seriez jamais présentée chez moi à une heure aussi indue.

C'était une déduction plus qu'un reproche, aussi Gilly lui répliqua-t-elle en toute honnêteté.

— On m'a dit que vous dormiez dans la journée, Votre Grâce, et que vous refusiez toute visite.

En somme, ses domestiques se préoccupaient davantage de la santé de leur maître que de se montrer discrets.

Gilly ressentit un élan protecteur envers son hôte, d'une part parce que chacun avait droit à son intimité, et d'autre part, parce que tout, chez lui, respirait la pondération, sa voix, ses gestes et, par-dessus tout, son regard.

Greendale, lui, gardait rarement le silence et toutes ses tirades convergeaient dans la même direction.

Le duc de Mercie posa sa tasse.

— À cause de vous, mes pairs les plus audacieux n'hésiteront plus à me solliciter à la nuit tombée.

— Pas si vous m'accompagnez à Severn.

De nouveau, le silence les enveloppa, uniquement troublé par le crépitement du feu. Ne pas parler aurait pu mettre Gilly mal à l'aise, mais cela lui permettait d'étudier Mercie à loisir.

Le *Times* avait annoncé son retour à grand renfort d'articles en première page, mais ceux-ci se contentaient de révéler qu'il avait été prisonnier des Français et privé de ses privilèges d'officier. Une façon sans doute très masculine d'évoquer un acte plus grave qu'une simple atteinte à la *République* – mais Gilly manquait d'hommes autour d'elle pour la renseigner.

Dieu merci.

— Je prévois de m'installer à Severn, dit-il finalement, mais pas avant d'avoir convaincu mes banquiers que je suis bien vivant, en pleine possession de mes moyens et que mon duché a retrouvé sa santé financière.

— Au diable, la santé financière du duché. Vous êtes de toute évidence en état de gérer vos affaires.

Gilly contint sa colère en lui renouvelant sa boisson insipide. Elle s'en serait volontiers servie une tasse, elle qui souffrait d'insomnies.

— Votre fille est fragile, et cela devrait prévaloir sur tout le reste.

— Si elle est malade, je demanderai à un médecin de l'ausculter.

— Je m'en suis déjà chargée.

Elle lui tendit sa tasse, se retrouva les mains inoccupées.

— Auriez-vous l'amabilité de me peler une autre orange ?

Excellente idée. Il avait mangé la sienne, ingérant un quartier après l'autre. S'emparant d'une petite assiette, Gilly s'activa, trempa ses doigts dans le rince-doigts, les essuya sur une serviette. Durant ces quelques minutes de répit, elle en profita pour réorganiser ses pensées.

— Merci, murmura-t-il. Vous êtes capable de vous taire. Je me posais la question.

Se moquait-il d'elle ? Ou cherchait-il à lui transmettre un message d'une tout autre nature ?

— Quand on rend visite à quelqu'un, ce n'est pas pour se réfugier dans le silence tels deux quakers en réunion.

Il leva sa tasse pour approuver son propos.

— Vous me parliez de ma fille.

— Lucille, oui. À la mort de son frère, elle s'est complètement repliée sur elle-même. Nous avons craint qu'elle ne tombe malade comme lui.

— Il était souffrant ?

— Il a eu la diarrhée, puis un accès de fièvre. Ce n'était ni la typhoïde ni une pneumonie mais la grippe, sans doute.

Mercie se leva et alla se planter devant la fenêtre, le dos tourné, ce que Gilly trouva grossier, jusqu'à ce qu'elle devine que personne n'avait dû lui parler de la mort de son fils, et que les lettres d'Helene (en admettant qu'il les ait reçues) ne lui avaient rien appris à ce sujet.

Gilly se trouvait en présence d'un duc – un grand duc émacié et hagard –, mais surtout d'un père et d'un mari accablé. Elle lui enviait presque son chagrin, ce qui la poussa à s'interroger sur ce qu'il lui restait de raison.

— Evan est parti très vite, Votre Grâce. En sept jours.

— Vous étiez à son chevet ?

Le duc ne s'était toujours pas retourné et sa voix demeurait inchangée. Douce, distinguée, dépourvue de toute émotion, comme si quelqu'un d'autre agonisait quelque part dans la maison.

— Oui, et je suis restée quelques jours après son décès. Même à Greendale Hall, on a compris que ma place était auprès de ma cousine.

— Et la sœur a accusé le coup ?

La sœur ? Ah, oui, bien sûr, Lucille, sa fille, la sœur d'Evan !

— Terriblement. Helene aussi a eu du mal à faire face. Hélas, je ne pouvais pas m'attarder indéfiniment à Severn !

— Faire face n'était pas la principale qualité d'Helene.

Paroles de diplomate. Mais qu'y avait-il d'aussi fascinant de l'autre côté de cette fenêtre ?

— Après la disparition d'Helene, Lucille s'est renfermée encore plus. La perte de son frère, puis de sa mère ont été des épreuves douloureuses, d'autant qu'elle ignorait tout de votre situation.

Comment lui expliquer que son papa était emprisonné, très loin, et qu'il ne rentrerait probablement jamais ?

— J'avais moi-même du mal à l'expliquer, lâcha-t-il, et cela n'avait rien d'une plaisanterie.

À court d'inspiration, Gilly laissa le silence s'étirer. Elle étudiait le tombé de ses vêtements qui pendouillaient tels des linges trop grands et humides.

— Quels sont les symptômes de Lucy ?

— Elle ne parle plus et refuse de quitter la salle de classe à moins que sa nurse ou moi-même ne l'y obligions. Elle n'a plus d'appétit.

Il pivota, son visage exprimant pour la première fois une émotion, en l'occurrence, de la consternation.

— Elle dépérit. J'ignorais que cela pouvait arriver aux enfants.

C'était aussi l'avis de Gilly, mais les médecins s'étaient moqués d'elle.

— Elle a perdu du poids. Elle ne joue pas, elle se contente de déshabiller et de rhabiller ses poupées pendant des heures, elle reste assise, le regard dans le vague ou elle dessine.

— Que disent les spécialistes ?

— Qu'elle fait preuve d'obstination, de mauvaise volonté et cherche à imposer ses caprices aux adultes qui l'entourent.

La plupart des hommes se plaignaient de l'obstination et de la mauvaise volonté des femmes, quel que soit leur âge. Pourtant, que serait devenue Gilly si elle n'en avait pas fait preuve ?

— Quelle est votre opinion, lady Greendale ?

Gilly était tellement habituée à garder ses réflexions pour elle que la question du duc la surprit.

À en juger par son regard, il avait très envie de connaître son point de vue.

— Lucille a perdu sa famille, Votre Grâce. Elle a besoin d'une famille et, jusqu'à récemment, j'étais dans l'impossibilité de l'aider.

Greendale avait pris grand plaisir à s'en assurer.

Mercie laissa courir la main sur la veste de la jeune femme, posée sur le dossier du fauteuil.

— Vous êtes veuve depuis peu ?

Apparemment, il n'était pas un adepte des ragots.

— Plus d'un mois. Selon l'enquête officielle, lord Greendale a succombé à une apoplexie.

Il tripota la chevalière qu'il portait – curieusement – au majeur de la main droite.

— Toutes mes condoléances. Voulez-vous encore du thé ?

Il n'avait toujours pas abordé le problème qui préoccupait Gilly et le temps passait.

— Non, sans façon.

Il ne parut pas offensé par sa brusquerie. Certes, après ce séjour chez les Français, peu de choses devaient le froisser. Cependant, il avait accepté de la recevoir chez lui à une heure tardive et, de toute évidence, il n'allait pas bien. Elle lui tendit une perche, pour le bien-être de la fillette.

— Nous sommes de la même famille, Votre Grâce. Je vous en prie, appelez-moi Gillian. Pour Lucille, je suis cousine Gilly.

La consternation de Christian redoubla comme s'il avait oublié dans quelque montagne française avec qui et en quelle circonstance user de cette sorte de familiarité, en même temps que ses rôles de mari et de père.

Ainsi que la capacité à apprécier une bonne tasse de thé.

Et celle de dormir une nuit entière.

Il se rassit sur le canapé avec précaution.

— Je serais enclin à suivre votre conseil et à me rendre au plus vite à Severn. Toutefois, je croule sous les cartes de visite des curieux et des maladroits et, de surcroît, je suis convoqué à Carlton House dans quelques jours pour une audience privée avec le Régent. Ma santé est précaire et je n'ai aucune envie d'endurer des mondanités. Sur vos conseils, j'irai à Severn à la fin de la semaine.

— Merci.

Elle faillit lui recommander d'observer le deuil pour Helene (Evan était mort trop jeune) car ce serait un bon moyen de tenir à distance les curieux et les maladroits durant au moins quelques mois.

— À une condition, ajouta-t-il.

Avec les hommes, toute concession avait un prix, mais Gilly ne craignait pas une requête exagérée de la part de ce duc épuisé.

— Je suis tout ouïe.

— Vous m'accompagnerez, et d'ici notre départ, vous prendrez les rênes de cette demeure. Vous gérerez les invitations et les chamailleries des servantes.

Vous vous chargerez de fermer la maison et affirmerez votre présence durant la journée afin que je n'aie plus à m'inquiéter des problèmes domestiques chaque nuit. Si vous n'êtes pas disposée à accepter cette requête, je serai obligé de retarder mon départ.

Une fois de plus, il prenait Gilly de court.

Son état ressuscitait cette partie d'elle-même si long-temps refoulée qui se réjouissait de prendre soin des autres, une partie réduite à néant par les sarcasmes incessants de Greendale. Et pourtant, que répondit-elle ?

— *Quid* d'un chaperon, Votre Grâce ?

Il ne sourit pas, mais à la manière dont il fit tourner sa chevalière sur son doigt, Gilly eut l'impression de l'avoir amusé.

— Pour commencer, milady, nous sommes de la même famille, comme vous me l'avez vous-même rappelé. Vous êtes la cousine d'Helene et vous êtes veuve. Si vos proches étaient dans l'impossibilité de vous entretenir, tout le monde trouverait normal que vous vous adressiez à moi. Ensuite, il semble que vous ayez souvent fréquenté Severn en mon absence. En tant que parente, c'est vous que je choisirais comme hôtesse si je devais recevoir. Et puis, vous avez passé l'âge d'être chaperonnée, non ? Enfin, vous êtes la femme idéale pour vous occuper de Lucy car vous êtes la seule à pouvoir parrainer ses débuts dans une dizaine d'années.

Sacré discours. Gilly fit le tri, en déduisit qu'il lui offrait, du moins provisoirement, un refuge à Severn. En plus du bien-être de Lucille, Gilly n'avait qu'un objectif : quitter Greendale Hall.

Mercie avait sûrement une arrière-pensée. Aucune importance. Elle connaissait la chanson, et Lucille n'avait personne d'autre qu'elle.

Gilly se leva, obligeant le duc à l'imiter.

— Je vais rassembler mes affaires ; je serai de retour demain matin, Votre Grâce.

Au tressaillement de sa mâchoire, elle se dit qu'il était content ou, en tout cas soulagé mais, apparemment, il avait oublié comment sourire.

— Envoyez quelqu'un les chercher. Il est tard. Je suis certain que nous avons une chambre d'amis prête à vous accueillir.

Gillian, lady Greendale, remuante, nerveuse n'était qu'une relation lointaine, mais si elle s'en tenait aux heures de jour, sortait l'enfant de sa mélancolie et épargnait à Christian des montagnes de correspondance, le jeu en vaudrait la chandelle.

Détail non négligeable, elle pelait les oranges à la perfection et ne le considérait pas comme un monstre sous prétexte qu'il ne buvait pas de thé.

La comtesse l'observait, tête inclinée, telle une vieille poule jaugeant la nouvelle pondeuse.

— Vous voulez que je reste ici cette nuit ?

Il le voulait, et pas uniquement par crainte d'une envie intempestive d'agrumes.

— Voulez-vous vous rasseoir ?

Elle reprit sa place sur le canapé.

— Vous êtes sûre de ne rien vouloir manger d'autre ?

À l'exception de quelques quartiers d'orange, elle n'avait rien avalé.

— Aurais-je retardé votre dîner, Votre Grâce ?

— Pas du tout.

Il était incapable d'ingérer un véritable repas, elle ne tarderait pas à le découvrir.

— Dans ce cas, je prendrais volontiers un sandwich. M'accompagnerez-vous ?

— Non, merci.

Elle se raidit.

— Ou alors, peut-être...

Il scruta la table roulante, sachant que la comtesse risquait de se vexer.

— ... un scone beurré, acheva-t-il.

Elle le gratifia d'un sourire aussi ravi que ceux de ses domestiques et Christian dut détourner la tête. Il effectua un repli stratégique jusqu'à la cheminée où la chaleur du feu opérerait sa magic sur les douleurs qui le taraudaient en permanence depuis son séjour dans les entrailles du château.

— Vous avez évoqué une enquête, milady.

Il avait encore oublié son prénom. Il se le rappellerait probablement lorsqu'il se demanderait où diable il avait posé sa montre de gousset.

Elle étala un peu de beurre sur un scone, admira son œuvre comme une femme s'émerveille devant sa broderie, puis en remit une couche.

— On m'a dit que l'instruction n'était qu'une formalité, lord Greendale ayant une grande influence sur son entourage. Néanmoins, ce fut une expérience désagréable au possible, Votre Grâce, et je n'ose imaginer les conséquences si je n'avais pas été défendue par un excellent avocat. Confiture ?

Il avait à peine entendu ce qu'elle venait de dire car toute son attention était fixée sur l'annulaire gauche de la jeune femme, légèrement déformé au niveau de la deuxième phalange.

— Vous ne portez pas d'alliance.

— Je ne suis plus mariée.

Lui non plus. Cette pensée le troubla, ce qui aurait ravi Helene.

— Si je comprends bien, votre union n'a pas été heureuse.

— Non, d'où la contrariété suscitée par cette fameuse enquête. Votre scone.

Elle lui apporta l'assiette.

Lady Greendale était petite. Il s'en était vaguement rendu compte quand elle avait bousculé Meems. Toutefois, il fut étonné de constater à quel point. Elle paraissait plus imposante lorsqu'elle bougeait. Sa manière d'agiter les mains, la force de sa voix trahiraient-elles un besoin de jeter une ombre plus large que celle que lui avait donnée le Créateur ?

Il songea tout à coup qu'elle avait dû prendre sur elle pour oser le rejoindre. Mais ses mains ne tremblaient pas, son regard était impavide.

Combien de fois Christian avait-il aspiré à une telle indifférence ?

Pourtant, lady Greendale exhalait un parfum d'une féminité exquise, une fragrance douce et florale, ni insipide ni capiteuse, et teintée d'une touche d'exotisme.

Rien ni personne ne sentait bon au château, sauf peut-être, selon les chats, Girard et ses fichus relents de lavande.

Christian s'empara du scone.

— Merci.

— Autrefois, vous aviez une attitude moins ducale.

— Pardon ?

Il était épuisé, incapable de trouver le sommeil ; il n'éprouvait plus ni la faim ni la soif et avait un mal fou à écrire son nom de façon lisible. Si c'étaient là les caractéristiques distinctives d'un duc, il plaignait ses pairs.

— Ces silences, cette hauteur, ces regards sombres. Vous êtes très convaincant. Vous ne comptez pas adopter une telle attitude envers votre fille, j'espère.

Une fois de plus, elle lui prodiguait des conseils du haut de sa complicité avec une enfant que lui-même connaissait mal.

— Je me comporterai envers Lucy comme il me conviendra, et vous aussi.

Il cherchait presque à susciter une querelle avec cette envahisseuse miniature, mais elle se rassit et entreprit de peler une orange.

Puis elle se mit à mâchouiller la *peau* avec la nonchalance d'un prisonnier décidé à éviter le scorbut.

— Vous appelez votre fille Lucy. Sa mère avait horreur des diminutifs. Elle était lady Lucille pour tout le monde, y compris moi.

— Quand elle était petite, elle aimait qu'on l'appelle Lucy.

Il ignorait d'où lui venait cette conviction mais il y croyait. Après tout, elle était l'aînée de leurs enfants. Les premières années, ils n'avaient pas eu d'héritier pour les distraire de leur fille unique.

— Dans ce cas, je l'appellerai Lucy, moi aussi.

Lady Greendale lui sourit – un sourire doux, plus intime que ceux, si niais, qu'on lui adressait la plupart du temps.

Une porte claqua au bout du couloir et Christian faillit lâcher son scone pour se précipiter derrière le canapé.

— Venez donc vous asseoir.

Gillian se leva, le saisit par le poignet et le tira gentiment de son côté du divan, le relâchant aussitôt. Ce geste provoqua chez lui un tel tourbillon d'émotions qu'il posa son assiette avec fracas.

Bonté divine, dans quel pétrin s'était-il fourré ?

4

Gilly déclina l'hospitalité de Mercie pour cette nuit, prit congé en espérant avoir agi au mieux pour sa jeune cousine et regagna Greendale House.

Sa résidence londonienne – son ex-résidence londonienne – était confortable, voire opulente, mais toutes les pièces empestaient le cigare, et les affaires de son défunt mari – humidificateurs, tire-bottes, tabatières et cravaches – étaient partout.

Elle quitterait cette demeure sans la moindre nostalgie et ne comptait pas s'occuper d'emballer les biens personnels de Greendale. Que Marcus s'en charge.

Gilly déménagea le lendemain, s'efforçant en vain d'éprouver des remords à l'idée d'abandonner l'un de ses domiciles conjugaux et ses domestiques. Et quand elle s'accroupit pour caresser le chat, ce monstre lui mordit le doigt.

En arrivant chez le duc, elle fut surprise de découvrir ce dernier en train de prendre son petit déjeuner dans la bibliothèque.

— Votre Grâce n'a pas dormi, devina-t-elle.

Elle-même avait à peine fermé l'œil.

— Voulez-vous du thé, lady Greendale ?

Mercie jeta coup d'œil lourd de sous-entendus à son majordome avant de reposer sur Gilly un regard glacial.

— Non, merci, Votre Grâce.

Le domestique resta cloué sur place, ce qui agaça la jeune femme.

— Vous vous appelez bien Meems, n'est-ce pas ? Auriez-vous l'amabilité de me retrouver dans le salon d'ici une vingtaine de minutes ? Je souhaiterais également parler avec la gouvernante de Sa Grâce.

Le serviteur s'inclina, impassible, puis s'éclipsa tandis que Gilly s'appropriait un siège en face du majestueux bureau du duc.

— Il faut savoir s'imposer dès le départ, murmura-t-elle.

Elle offrit à Mercie un sourire, ne reçut rien en échange. À son expression, on aurait pu croire que l'anglais n'était plus sa langue maternelle et qu'il devait traduire mentalement toute tentative de communication, les paroles comme les gestes, en un langage connu uniquement de lui.

Il désapprouverait toute manifestation de compassion (Gilly en avait aussi horreur), aussi s'en garda-t-elle, bien qu'à son mariage elle l'eût trouvé nettement plus affable.

— En effet, confirma-t-il.

Sur son assiette trônait un scone à moitié beurré. Pourtant, la pièce fleurait bon le jambon et le bacon.

— Vous restez debout toute la nuit ?

— Quelle que soit l'heure, j'ai du mal à trouver le sommeil. J'aurais volontiers fait une sieste ce matin, hélas, je dois me rendre chez mon tailleur afin d'éviter à ceux qui me verront en habit de cour d'être embarrassés !

Apparemment, il se souciait peu de sa propre gêne.

— Vous voyez cela comme une corvée.

— Je n'ai aucune envie d'être tripoté et manipulé comme une marionnette. Tenez, ajouta-t-il en poussant vers elle une impressionnante pile de papiers. Vous déclinerez poliment ces invitations. Des questions pressantes requièrent ma présence dans mon duché *et cetera*.

— Vous n'avez pas de secrétaire ?

— Il a eu la bonne fortune de se marier en mon absence. Si je n'avais pas été occupé à servir le roi et la patrie, j'aurais sans doute empêché une telle insubordination.

Plaisantait-il ? Se plaignait-il ? Gilly n'aurait su dire.

— Vous comptez en engager un autre ?

Il croqua un minuscule morceau de son scone et le mâcha longuement. Le silence se prolongea au point que Gilly regretta d'avoir décliné l'offre d'un deuxième petit déjeuner. Le bacon sentait divinement bon et ce scone paraissait aussi léger qu'un nuage d'été.

— Cela m'obligerait à publier une petite annonce ou à m'adresser aux agences, n'est-ce pas ? Par conséquent, je devrais rester en ville et, donc, accepter un certain nombre de ces invitations, ce que je refuse.

Sa voix, toujours posée, baissa d'un ton tandis qu'il poursuivait sa harangue.

Il n'était pas son mari, et n'avait pas à la sermonner sans raison. Ajouté au fait qu'elle rêvait d'une tranche de bacon, que la morsure du chat lui faisait mal et qu'elle était épuisée par des années d'insomnies, ce détail acheva de l'exaspérer.

— Votre humeur laisse à désirer, Votre Grâce.

Il fit une pause, un autre petit morceau de scone à mi-chemin de sa bouche. Greendale en serait déjà à son troisième, des miettes éparpillées partout, un filet de beurre dégoulinant sur son menton, image qui ne fit qu'amplifier l'irritation de Gillian.

— Je vous demande pardon, milady.

— Pas de cela avec moi.

Gilly se leva et plaqua les mains sur le bureau.

— J'ai été mariée pendant huit ans avec un homme qui s'attendait que j'accueille avec respect ses moindres flatulences et éructations alors qu'en vérité c'était un minable. Je comprends que vous soyez fatigué et irascible, mais je le suis aussi, figurez-vous.

Si vous me présentez des excuses, je veux qu'elles soient sincères et non empreintes de cette condescendance exquise sous-entendant que j'ai une cervelle de gamine.

Flûte ! À deux reprises, déjà, depuis le décès de Greendale, une mystérieuse et incontrôlable créature avait pris le contrôle de la bouche de Gillian, la poussant à se mettre en colère pour des broutilles. La première fois, c'était avec M. Stoneleigh, juste après l'enquête, la seconde, avec le vicaire venu prendre de ses nouvelles après les obsèques, son haleine empestant l'alcool.

Mercie n'avait commis aucune bévue de cette nature, pourtant Gilly était au comble de l'exaspération.

— Pardonnez-moi, enchaîna-t-elle en se redressant. Je dors très mal, le chat a déchiré mon gant et j'ai très envie d'une tranche de bacon...

Il la prendrait pour une folle et ne serait pas loin de la vérité.

Mercie se tamponna les lèvres avec sa serviette, puis se leva à son tour. Les mains sur le bureau, il se pencha vers elle et un parfum de bois de santal couvrit les effluves de petit déjeuner.

— Savez-vous manier l'aiguille ?

— Bien sûr.

N'avait-il pas entendu son éclat ? Elle avait eu l'audace de prononcer le mot flatulence devant un *duc*.

— Êtes-vous suffisamment habile pour m'épargner une expédition chez le tailleur ?

Où était Meems ? Perdait-elle la tête ?

— Si vous voulez que je retouche une tenue déjà existante, oui. À condition d'avoir un peu de temps.

Il ne bougea pas et Gilly remarqua la cicatrice blanche qui lui barrait le lobe d'une oreille.

— Je suis attendu pour une audience privée à Carlton House, après-demain à 14 heures.

Après-demain, c'est-à-dire... bientôt.

— Entendu. Vous n'aurez qu'à enfiler vos vêtements à l'envers afin que je puisse reprendre les coutures.

Durant tout cet échange, il avait conservé l'expression indéchiffrable d'un sphinx. Curieusement, il semblait davantage préoccupé par cette visite chez le tailleur que par l'impolitesse de Gilly.

— Je suis très habile, Votre Grâce, précisa-t-elle.

L'avarice de Greendale l'avait contrainte à se perfectionner en ce domaine.

— Je vous retrouve dans mon petit salon d'ici une heure. Les bonnes vous aideront à vous installer.

Sur ce, il contourna son bureau, s'inclina légèrement et sortit, les restes de son scone oubliés sur le bureau. Gilly fila s'asseoir dans le fauteuil du duc et entreprit de se verser une tasse de thé. Hélas, le pot était rempli d'eau chaude !

Une orange non pelée reposait auprès d'une assiette de bacon croustillant et de tranches de jambon translucides.

Pas d'œufs, pas de pain grillé, pas de hareng fumé.

Un excentrique. Le pauvre papa de Lucille était devenu un excentrique.

Gilly dévora l'orange et la moitié du bacon, après quoi, elle passa vingt minutes avec la gouvernante et le majordome, leur expliquant que Sa Grâce partirait sous peu pour la campagne. Elle classa ensuite les invitations par dates, puis, le panier à couture à la main, s'en alla frapper à la porte du petit salon du duc. Ne recevant aucune réponse, elle patienta quelques instants avant d'entrouvrir le battant.

— Votre Grâce ?

— J'ai dit : « Entrez ! »

— Je ne vous ai pas entendu. Vous pourriez parler un peu plus fort, vous savez. Miséricorde ! Vous avez perdu beaucoup de poids !

— Environ vingt-cinq kilos.

Il se tenait près de la porte de son dressing, pieds nus, en culotte de satin ivoire et chemise de lin blanche, toutes deux revêtues à l'envers. La chemise à manches bouffantes paraissait simplement très ample. En revanche, le pantalon menaçait dangereusement de glisser.

Que diable lui avaient fait ces maudits Français ?

— Je vous en supplie, évitez de me percer la chair avec vos aiguilles, marmonna-t-il.

Les tailleurs professionnels étaient-ils à ce point maladroits ?

— N'ayez aucune crainte, le rassura-t-elle. Commençons par la culotte, c'est le plus compliqué.

Il s'approcha de la fenêtre, retenant le vêtement d'une main.

— Tout de suite ? Vous ne prenez pas de mesures ? Vous ne voulez pas consulter vos carnets de patrons ?

— Tout de suite, confirma-t-elle en fixant une pelote à épingles autour de son poignet. Ne bougez plus.

Elle s'agenouilla, tapota le tapis devant elle comme pour encourager un chiot apeuré à sortir de sous le divan. On était au début de l'été, mais un feu brûlait dans la cheminée et Gilly en savoura la chaleur.

Il revint vers elle, ferma et rouvrit sa main libre tel un pianiste s'apprêtant à jouer ou un boxeur juste avant de monter sur le ring.

Gilly glissa deux doigts sous l'ourlet de la jambe droite de la culotte, ses phalanges effleurant la peau d'un genou noueux.

Sa Grâce reprit son souffle comme si elle l'avait piqué.

— Quels souvenirs avez-vous de Lucy ? s'enquit-elle dans l'espoir de le distraire.

— J'en ai peu. Elle me semblait intelligente mais, au début, Helene était furieuse d'avoir mis au monde une fille. J'avais de l'affection pour elle. Elle n'était qu'un bébé mais c'était mon bébé.

Helene avait-elle appelé Lucy « ma fille » ou « mon bébé » ? Non. Pour elle, Lucy avait toujours été « la petite », « lady Lucille », « mademoiselle », « notre aînée ». Jamais « mon bébé ». Toujours est-il que Gilly n'avait jamais entendu sa cousine exprimer ouvertement son amour envers cette enfant.

Gilly, en revanche, l'avait aimée avec ferveur au premier regard.

— Qui a choisi son prénom ?

Gilly pinça la couture extérieure, atterrée par le surplus de tissu.

— Moi, en l'honneur de Lucifer, dieu de la lumière. Sa mère le détestait, précisa-t-il, formulant davantage un constat qu'un regret.

— Mais Helene s'en occupait beaucoup, argua Gilly.

Plutôt que de le faire pivoter sur lui-même, elle tourna autour de lui.

— C'est venu plus tard, et je suis persuadé que les attentions d'Helene envers Lucy étaient essentiellement dictées par la jalousie.

— Elle aurait été jalouse de son propre enfant ?

Gilly se redressa pour resserrer la ceinture autour de ses hanches squelettiques. De nouveau, il ferma et rouvrit le poing.

— J'avais pris l'habitude de me rendre à l'improviste dans la nursery. Lucy était très enjouée et j'appréciais sa compagnie. Helene en a eu vent et... Que faites-vous ?

— Je reprends la taille pour que votre pantalon ne tombe pas à vos pieds quand vous vous inclinerez devant votre souverain.

Elle poursuivit sa tâche.

— Ce serait ennuyeux, j'en conviens, mais êtes-vous obligée de... ?

— Et voilà ! claironna-t-elle en s'écartant. À présent, l'autre côté. Si je comprends bien, Helene vous reprochait de trop vous intéresser à votre fille ?

— Pas exactement. Cependant, elle m'a laissé clairement entendre que mon intérêt était déplacé, que c'était à la mère de s'occuper de l'éducation d'une fille, et elle m'a prié de rester à ma place. Elle était de nouveau enceinte, j'ai donc respecté ses désirs.

— Comme la plupart d'entre nous, murmura Gilly, une demi-douzaine d'épingles coincée entre les lèvres.

Elle aimait sa cousine, bien qu'on l'ait forcée à épouser lord Greendale tandis qu'Helene devenait duchesse.

— Vous en avez encore pour longtemps ?

— Pas si vous vous tenez tranquille. J'ai prévenu Meems que nous partions pour Severn. Il semble que le régisseur n'ait donné aucune nouvelle depuis plusieurs mois. Mme Magnus soupçonne le pire.

Elle s'attaqua à la seconde couture extérieure, l'esprit en ébullition. Helene avait toujours prétendu que Mercie s'était éloigné de Lucy et non qu'elle l'avait chassé de la nursery. Curieusement, Gilly n'imaginait personne, pas même Helene, envoyer promener cet homme.

D'un autre côté, elle l'imaginait mal dans une chambre d'enfant, encore moins berçant un bébé.

Pour reprendre la deuxième moitié de la ceinture, elle se mit debout et rassembla le tissu comme auparavant, crochetant les doigts dans le haut de la culotte.

Bien qu'il ait perdu énormément de poids, le duc demeurait solide. Immobile, osant à peine respirer, il se laissa faire.

— À présent, annonça-t-elle en reculant, vous allez changer de pantalon. Ôtez celui-ci avec soin. Quand vous reviendrez, laissez les pans de votre chemise sortis.

Il fonça dans son dressing. Où diable était son valet ?

La suite des opérations se révéla plus délicate car Gilly devait se tenir tout près de Sa Grâce pour replier et épingler l'étoffe. Elle le pria de se placer près de l'âtre, le bras tendu, la main reposant sur le manteau de la cheminée.

Il s'exécuta docilement, mais son poing libre reprit ses mouvements lents et délibérés.

— Tournez-vous, ordonna Gilly, pressée d'en finir.

Elle aurait pu terminer sans incident, sinon qu'il lui restait encore à rajuster les manchettes.

— Si on s'asseyait ? suggéra-t-elle. L'épreuve arrive à son terme.

— Vous êtes plus rapide que le tailleur.

— Je suis moins précise et ne cherche pas à vous impressionner par mes talents, rétorqua-t-elle en prenant place sur le canapé. Votre main, je vous prie.

Il lui offrit celle de droite. Elle la posa contre sa cuisse et resserra le tissu autour de son poignet.

— Cela m'ennuie de devoir déplacer les boutonnières... murmura-t-elle.

Elle saisit une épingle sur sa pelote et la piqua dans le tissu.

— L'autre.

Il hésita avant de lui tendre la gauche. Malgré elle, elle retint son souffle.

Cette main en révélait beaucoup sur son propriétaire. La paume était large, les ongles, coupés court et net. Une main masculine et élégante, du moins en partie. L'annulaire semblait avoir été calciné. Quant à l'auriculaire, il lui manquait la dernière phalange. Les jointures de ces deux doigts étaient déformées comme celles d'un cocher arthritique.

Gilly s'activa, elle avait hâte de terminer. Comme toute maîtresse de maison, elle avait connu son lot de petits bobos. Les garçons d'écurie se faisaient écraser les orteils, les bonnes souffraient de brûlures occasionnelles, les survivants à la variole abondaient et les locataires mettaient au monde des enfants aux traits rien moins que parfaits.

Mercie n'était ni un garçon d'écurie ni une bonne, encore moins le onzième enfant d'un hallebardier. Sur lui, une telle blessure respirait le blasphème. Gilly, qui n'avait pas pleuré depuis de longues années, mit un moment à comprendre ce qu'était ce picotement dans ses yeux et ce nœud dans sa gorge.

— Ce n'est pas joli, reconnut le duc. J'aurais dû vous avertir.

— Vous avez sans doute de la chance d'avoir pu conserver ces doigts, répliqua-t-elle.

Intérieurement, elle bouillonnait de rage envers ceux qui lui avaient infligé de tels sévices. Mercie ne voudrait pas de sa pitié, aussi se ressaisit-elle. Les larmes ne servaient à rien. Son mari le lui avait appris dès le début de leur union.

— Je ne peux plus écrire de cette main, expliqua-t-il. Pour sauver les apparences, un gant suffit.

— Vous souffrez ?

Évidemment qu'il souffrait. Toute cicatrice visible était douloureuse, ne serait-ce que parce qu'elle vous rappelait d'où elle venait. Or les mauvais souvenirs étaient parfois encore plus pénibles que la réalité.

— Je ne sens plus grand-chose, bien que je puisse désormais prédire l'approche d'un orage. Vous avez terminé ?

— Presque.

Elle planta une dernière épingle (inutile) dans le tissu et s'écarta.

Elle connaissait à peine Mercie et n'était pas sûre de l'apprécier, mais qu'il ait enduré de tels supplices l'anéantissait. Décidément, les hommes commettaient les actes les plus stupides qui se puissent imaginer – duels, paris, courses de chevaux –, la guerre étant le pire de tous.

— Merci, souffla-t-il, visiblement soulagé.

— Pouvez-vous retirer cette chemise sans vous piquer ? Soyez prudent. Tenez.

Sans attendre son invitation, elle souleva l'ourlet. Elle faisait preuve d'une audace presque indécente, mais elle avait été mariée, le valet était invisible – ou inexistant –, et la chemise, criblée d'épingles.

— C'est inutile, lady Greendale. Je vais me débrouiller. Si vous pouviez simplement…

— Fermez les yeux.

Elle n'était pas assez grande pour lui passer le vêtement par-dessus la tête à moins qu'il ne se penche en avant, ce qu'il fit. La manœuvre réussie, rassurée, elle plia soigneusement la chemise.

— Mission accomplie.

Il se tourna vers le dressing et malgré elle, Gilly laissa échapper un cri étouffé, une sorte de gémissement involontaire d'effroi mêlé d'horreur et de peine. Il pivota vers elle, torse nu, le regard plus froid que jamais.

— C'est vous qui avez insisté, milady.

Qu'il ait soustrait son dos à sa vue n'aidait en rien, car son torse était tout aussi lardé de cicatrices.

En dépit des protestations dédaigneuses et tenaces de Meems, Gilly avait insisté, la veille, pour qu'on laisse Mercie se reposer jusqu'au dîner. Meems s'était levé d'une humeur tout aussi rebelle le lendemain et sans doute d'avis qu'elle se mêlait de ce qui ne la regardait pas.

Car Meems était un homme, donc décidé à imposer ses opinions sur tout et n'importe quoi.

— Sa Grâce n'a pas bougé, milady. Du moins pas à notre connaissance.

— Pas à votre connaissance ?

— Il verrouille sa porte lorsqu'il dort, madame.

— Avez-vous tenté de l'appeler ?

— Si la porte du petit salon est fermée, cela ne sert à rien.

— Dans ce cas, je vais le réveiller moi-même.

Gilly posa la théière aussi délicatement que possible car elle n'avait qu'une envie, la jeter à la figure de ce majordome obstiné.

— Vous chauffez l'eau de Sa Grâce, n'est-ce pas ?

— Bien entendu.

Il eut la témérité de lui emboîter le pas. Au pied de l'escalier, Gilly se tourna vers lui et le fusilla du regard.

— Je suppose que je peux compter sur vous pour lui préparer personnellement son plateau de petit-déjeuner, Meems ?

Le majordome renifla, vaguement vexé, puis repartit sans un mot en direction de la cuisine. Il était vexé parce qu'il voulait exhiber son duc à la bonne société d'ici la fin de la saison mondaine, mais Mercie n'était pas un singe.

Gilly frappa à la porte. En vain.

— Votre Grâce ?

Elle colla l'oreille au battant du petit salon. Toujours rien.

Le verrou était poussé.

Elle extirpa une épingle de son chignon et se mit au travail. La serrure était bien huilée – un bon point pour Meems. Gilly était habile et le mécanisme céda rapidement. La porte de la chambre fut encore plus facile à forcer. Le huitième duc de Mercie dormait profondément, à plat ventre, les bras en croix, sur un énorme lit à baldaquin.

Gilly ferma discrètement derrière elle et s'approcha.

Pour un peu, elle l'aurait cru mort. Il était d'une pâleur cadavérique et paraissait épuisé, comme si on l'avait forcé à marcher pendant des semaines entières.

— Votre Grâce ?

Sa main, celle de droite, la main parfaite, glissa sous l'oreiller et un muscle tressaillit sur sa joue.

— Mercie ? Votre Grâce ?

Elle s'apprêtait à lui secouer l'épaule quand il roula sur le dos. Gilly mit une fraction de seconde avant de se rendre compte qu'il brandissait un couteau. La lame étincelait dans la lumière matinale.

— Bonjour, Votre Grâce.

— Qu'est-ce que vous fichez là ? s'insurgea-t-il d'une voix éraillée.

— Je m'en vais, bien sûr. Votre plateau ne va pas tarder et quand vous aurez pris votre petit déjeuner, je vous attendrai dans la bibliothèque.

Bien qu'elle eût vu nombre de ses scarifications – pas toutes, loin de là –, la comtesse ne s'était pas enfuie, et Christian s'en réjouissait. Bien sûr, elle pouvait encore décider de s'en aller, et le ferait sans doute mais, au moins, elle n'avait pas détalé en lui laissant un message ridicule prétextant une quelconque affaire pressante.

Ayant enfilé une chemise et un gilet (au diable, la cravate), il revêtit un pantalon usé, qui l'avait autrefois moulé mais pendouillait désormais lamentablement. Comme il se brossait les cheveux, un valet apparut avec un plateau surchargé.

L'odeur de bacon grillé, comme celle de toute viande cuite, lui donna la nausée.

— Portez cela dans la bibliothèque, je vous prie.

— Tout de suite, Votre Grâce.

Le domestique lui était inconnu. Du reste, il ne reconnaissait pas la moitié des serviteurs. Pourtant, deux années seulement s'étaient écoulées depuis sa dernière permission durant laquelle il s'était offert une escapade à Londres.

Helene n'avait daigné le rejoindre en ville que pour une semaine et si on lui avait posé la question, il se serait réjoui de son entêtement. Quel idiot il avait été d'épouser une telle chipie !

Pourtant, il aurait donné n'importe quoi pour redevenir cet idiot-là et avoir ladite chipie à ses côtés.

Devant la bibliothèque, il marqua une pause et se délia les épaules comme s'il s'échauffait avant une charge de cavalerie. Veuve de son état, la comtesse possédait sûrement une maison, mais elle semblait davantage attirée par une vie de famille que par une existence morne dans la propriété de son défunt mari.

Il entra.

— Je suis navrée d'avoir troublé votre repos, Votre Grâce.

Vêtue d'une robe noire qui mettait sa silhouette en valeur, la comtesse était ravissante. Trois ans plus tôt, il l'aurait gratifiée d'un baiser sur la joue.

— Vous n'avez pas à vous excuser, milady. Non pas que je vous croie sincèrement navrée.

Son plateau l'attendait sur une table basse devant le canapé, aussi s'installa-t-il à côté de la comtesse.

— Votre intention n'était pas de me réveiller, sans quoi vous n'auriez pas forcé deux serrures pour parvenir à vos fins.

— Votre orange ?

Elle lui présenta le fruit pelé et divisé en quartiers.

— C'est moi qui l'ai pelée, bien qu'en cuisine tout le monde soit d'accord pour éplucher vos fruits. Un peu de thé ?

— Sans le thé.

Prudemment, il mangea un morceau d'orange. L'odeur était alléchante, surtout mêlée au parfum de la comtesse.

— J'ai bâti les coutures de vos vêtements. Si vous en avez le temps, il serait préférable de les réessayer. Un scone ?

— S'il vous plaît.

— Meems boude, reprit-elle. Il souhaiterait que vous vous montriez en ville, histoire de confirmer le retour de son maître disparu.

— Lady Greendale...

Elle fronça le nez comme si un effluve désagréable filtrait par la fenêtre ouverte, ce qui était absurde puisque celle-ci donnait sur les jardins où s'épanouissaient des chèvrefeuilles.

— On ne peut guère lui en vouloir, continua-t-elle. Cependant, je lui ai expliqué qu'on avait besoin de vous à Severn, ce qui est la stricte vérité. Du beurre ?

— Comtesse...

Elle se calma, comme il l'espérait.

— J'aurais voulu vous épargner cette vision, hier.

Avant de s'endormir dix-huit heures auparavant – et de se réveiller en lui brandissant un couteau sous le nez –, il avait envisagé le problème sous tous les angles. Devait-il lui présenter des excuses ou exprimer des regrets ? Quels mots employer pour lui confier son désarroi ?

Il ne déplorait pas son état. Il était vivant et seuls les êtres vivants pouvaient se venger, mais il s'en voulait de lui avoir infligé malgré lui ce triste spectacle.

— J'ai été mariée huit ans, Votre Grâce, avec un homme convaincu que la première responsabilité d'une femme consiste à servir son époux en toute occasion. Je n'aurais pas enlevé votre chemise si je n'avais pas été préparée à vous voir torse nu. C'est à moi de vous présenter des excuses.

Il envisagea un instant de la contredire, mais elle lui tendait son scone beurré.

— Puis-je avoir un quartier de votre orange ? demanda-t-elle sans croiser son regard, et Christian eut le sentiment qu'il s'agissait pour elle de le tester.

Autour du feu de camp, les femmes étaient le sujet de prédilection des soldats ; un point sur lequel ces hommes qui buvaient, se battaient, esquivaient les coups et tuaient au quotidien étaient d'accord : les femmes demeuraient un mystère. Impossible de comprendre leurs humeurs, leurs passions ou leurs détestations. Selon Christian, quelle que soit leur nationalité, tous les soldats avaient les mêmes conversations et parvenaient aux mêmes conclusions.

— Je la partagerai volontiers avec vous, répondit-il.

Il s'empara d'un quartier d'orange et elle se pencha pour le saisir entre ses dents comme il l'avait fait la veille.

Et tandis qu'elle mâchait, elle le gratifia d'un demi-sourire suffisant.

Elle avait décidé de rester. Voilà ce que signifiait sa petite démonstration. Elle ne prenait pas ses jambes à son cou à cause de lui, elle n'était pas femme à s'évanouir à la moindre émotion, à trembler au son lointain d'un canon.

Il lui offrit un deuxième quartier d'orange.

5

La veille de leur arrivée à Paris, alors qu'ils campaient une fois de plus au bord d'un étang, St. Just avait demandé de but en blanc à Mercie quand il comptait se laver vraiment.

— Mon odeur vous offense ?

— Vous êtes aussi propre que peut l'être un homme en ces circonstances, avait répondu St. Just. Toutefois, demain, vous serez face à des généraux et il vaudrait mieux vous présenter sous votre meilleur jour.

Sous-entendu : « Plus vous apparaîtrez soigné, moins vous aurez l'air d'un fou. »

— J'ai été enlevé alors que je me baignais dans une rivière, avait expliqué Christian en déroulant ses couvertures. Un instant, j'étais en train de me décrasser, celui d'après, j'étais cerné par des Français au sourire narquois, une demi-douzaine de fusils braqués sur mon postérieur nu.

St. Just farfouillait dans sa sacoche.

— C'est ainsi que tout a commencé. Par la suite, on ne vous a sans doute pas laissé vous laver, ou bien on vous y a forcé. Dois-je vous jeter à l'eau ?

La proposition était aussi sincère que perspicace. St. Just dépassait Christian d'à peine quatre centimètres, mais il était en pleine forme et sacrément vif.

— Ce ne sera pas nécessaire.

— Entendu.

St. Just lui avait lancé un pain de savon, mais la main droite de Christian n'était pas à la hauteur de ce défi.

— À vous de jouer ! Pendant ce temps, je nettoie mes armes.

Le colonel lui avait offert l'un de ses rares (et charmants) sourires, teinté d'une pointe d'espièglerie. Puis il avait sorti une mallette et l'avait ouverte pour révéler une collection de six couteaux de lancer aux lames étincelantes. Une paire d'élégants pistolets Manton avait suivi, ainsi qu'une dague et, bien sûr, son sabre de cavalier.

— Message reçu.

Christian serait parfaitement protégé pendant qu'il se laverait, et pourtant, il redoutait de devoir se déshabiller devant un autre être humain.

— Je ne peux pas veiller sur vous si je ne vous vois pas, avait décrété St. Just. Sinon, je vous tournerais poliment le dos.

— Je ne détecte aucun péril à l'horizon hormis un troupeau de moutons bêlants et deux génisses. Vous voulez juste vous amuser avec vos jouets.

— Exact. Vous pourriez aussi attendre la nuit, mais les monstres marins risqueraient de vous avaler.

— Allez au diable, St. Just.

— Tant d'entre nous le souhaiteraient.

St. Just avait poussé un soupir théâtral avant de commencer à astiquer son sabre comme si Christian, agenouillé sur les couvertures, ne se sentait pas complètement idiot. Les stigmates de sa captivité parmi les Français ne feraient qu'augmenter sa valeur marchande – dans la mesure où il le permettrait. Il s'était donc déshabillé sans plus discuter.

Se retrouver propre, vraiment propre, valait amplement l'humiliation.

Sauf que St. Just n'avait à aucun moment évoqué les cicatrices, l'incongruité d'un officier issu de la noblesse terrifié à la perspective de se baigner ni son besoin d'être rassuré quant à sa sécurité dans un cadre aussi bucolique que ce coin de campagne française.

Le cœur de Christian battait furieusement lorsqu'il avait émergé de l'étang pour se sécher.

— Voulez-vous que je taille votre barbe ?

— Vous essayez de me provoquer ?

— J'essaie plutôt de vous redonner une allure civilisée. Par moments, vous ressemblez à un sauvage surgi du fin fond de l'Afrique.

— Peut-être ai-je toujours eu l'air d'une créature échappée de la jungle.

— Pas vous. J'avais deux ans d'avance sur vous, à l'université. Il y a dix ans, vous étiez aussi vaniteux qu'un paon.

— Nous l'étions tous.

— Nous étions jeunes. C'était notre privilège du moment.

Christian s'était soudain rappelé St. Just à cette époque, le fils illégitime d'un duc, affligé d'un bégaiement. Loin d'être vaniteux, il n'hésitait pas à se servir de ses poings quand la situation l'exigeait.

— Par conséquent, avait repris St. Just, soit vous m'autorisez à tailler votre barbe maintenant, soit je le ferai pendant votre sommeil.

— Vous n'oseriez pas.

— Dans ce cas, bonne nuit !

Il avait laissé courir le gras de son pouce le long de la lame d'un autre couteau, celui qu'il dissimulait probablement dans sa botte. À la lueur du crépuscule, ses dents paraissaient d'une blancheur éclatante. Il avait rangé son arme.

— Cela dit, nous pouvons opter pour les poings. Ayant eu quatre frères, je suis plutôt bon boxeur. Certes, ma position d'aîné me conférait un avantage, mais ils se ruaient sur moi à deux ou trois.

— Sortez donc votre trousse et taisez-vous.

— Sage décision. Vous ne voudriez pas que ma mort ou mon démembrement vous pèse sur la conscience.

Cette fois, il avait extirpé de sa sacoche – véritable caverne d'Ali Baba pour tout soldat de cavalerie en voyage – une pochette en cuir.

— Ne réfléchissez pas, avait-il conseillé en en sortant une paire de ciseaux. Ne bougez plus et contentez-vous de me détester, d'accord ?

— Quelles sont les haines qui vous motivent ? s'était enquis Christian.

— Je suis outré par les abus que l'on inflige à nos chevaux. Ils n'ont jamais réclamé d'aller sur le front ni de parcourir des milliers de kilomètres jusqu'à Moscou en plein hiver, encore moins d'être confrontés aux barrages d'artillerie. Cessez de vous tortiller, nom de nom !

En dépit de son irascibilité, St. Just avait la main ferme et adroite. Autoriserait-il un jour quelqu'un d'autre à le raser ? s'était interrogé Mercie. Lorsqu'il était revenu de l'université, on lui avait affecté un valet. Débuter chaque journée entre les mains d'un homme entièrement dévoué à son bien-être s'était révélé un rituel fort agréable.

— Une chance pour vous, votre cousin a pris soin de votre monture en votre absence, avait enchaîné St. Just. Et voilà, terminé ! Quand je prendrai ma retraite de l'armée, je compte sur vous pour recommander mes talents de barbier.

— Je vous remercie.

En insistant pour le raser, St. Just avait effacé une trace de sa capturté.

— Vous allez faire battre le cœur de toutes les femmes.

St. Just lui avait lancé une serviette avec, bien sûr, trop de force, et Christian avait été incapable de la rattraper.

— C'est la dernière de mes préoccupations, avait-il grommelé.

— Détrompez-vous, avait insisté St. Just en s'installant pour la nuit. Si Dieu le veut, nous nous en préoccuperons tous très bientôt.

Christian avait très envie de poursuivre la discussion. Il cherchait un prétexte pour garder St. Just éveillé car après cette toilette aboutie, il avait les nerfs à vif. L'exécution de ces actes hygiéniques banals présentait pour lui une réelle importance, autant de raisons pour se rassurer quant à l'état de sa santé mentale.

Quelque chose au cours de leur échange avait titillé sa mémoire, quelque chose concernant le commentaire de St. Just sur les chevaux. Ses paroles lui restaient en travers de la gorge, mais pourquoi ? N'était-il pas étrange qu'il ait retrouvé son cheval en forme, après tous ces mois de campagne contre les Français ?

Christian finit par s'endormir, savourant pour la première fois depuis plus d'un an la sensation d'être propre, sinon totalement en sécurité.

Quand il la rejoignit au salon, Christian trouva lady Greendale assise devant le secrétaire près de la fenêtre. Elle se leva, l'examina de haut en bas.

— Vos vêtements sont encore un peu larges mais, dans l'ensemble, le résultat est satisfaisant, décréta-t-elle.

— Je vous remercie de vos efforts.

Elle paraissait si... posée, éclairée par un rayon de soleil, les invitations éparpillées devant elle sur le bureau. Elle n'était pas d'une beauté époustouflante mais elle possédait un charme tranquille qui s'harmonisait à la perfection avec le décor.

— Je crains d'avoir encore un service à vous demander, ajouta-t-il.

— Bien sûr.

Elle le rejoignit et le contourna.

— Il vaudrait mieux les attacher.

— Mes cheveux ?

— Vous allez à la Cour, Votre Grâce. Certaines personnes se poudrent encore pour de telles occasions. Ne bougez pas.

Elle sortit un peigne de sa poche et entreprit de le coiffer avec des gestes délicats. Réticent à l'idée de solliciter de l'aide, il avait fait de son mieux avec sa propre brosse.

Il n'avait pas songé à s'adresser à elle bien qu'elle soit veuve et membre de sa famille. En dépit de son exubérance, cette femme était douée d'un bon sens remarquable. Elle avait compris, sans qu'il ait à le lui dire, qu'il ne pouvait pas peler lui-même ses oranges et n'avait pas cillé face aux stigmates de sa captivité.

Il la laissa donc rassembler sa chevelure en un catogan maintenu par un simple ruban noir.

La petite taille de Gillian aidait Mercie à accepter ses attentions, de même que sa tendance au babillage, ou plutôt l'irritation qu'il éprouvait à l'entendre jacasser.

— Vous ne semblez pas vous réjouir de ce grand honneur, Votre Grâce. Par chance, il fait beau. Peut-être Prinny[1] sera-t-il retenu plus longtemps que prévu par ses matchs de tennis, auquel cas vous échapperez à l'entretien royal. Où sont vos gants ?

Il les lui tendit et elle fronça les sourcils.

— Ce ne sont pas des gants d'équitation, monsieur.

Christian fut touché dans sa dignité, mais lady Greendale était une femme pragmatique, pas une devineresse.

— J'ai beaucoup de mal à en changer tout seul, je dois me servir de mes dents et je ne veux pas risquer…

— Dans ce cas, l'interrompit-elle, optez plutôt pour des gants de cérémonie. Je suis sûre que vous en avez une paire ou deux. Vous avez raison de ne pas vous être couvert d'or, au risque de donner des idées à ce cher

---

1. Surnom « affectueux » donné au Prince Régent George IV par ses sujets. *(N.d.T.)*

Prinny. Vous n'allez pas lancer au Régent ce regard noir, j'espère ?

— Donner des idées à ce cher Prinny ? Qu'entendez-vous par là ?

Il le connaissait vaguement, l'avait croisé à quelques reprises comme tout jeune adulte issu de la noblesse. Le Régent était jovial quand cela lui convenait, perspicace et nettement moins capricieux que la presse ne se plaisait à le dépeindre.

— Il sollicite des dons pour ses causes, les parcs, ce fameux pavillon royal à Brighton. Certaines personnes trouvent cela scandaleux dans la mesure où nous faisons la guerre à travers le monde depuis le début de son règne. D'autres le considèrent comme un visionnaire. Mais tout le monde sait qu'il vaut mieux lui cacher sa fortune. Où sont vos boutons de manchettes ?

— Ici.

Il les extirpa d'une poche et les déposa dans la paume ouverte de la jeune femme.

— Ils sont superbes, murmura-t-elle.

Elle en glissa un dans sa boutonnière, puis lui souleva la main pour admirer le bijou de près.

— Ce sont des saphirs ?

Ses doigts frôlaient presque la joue de Gillian. S'il avait pris la liberté de lui caresser le visage, elle ne l'aurait pas réprimandé, mais peut-être aurait-elle éprouvé un élan de pitié, ce qui aurait gâché l'instant.

— Des saphirs étoilés, précisa-t-il lorsqu'elle le relâcha. De même, l'œil du lion des armoiries familiales sur ma chevalière personnelle.

— Votre chevalière personnelle ?

— Mon père conservait diverses versions de la chevalière Severn dans nos principales demeures. Il disait qu'un valet ne devrait jamais avoir à traverser la moitié de l'Angleterre sous prétexte que Sa Grâce aurait oublié un joyau ou un cachet de cire. J'avais une préférence pour *la* bague ducale Severn, je m'en suis donc fait faire une pour mon dix-huitième anniversaire. Mon cher père a dû lever les yeux au ciel face à tant de vanité. J'ai aussi fait fabriquer les boutons de manchettes et une épingle à cravate assortis.

— Laissez-moi deviner. Les Français vous ont confisqué la chevalière ?

Elle s'empara de sa main gauche, l'air détaché, apparemment indifférente à sa déformation.

— Je ne portais qu'elle lorsqu'ils m'ont capturé.

Gillian se figea, ses doigts fermes et chauds autour de siens. Christian, dont les sensations à cet endroit étaient incertaines, en éprouva un certain plaisir et ne chercha pas à se libérer.

— Alors pourquoi vous ont-ils torturé ? Cette bague prouvait votre identité.

Pourquoi, en effet ? Christian avait passé plusieurs semaines dans le donjon de Girard avant de se poser cette question, émergeant d'un rêve où Chesterton, son cheval, était emmené par des Français goguenards.

— Quelle bague, madame ? Elle a disparu. De même, ils ont prétendu ne pas avoir remarqué mon uniforme qui, pourtant, séchait sur un buisson au vu et su de tous. J'étais en civil, si l'on peut dire, je n'ai donc eu droit à aucun des privilèges accordés à un officier en captivité.

— Une nation d'avocats, ces Français…

Elle renoua sa cravate, refixa l'épingle.

— Vous allez lancer une nouvelle mode, avec cette barbe.

Elle lui effleura la joue d'une caresse aussi furtive que surprenante. Les mères et les sœurs pouvaient se permettre de telles familiarités avec leurs hommes, les épouses aussi. Les duchesses, non. Du moins, la sienne s'en était-elle bien gardée. Étrangement, ce geste ne l'offusqua en rien.

— Je vais être en retard. Merci pour votre aide.

— Ça va aller ?

Ça n'irait jamais, il ne le souhaitait d'ailleurs pas, sans quoi son devoir de chrétien – pardonner à ses ennemis – risquait de l'emporter sur son désir de vengeance.

— Je vous demande pardon ?

— Vous pensez pouvoir supporter cette visite, l'absurdité de tout ceci ? George est plein de bonnes intentions, vous savez. Je le soupçonne d'être terriblement seul.

George... le Régent, le souverain et *de facto*, le roi. Seul, lui ? Possible.

— Je tiendrai le coup.

— Bien entendu.

Elle glissa son bras sous le sien, encore un geste qui aurait dû le surprendre et auquel, pourtant, il ne trouva rien à redire.

— Si vous avez envie d'exploser, de casser des objets ou de hurler des jurons, il vous suffit de visualiser quelque chose d'agréable. Vous y ajoutez des détails, un par un, jusqu'à obtenir une image précise et que le besoin irrépressible de commettre un acte fâcheux soit passé.

— C'est ce que vous faites quand les visites du matin deviennent par trop ennuyeuses ?

Elle baissa les yeux comme si elle réfléchissait.

— Quand je suis folle de rage sans rien y pouvoir, quand je suis sur le point de m'abaisser au niveau primitif de ceux qui s'en prennent violemment aux victimes innocentes, oui. Je pense à Lucille, aux plates-bandes de ma mère, à une bonne tasse de chocolat chaud par une matinée glaciale.

St. Just lui avait recommandé d'endurer ses souffrances en se concentrant sur ses haines, un conseil qui s'était révélé plutôt inutile face à une liste dont la longueur à elle seule le laissait impuissant et accablé.

Lady Greendale lui suggérait, au contraire, de songer à quelque chose de plaisant.

Elle l'accompagna à travers le jardin jusqu'aux écuries où l'attendait Chesterton.

— Soyez prudent, Mercie, et, bien sûr, transmettez mes salutations à ce cher George.

Lady Greendale se hissa sur la pointe des pieds et déposa un baiser non sur sa joue – barbue – mais sur sa bouche. Surpris, Christian savoura malgré lui la douceur de ses lèvres sur les siennes, le poids de son corps contre son torse, la pression fugitive de ses seins sur son bras.

— Courage, Votre Grâce, lui chuchota-t-elle.

Puis elle s'écarta afin qu'il puisse enfourcher son cheval.

Il se rendit à Carlton House en empruntant le plus possible les chemins tranquilles à travers les parcs. À son arrivée, il s'aperçut qu'il ne rêvait que d'une chose, un autre baiser de la comtesse, exquis, doux, spontané et totalement inattendu.

Gilly avait décelé dans le regard de Mercie une lueur inquiétante tandis que le lad resserrait la sangle de sa monture. À cet instant, elle avait failli tenter de le retenir. Cette invitation chez le Régent était un geste de courtoisie de la Couronne envers un soldat loyal – ainsi que riche et titré. Le soldat en question aurait dû se sentir libre de décliner cet honneur.

Toutefois, la logique des hommes échappait à Gilly, aussi se résigna-t-elle, comme toutes les femmes depuis toujours, à patienter. Elle acheva de répondre aux invitations, décida avec Mme Magnus quels domestiques partiraient pour Severn et lesquels resteraient en ville, enjoliva l'ourlet d'un de ses mouchoirs noirs avec du fil gris perle, qui accrochait mieux la lumière.

Elle entreprit ensuite de broder sur un carré en soie ivoire l'emblème de la famille Severn en bleu royal. Le duc ne rentrait toujours pas.

En fin d'après-midi, alors que la nuit ne tarderait plus à tomber, Gilly appela les deux valets de pied les plus costauds de la maisonnée et se prépara à foncer à Carlton House.

Les explications possibles étaient innombrables. Mercie avait rencontré des camarades de l'armée ; le Régent l'avait invité à prendre le thé avec lui ; son cheval s'était blessé... Et s'il avait commis un impair, menacé un domestique avec son couteau, perdu patience avec le souverain ? S'il s'était égaré en chemin ?

Lorsqu'il était entré dans l'armée, Christian avait tout naturellement choisi la cavalerie car il nourrissait depuis toujours une passion pour les chevaux. Il avait appris à monter dès sa plus tendre enfance. C'est donc spontanément qu'il s'était réfugié dans les écuries de Carlton House après avoir supporté une demi-heure de salamalecs.

Prinny avait glosé sur son uniforme du 10ᵉ régiment des hussards, qu'il avait lui-même dessiné. Christian s'était demandé s'il devait rire ou pleurer en l'entendant réduire ainsi une tenue militaire à un vulgaire accessoire.

Au terme de cette interminable demi-heure, les pale-freniers avaient laissé Christian s'asseoir sur une malle de sellerie où il était resté une heure à observer les allées et venues. Le temps avait passé, le début de la soirée avait succédé à l'après-midi et un vieux lad avait fait remarquer à un autre qu'un homme ne devrait pas attendre aussi longtemps sa dulcinée, si fines soient ses chevilles.

Le moment était venu de partir.

Christian les avertit qu'il attendait son cheval et émergea dans la douceur crépusculaire.

Soudain, son cœur se mit à battre la chamade, ses oreilles, à bourdonner, et sa vision se brouilla. La peur le submergea, lui donnant à la fois envie de s'affaler sur le sol et de fuir à toutes jambes.

— Ça va, l'ami ?

— Hé, attention, c'est un duc ! Le duc disparu. Vot'
Grâce ?

— Il est pas disparu puisqu'il est là.

Cet échange, si typiquement britannique par ses
accents, ses intonations et son impertinence, aida
Christian à se ressaisir.

— Messieurs, je vous entends.

— M'avez pas l'air dans vot' assiette, Vot' Grâce. Vot'
monture est prête.

Le palefrenier tendit les rênes de Chesterton comme si
son maître avait oublié qu'il possédait un cheval. Par habitude, Christian leva la main gauche, puis dut se raviser.

Qu'un rayon de soleil tombant selon un angle particulier le ramène au jour de sa capture, qu'il ne puisse
se servir de la main que Dieu lui avait donnée, qu'il
soit prêt à se battre jusqu'à la mort en l'absence de
tout ennemi, tout cela le mettait en rage.

Le plus âgé des deux palefreniers le regardait avec
inquiétude, l'air mal à l'aise. Christian l'aurait volontiers envoyé valser à l'autre bout de l'écurie. De sa
maudite main gauche.

— Merci.

L'autre s'écarta et jeta un dernier coup d'œil par-
dessus son épaule tandis que Christian menait son
cheval au montoir. Il tergiversa, vérifia soigneusement
les sangles, la longueur des étriers, les boucles et la
gourmette de la bride car sa crainte d'un danger n'était
en rien apaisée.

Les émeutes se succédaient à Londres, et Christian se
promenait en civil. Cet été, tout le monde était amoureux des soldats en uniforme. Hommes affamés ou
veuves dans l'incapacité de nourrir leurs petits salue-
raient volontiers un vétéran décoré de la cavalerie, mais
n'hésiteraient pas à s'en prendre à un noble.

Il aurait dû revêtir son uniforme. Il aurait dû...

Une partie de lui-même se détacha du reste, prête à
s'élancer en une fuite née d'une frayeur irrationnelle
et d'une angoisse sans fondement. Christian eut simul-

tanément conscience de deux réalités : l'atmosphère agréable dans les écuries et les désastres vagues et informes qui se bousculaient dans son esprit.

Il vous suffit de visualiser quelque chose d'agréable. Vous y ajoutez des détails, un par un, jusqu'à obtenir une image précise et que le besoin irrépressible de commettre un acte fâcheux soit passé.

Ce conseil de la comtesse s'était logé dans un coin de son esprit. Une image de la façade ouest de Severn, avec sa longue allée courbée contournant le petit lac, lui revint en mémoire. À cette saison, les roses autour de la fontaine centrale étaient sûrement en pleine floraison et les jardiniers devaient faucher le parc deux fois par semaine. L'air embaumait le foin coupé, la fontaine émettait un gazouillis continu et apaisant. Seuls, les bêlements occasionnels d'un agneau appelant sa mère troublaient le silence.

Les battements de son cœur ralentirent. Chesterton renâcla et Christian grimpa en selle, s'abandonnant aux souvenirs plaisants.

Le crissement des roues du carrosse sur les coquillages écrasés recouvrant le chemin.

Le soleil se reflétant sur les carreaux des fenêtres du deuxième étage en fin de journée.

Les odeurs en provenance du lac quand le vent tournait. La surface de l'eau ondulant sous la brise. Les canards prenant leur envol en masse sans aucune raison apparente.

Lorsqu'il atteignit ses propres écuries, Christian respirait de nouveau normalement et mourait d'impatience de retrouver son duché – ainsi qu'une petite comtesse farouche dont les conseils se révélaient d'une sagesse inouïe.

— Sa Grâce arrive, milady.

— Dieu soit loué !

Gilly ôta son bonnet et le tendit au valet, dont le ton avait trahi un réel soulagement. Le duc était un homme adulte, un noble, un officier décoré, et pourtant, elle s'était tracassée comme s'il s'agissait d'un enfant égaré au beau milieu du marché.

— Si vous pouviez demander à la cuisinière de nous servir une collation sur la terrasse. Citronnade, beaucoup de sucre, pas de thé. Et dites-lui de soigner la présentation.

— Entendu, milady.

Dès que le domestique eut disparu, Gilly s'inspecta dans la glace au-dessus de la console. Pourvu que son soulagement soit moins palpable que celui du valet. Une épingle à cheveux s'était accrochée dans le filet noir de son bonnet, libérant une boucle blonde. Elle s'empressa de la remettre en place, puis s'empara de son tambour à broder. Quand Sa Grâce franchit le portail au retour des écuries, elle était tranquillement assise sur la terrasse, concentrée sur son ouvrage.

— Vous êtes de retour.

Elle se leva, affichant un sourire en dépit de l'ineptie de ses paroles.

— Comment s'est passée votre visite ?

— Ces gants sont abîmés.

Il les enleva avec ses dents et les lui remit.

— Son Altesse vous adresse ses sincères condoléances, continua-t-il. Avons-nous quelque chose à manger ?

— Prinny ne vous a rien proposé ?

— Il n'a pas... il... Je ne m'en souviens plus.

Christian passa la main dans les cheveux blonds échappés de son catogan. Gilly ne lui proposa pas de le recoiffer de peur qu'il ne se serve de ses dents sur elle.

— J'ai commandé un goûter.

Il marmonna quelques mots en se dirigeant vers la plate-bande de marguerites longeant l'enceinte du jardin.

— Pardon ?

Gilly haussa la voix pour se faire entendre par-dessus le martèlement des sabots des chevaux dans l'allée voisine.

— J'ai dit que vous n'étiez pas obligée de vous joindre à moi, milady. Je peux emporter le plateau à l'intérieur.

Malgré sa mauvaise humeur, elle n'osait pas le laisser seul.

— Je veux tout savoir de votre entretien avec le Régent.

Il fit encore quelques pas, cueillit une fleur, en arracha les pétales un à un.

— L'échange a été très prosaïque, voire ennuyeux.

— Ennuyeux pendant quatre ou cinq heures ?

— Excusez-moi ?

Il leva les yeux de sa marguerite à moitié déchiquetée et Gilly y décela une lueur glaciale.

— Vous vous êtes absenté presque sept heures, Mercie. Prinny observe l'étiquette, mais n'accorde à ses hôtes que quelques minutes par-ci, par-là. Vous avez manqué le thé.

— Vraiment ?

Il haussa les sourcils et Gilly se prépara à un sermon cinglant.

— En effet, convint-il. Peut-être est-ce la raison pour laquelle je souhaite me restaurer maintenant.

Il n'avait pas dit qu'il avait faim et Gilly songea à toutes les fois où elle avait été trop bouleversée pour avaler quoi que ce soit. Par bonheur, le valet reparut avec un plateau.

— Merci, murmura-t-elle en lui adressant un sourire. Je m'occupe du reste.

Il s'inclina, jeta un coup d'œil perplexe au duc, puis s'éclipsa. Ces temps-ci, les domestiques étaient confrontés à beaucoup d'incertitudes.

— Venez vous asseoir, Votre Grâce. À moins que vous ne préfériez déambuler ?

Il jeta au loin la fleur dénudée et s'approcha de la table.

— Une fraise ?

Gilly lui en présenta une, rouge et ronde à souhait. Elle s'était inquiétée pour lui et voilà qu'il se murait dans le silence. Aucune explication, aucune justification, rien.

Christian saisit le fruit avec ses dents et la tension entre eux reflua légèrement.

— Asseyez-vous, je vous en supplie, Mercie. À me dominer ainsi, vous allez finir par me couper l'appétit.

— Dieu vous en préserve, railla-t-il avant de s'exécuter.

— Vous êtes duc, lui rappela Gilly en disposant une demi-douzaine de fraises sur une assiette. La maussaderie ne vous sied pas, en dépit de ce que vous avez pu entendre concernant les privilèges de votre rang. Voulez-vous que je vous prépare un sandwich ?

Il scruta les fraises.

— Une tranche de pain avec du beurre et du fromage.

Gilly le dévisagea, croisa les bras.

— Vous avez oublié de dire « s'il vous plaît ». Vous vous comportez de manière odieuse, peut-être parce que cet après-midi vous a mis d'humeur bagarreuse. Si vous devez céder à une envie irrépressible de vous en prendre à quelqu'un, allez donc faire un tour dans la salle de boxe de Jackson. Je suis une dame. Je ne me bagarre pas.

Dieu sait pourtant qu'elle avait rêvé d'enfoncer son poing dans le ventre mou de Greendale.

Elle s'empara d'un petit pain, le coupa en deux, en tartina allègrement de beurre les deux moitiés, y inséra une part généreuse de fromage. Elle le lui aurait volontiers enfoncé jusqu'au fond de la gorge.

Et elle aurait volontiers fondu en larmes, mais elle ne pleurait plus depuis des années.

Quelle sotte elle était de s'être inquiétée pour ce... ce...

— Je vous remercie.

Il lui prit le sandwich des mains et tous deux man-
gèrent dans un silence pesant. Gilly devait se forcer à
aller moins vite pour s'accorder au rythme du duc. Ce
dernier était incapable d'avaler un repas à toute allure,
même affamé après un interminable après-midi chez
le Régent.

— Vous êtes défaite, observa-t-il du ton qu'il aurait
pu employer pour lui demander de lui passer le sel.

— Je suis un peu énervée contre vous car vous
m'avez manqué de respect. Je ne suis pas défaite.
J'essaie de me montrer indulgente.

Le regard de Mercie se réchauffa légèrement.

— Non, je parle de vos cheveux.

Il lui effleura l'épaule, là où la boucle rebelle avait
une fois de plus échappé aux épingles.

— Fichtre !

Une lady digne de ce nom ne se recoiffait jamais en
mangeant. Tant pis.

— Ne bougez pas.

Il se leva, ôta une épingle, puis coinça la mèche
rebelle avec.

— Pourquoi essayez-vous de vous montrer indulgente ?

— Parce que nous nous connaissons à peine, répondit Gilly. Vous n'êtes pas habitué à gérer une maisonnée et moi, j'ignore tout de vous. Vous ne pouviez pas
deviner que... que je vous attendrais pour le thé.

Il avala la dernière bouchée de son sandwich et se
frotta les mains, avant de se figer pour examiner celle
de gauche.

— Qu'y a-t-il ? s'enquit spontanément Gilly.

— J'ai mangé avec la main gauche.

— Vous l'utilisez pour tenir les rênes de votre cheval.

— Une seule. Je ne peux plus manier une double
bride.

— Je n'ai jamais compris cette manie d'imposer à
un cheval deux mors à la fois. Un seul devrait suffire.

Vous n'allez pas me parler de votre après-midi, n'est-ce pas ?

— C'était sans intérêt. Si vous voulez bien m'excuser ?

En un clin d'œil, il fut debout. Pas d'explication, pas d'excuse, pas le moindre effort pour entretenir la conversation.

— Je me suis *inquiétée* pour vous ! s'insurgea-t-elle. Je serai prête à partir pour Severn dès l'aube, ajouta-t-elle malgré ses doutes grandissants quant à la sagesse de ce projet.

— Moi de même.

Il regagna la plate-bande, sélectionna une nouvelle victime.

— Prinny m'a remercié.

Gilly mordit dans l'une des fraises que Sa Grâce avait dédaignées.

— Rien de plus normal. Vous avez servi la patrie, et bien.

Mercie tapota la fleur sur le bout de son nez.

— Il a dit... il a dit que les mauvais traitements des Français à mon égard pourraient se révéler un argument utile lors de futures négociations. *Utile*, répéta-t-il avec une pointe d'amertume.

— La façon dont vous avez été traité est inqualifiable. Allez-vous aussi mutiler cette fleur ?

Gilly espérait que non. Certes, il ne s'agissait que d'une banale marguerite et celles-ci poussaient à profusion, mais elle ne tenait pas à ce qu'il s'adonne ainsi à de vaines destructions.

Il baissa les yeux, l'expression indéchiffrable. Puis il revint vers la table et glissa la tige derrière l'oreille de Gillian. Ses doigts lui frôlèrent la joue, sans doute involontairement, mais ce fut une caresse douce et apaisante. Contrairement à l'humeur du duc.

— Merci pour l'en-cas. Je suis désolé de vous avoir causé du souci. Cela ne se reproduira plus. Pardonnez-moi si je ne me joins pas à vous pour le dîner.

Sur ce, il gagna le portail et disparut dans l'allée. Pour aller où ? Mystère. Gillian dégusta la dernière fraise en se demandant si ce qu'elle avait enduré au cours de son mariage avec Greendale pouvait être considéré comme *utile*.

6

Gilly s'était si bien habituée au calme de la campagne qu'elle eut un mal fou à dormir dans l'hôtel particulier de Mercie. Après la tombée de la nuit, les rues étaient certes plus tranquilles, mais les bruits semblaient d'autant plus forts qu'ils étaient isolés.

À cela s'ajoutait une grande anxiété. Elle s'inquiétait pour Lucille, priant pour que les retrouvailles entre le père et la fille redonnent à la petite le goût de vivre. Et inversement.

Gilly repoussa ses couvertures et enfila son négligé en satin noir. Quoi de plus réconfortant pour une jeune veuve que le satin noir ? Elle drapa un châle sur ses épaules et se rendit dans la bibliothèque afin de trouver un livre pour le voyage du lendemain. Elle parvenait à lire en voiture, du moins à petites doses.

Hélas, une fois de plus Sa Grâce allait la contrarier !

La porte était ouverte. Elle frappa doucement – surprendre un homme qui dormait avec un couteau n'était guère recommandé.

— Entrez, marmonna-t-il sans lever les yeux de son bureau.

— Bonsoir, Votre Grâce.

Il posa sa plume avec l'air affligé d'un compositeur interrompu par une servante.

— J'ai cru que vous étiez le valet venu couper les mèches des bougies et rallumer le feu.

— Pardon de vous décevoir. À quoi travaillez-vous ?

— Un rapport.

— Je ne trouvais pas le sommeil.

— De toute évidence.

Sa mauvaise humeur était si palpable que Gillian fut tentée de rebrousser chemin sur-le-champ. Pas étonnant qu'Helene ait désespéré de cet homme en dépit de sa belle allure.

— Je suis à la recherche d'une lecture facile pour m'apaiser l'esprit et m'occuper durant le trajet jusqu'à Severn.

Elle se dirigea vers les étagères contenant plus de volumes qu'elle ne pourrait en compter en un mois.

— Ne devriez-vous pas être couché, si vous devez vous lever à l'aube ?

— J'ai des insomnies, moi aussi.

Il se leva, fit quelques allées et venues, attisa le feu.

— À la mort de Greendale, le médecin m'a laissé assez de somnifères pour assommer un petit troupeau de chevaux. J'ai essayé de ne pas m'en indigner.

— Il n'imaginait pas que vous les avaleriez tous en même temps.

À présent, Mercie rangeait ses papiers, rebouchait son encrier, ouvrait et fermait des tiroirs.

— Je n'en suis pas si sûre. Avez-vous lu tous ces livres ?

— Ceux en latin, en anglais ou en français, sans doute. Mon grec est un peu rouillé.

— Dans ce cas, vous pourriez peut-être m'aider à en sélectionner un.

— De la poésie, décréta-t-il en refermant avec force un dernier tiroir.

Il la rejoignit, se tint tout près d'elle, les rayonnages étant agencés de manière à faciliter l'accès d'une personne, pas de deux.

— Tenez.

Il s'empara d'un recueil des œuvres de Blake.

— Bucolique, avec, de temps en temps, une certaine profondeur.

— Lisez-m'en quelques lignes.

Son odeur l'enveloppa, un mélange de romarin, de bois de santal, un parfum frais, vaguement résineux, viril et propre – même à cette heure.

Avait-il avalé quelque chose depuis qu'il s'en était allé vers les écuries ?

— *Comme un démon dans la nue, Hurlant de douleur/ Suivant la nuit je me hâte/ Et avec la nuit je m'en irai.* Extrait des *Esquisses poétiques*.

— Pas franchement apaisant, riposta-t-elle. Essayez autre chose, et cette fois, s'il vous plaît, lisez-le-moi plutôt que de puiser dans les abîmes ténébreux de votre mémoire.

Elle s'adossa contre la bibliothèque, croisa les bras et ferma les yeux pour mieux apprécier la beauté des mots tout en évitant la vue du grincheux qui les prononçait.

— *Voir un monde dans un grain de sable/ Et un paradis dans une fleur sauvage/ Tenir l'infinité dans la paume de ta main/ Et l'éternité dans...* Je ne peux pas lire cela.

Il lui tendit l'ouvrage, et Gillian aurait volontiers parié son châle de soie préféré qu'il ne l'avait jamais ouvert. Il connaissait l'œuvre du poète par cœur. La tristesse de son regard la bouleversa.

— Aujourd'hui, reprit-il, si j'ai tant tardé, c'est parce que... j'attendais.

Il la dominait d'une tête, c'était un officier aguerri, capable de cruauté. Il avait tué pour le roi et la patrie, subi toutes sortes de privations et de sévices durant sa captivité mais pour l'heure, il était... perdu.

— Qu'attendiez-vous ?

— Le chemin... il n'était pas sûr.

Elle lui prit le livre des mains.

— Expliquez-vous, Votre Grâce. Je ne comprends pas.

— Je suis allé à Carlton House en passant par les parcs afin d'éviter les rues, les boutiques, les passants. À la mi-journée, ils sont déserts.

— Alors que plus tard dans l'après-midi, ils sont envahis par les promeneurs.

Elle le prit par le bras et le ramena vers le feu qui flambait de nouveau joyeusement.

— Vous vouliez vous épargner les questions inopportunes et une stupidité bien intentionnée.

Il la contempla, fronçant les sourcils.

— Je vous ai sous-estimée.

— Comme la plupart des gens. Cela me convient.

— En tant que veuve, vous avez aussi droit à votre lot de questions inopportunes, n'est-ce pas ?

Gillian aurait aimé voir ses yeux car elle pressentait derrière cette requête une motivation cachée. Elle s'installa sur le canapé et l'invita d'un geste à l'y rejoindre.

Helene avait-elle eu l'intention de laisser son mari affronter seul ces inquisitions ? S'était-elle lassée de répondre aux interrogations relatives à la captivité de son époux ? Cela expliquait-il ses choix ?

— Une veuve n'a pas le droit d'être heureuse, dit Gillian, convaincue que Mercie ne lui reprocherait pas cet aveu. Elle peut être joyeuse au bout de plusieurs années de deuil, ou sereine, ou satisfaite, mais pas heureuse. Peut-être me jugerez-vous anormale et chercherez-vous à limiter mon influence sur Lucille, mais sachez que je suis une veuve heureuse.

Il se percha sur le bord du divan, timidement, comme s'il craignait de s'y brûler.

— En quoi consiste votre rapport, Votre Grâce ?

— Rien d'important. Des affaires militaires.

— Dans ce cas, cela ne vous ennuie pas que je reste ici à lire un moment pendant que vous travaillez ?

L'expression de Mercie changea. Il semblait renfrogné parce qu'il réfléchissait trop, pas parce qu'elle l'agaçait.

— Je serai sage comme une image, promit-elle en ouvrant le recueil au hasard. Je peux me taire quand je le décide.

— J'ai suffisamment avancé pour le moment.

— Alors trouvez-vous un livre, rétorqua-t-elle en feuilletant le sien. Déterrez un vieil ami, renouez avec lui.

Il s'éloigna tandis que Gilly se plongeait dans la lecture d'un long poème sur les fleurs, le ciel et les moutons. Cette fois, lorsqu'il revint, il s'enfonça dans le canapé, si près d'elle que le pan de sa robe de chambre se drapa nonchalamment sur l'ourlet du châle de Gillian.

Il tenait un volume entre les mains, mais fixait le feu dans l'âtre.

Une heure plus tard, quand Gilly étouffa un bâillement et releva la tête, il n'avait pas bougé.

— Je monte me coucher. Vous devriez en faire autant, Votre Grâce. La nuit sera courte.

— Je vous déconseille de venir me réveiller, murmura-t-il. Qu'on viole mon intimité m'est insupportable.

— Je vous prie de me pardonner. Cela ne se reproduira plus. La prochaine fois, je vous suggère de coincer une chaise sous la poignée en plus de verrouiller votre porte.

Elle se leva, posa le livre sur le bureau. Il en fit autant.

— S'il y avait une prochaine fois, ce qui ne sera pas le cas, je pousserais une armoire contre ladite chaise.

— Je comprends.

Elle était sincère. Christian dut le sentir car il la dévisagea un long moment. Peut-être parce qu'elle avait été mariée avec Greendale, peut-être parce qu'elle était épuisée après une journée agitée, Gilly ne devina qu'au tout dernier instant les intentions du duc.

Il referma sa grande main calleuse sur son menton et l'y laissa suffisamment longtemps pour que sa chaleur imprègne la peau de la jeune femme.

— Voici ce qui m'a permis, sur le chemin du retour, d'oublier les émeutes, le chaos et les patrouilles ennemies, chuchota-t-il.

Inclinant la tête, il pressa les lèvres sur les siennes, puis s'écarta de quelques centimètres.

— C'est vous qui m'avez ramené chez moi aujourd'hui, milady. Je vous en suis infiniment reconnaissant.

Il l'embrassa de nouveau, sur la bouche, sur le front, avec une lenteur délibérée empreinte de respect qui la stupéfia autant qu'elle l'étonna

L'espace d'un instant, déroutée, Gillian demeura immobile. Puis elle se détourna, l'abandonnant dans la pénombre de la bibliothèque. Avant d'avoir gravi la moitié de l'escalier, elle fondit en larmes, sans savoir pourquoi.

— Je ne vous ai pas gardé en vie pendant des années sur ce maudit tas de rochers malgré les Anglais qui nous assiégeaient, les intrigues d'Anduvoir, les protestations constantes des catins de la garnison, les rations réduites au minimum, la maladie et le froid pour que vous fichiez tout en l'air en prenant un bateau pour l'Angleterre, déclara Brodie.

Michael Brodie était le fils d'un riche Écossais, bien qu'il ait jugé plus prudent de vanter le sang irlandais de sa mère durant son séjour en France. Robert Girard, comme il se faisait appeler, le soupçonnait de compter aussi quelques bouledogues parmi ses ancêtres – du genre affectueux, bien sûr.

— Michael, je souhaite revoir le pays de ma famille paternelle. Vous n'avez pas besoin de m'accompagner.

— Ce voyage a un rapport avec ce satané duc, n'est-ce pas ?

— Non, répliqua Girard.

D'un geste, il chassa la serveuse. Il n'avait aucune envie de boire la bière tiède et écumeuse servie par la brasserie.

— Ma décision est due au besoin de me détendre un peu, et en Angleterre, les autorités ne chercheront pas à m'éliminer, du moins pas officiellement. Correctes jusqu'au bout des ongles, elles m'ont adressé des courriers à cet effet.

À vrai dire, le ministère de la Guerre lui avait offert une clémence officieuse dans l'espoir que la France en ferait autant de son côté pour ceux que la cessation des hostilités avait mis en position délicate.

Michael rappela la serveuse et, parce qu'il était beau et sympathique, elle se précipita vers leur table. Le fait qu'ils parlent anglais était un plus, ces derniers étant les plus solvables parmi les nationalités affluant à Vienne ces temps-ci.

— *Drei Biere, bitte.*

— Michael, chercheriez-vous à vous soûler à la bière ?

Pour y parvenir, il lui faudrait du temps (dont Girard ne disposait pas) et plus de trois bocks.

— Deux d'entre elles sont destinées à être renversées sur votre tête de mule. Une mort pénible et sanglante vous attend en Angleterre. Ces messieurs adorent se faire mutuellement sauter la cervelle ou se transpercer les poumons sur le prétendu champ d'honneur. Plus ils sont titrés, plus ils manquent de discernement.

— J'en ai soupé de la violence, merci.

Pour être honnête, le bien-être d'un certain duc le préoccupait. Mercie avait survécu dans un seul but, celui de tuer ses tortionnaires. Un homme comme lui méritait d'être surveillé de près.

Si le désir de vengeance pouvait maintenir un homme en vie, il pouvait aussi lui faire perdre la tête.

Par conséquent, Girard s'inquiétait vraiment pour son duc préféré.

La ravissante serveuse, une brune souriante qui semblait avoir à peine seize ans, apporta les bières.

Michael lui donna un pourboire généreux, s'assurant ainsi de sa discrétion en plus d'un bon service, puis la regarda s'éloigner.

— Vous avez une sœur de son âge, n'est-ce pas, Michael ?

Michael avala une gorgée de mousse.

— Si vous allez en Angleterre, j'y vais avec vous, asséna-t-il, ignorant la question de Girard.

Ce dernier en déduisit que sa sœur – ses sœurs, en fait, car il en avait plusieurs – était un sujet tabou.

— En principe, le gouvernement anglais ne tentera pas de m'arrêter, dit Girard. Reste une bonne demi-douzaine d'Anglais qui m'en veulent d'être toujours en vie, parmi lesquels le fameux duc.

— Mercie est rentré chez lui.

Michael se voûta sur sa chope. Sa carrure et sa blondeur lui permettaient de se mêler facilement aux autochtones, mais sa conscience l'empêchait de profiter de la tendance à l'opportunisme prévalant dans une ville par ailleurs fort agréable.

— Vous devriez en faire autant, mon cher, répliqua Girard. Cela dit, je vous autorise à m'accompagner jusqu'en Angleterre. Votre présence à mes côtés me vaut un service irréprochable.

— Vous allez là-bas pour le tuer ?

— Je vous l'ai dit, j'en ai soupé de la violence, et j'ai horreur de la dissimulation.

Girard se leva, jeta quelques pièces sur la table, drapa son pardessus sur ses épaules car, même en plein été, les soirées viennoises étaient fraîches – en outre, mieux valait cacher ses armes.

— La violence n'est pas indispensable pour tuer un homme, argua Michael en se redressant. Aux yeux des Anglais, Robert Girard n'a pas besoin d'un mobile. Il assassine et torture pour le plaisir.

— Aucun d'entre eux n'est mort, Michael. Vous seul pouvez témoigner que pas un prisonnier n'a péri entre mes mains. Et cependant, poursuivit Girard en coiffant son chapeau, il semble que je continue à vivre sans pouvoir davantage justifier ce fait.

Il prit congé, pressé de s'éclipser avant que Michael ne se lance dans un sermon impromptu. Mais celui-ci avait raison sur un point. Mercie devait résoudre son problème et, à cette fin, quelqu'un devrait mourir. Les bons jours, Girard priait pour que ce ne soit pas lui. Les mauvais...

Les mauvais jours, il se disait qu'il ne pouvait rêver meilleur endroit pour mourir que cette bonne vieille Angleterre.

— Venez.

Lady Greendale prit Christian par la main et le tira vers l'escalier principal de Severn.

— Pas question de vous réfugier dans la bibliothèque ou auprès de votre régisseur alors que cette enfant attend depuis des semaines et des semaines de retrouver son papa. Elle a besoin de vous voir vivant, en chair et en os.

— Je vous demande pardon.

Mercie se raidit, arrêtant la progression de la comtesse – quoique à peine. Elle était douée d'une force incroyable vu sa taille et ne souffrait apparemment d'aucune séquelle après avoir enduré ses baisers de la veille.

— Je n'ai pas envie d'être traîné jusqu'à la nursery comme un écolier dévoyé venu lorgner sa maman en petite tenue par le trou de la serrure.

Elle le gratifia d'un grand sourire, feignant d'être charmée par son entêtement.

— Je parie que vous l'avez fait, et que votre père s'est comporté comme si de rien n'était, jusqu'à ce que votre mère vous réclame un baiser. Vous étiez sans doute adorable, en plus. Comme on change avec les années, conclut-elle dans un soupir.

Il était adorable. Sa mère n'avait eu de cesse qu'elle ne le lui répétât. Au prix d'un petit effort et sans en être consterné, Christian se surprit à avoir envie de... sourire.

— Si nous options pour un compromis ?

Il agita le bras gauche, sa bonne humeur déjà volatilisée. Il aurait préféré repousser la confrontation avec cette enfant à plus tard, prendre le temps de se laver, de se changer et de se reposer, et de réfléchir à la façon d'aborder ces retrouvailles.

Dieu merci, la comtesse avait de la suite dans les idées.

— Elle m'écrit régulièrement, et je fais de même car j'ai peu de cousins qui en valent la peine, encore moins dont l'écriture soit lisible. La sienne est exquise malgré son jeune âge.

— Comme l'est... l'était la mienne.

— Vraiment ? En tout cas, nous savons qu'elle n'a pas hérité ce talent de sa mère. Que vous n'ayez jamais engagé une secrétaire pour Helene me dépasse, Mercie. Toujours est-il que Lucille est impatiente de voir son papa. Elle craint de ne pas vous reconnaître. Prenez soin de ne pas l'effaroucher avec vos regards noirs. Vous pourrez jouer votre rôle de duc plus tard, quand les soupirants viendront frapper à votre porte. En attendant, profitez de votre statut de père.

Elle gravit les marches au pas de charge, tel un capitaine décidé à amarrer son navire en toute sécurité au quai de son choix.

— Excusez-moi, milady, mais pourriez-vous me rafraîchir la mémoire ? Combien d'enfants avez-vous eu le bonheur d'élever ?

Elle s'immobilisa sur le deuxième palier, l'obligeant à l'imiter.

— Coup bas, Votre Grâce. Votre attitude me déçoit. Sachez que j'ai élevé mes jeunes frères parce que ma mère était toujours alitée. Toutefois, je vous pardonne car vous êtes anxieux. Ce n'est pas tous les jours qu'un papa renaît d'entre les morts.

À force de l'amadouer, d'insister, de babiller, elle parvint à l'entraîner jusqu'à la nursery.

— Bonjour, Nanny. Harris.

La comtesse salua la nurse et la gouvernante.

— Sa Grâce tenait absolument à venir directement ici voir lady Lucy – elle préfère qu'on appelle sa fille Lucy, m'a-t-elle rappelé. Elle est dans la salle de classe ?

— En plein exercice d'écriture.

Harris exécuta une brève révérence.

— Votre Grâce.

Mercie opina. Il ne se rappelait nullement cette Harris. En revanche, il se souvenait de Nanny puisqu'elle avait aussi été la nurse d'Helene.

— Nanny. J'espère que vous allez bien ?

— Mieux, Votre Grâce, maintenant que le papa de mon petit agneau est de nouveau parmi nous.

— Et ravi de l'être, assura-t-il alors qu'il n'avait qu'une envie, s'enfuir en courant se réfugier dans les écuries.

— Allons-y, intervint la comtesse en lui reprenant la main.

Depuis quand une femme adulte avait-elle la permission de s'emparer de la main nue d'un homme adulte – un duc, qui plus est ! – pour le traîner derrière elle tel un sac de pommes de terre ? Et encore, songea Mercie, lady Greendale ne l'avait pas saisi par le lobe de l'oreille !

Elle le conduisit jusqu'à la salle de classe, très lumineuse grâce à ses fenêtres orientées à l'ouest. Assise à un petit bureau, une fillette trempait soigneusement sa plume dans l'encrier. Le bout de la langue pointant au coin de sa bouche, les lèvres pincées et les jambes enroulées autour des pieds de sa chaise, elle s'appliquait visiblement. Son tablier était impeccable, à peine froissé.

Totalement absorbée par sa tâche, elle ne leva pas la tête. Elle avait l'allure d'une Severn, les cheveux blonds, une silhouette d'une finesse élégante.

Tandis que Mercie contemplait son unique enfant vivante, la comtesse se retira discrètement. Au moment où il avait le plus besoin d'elle, de son exubérance et de son efficacité, elle l'abandonnait. Il n'avait plus qu'une solution : foncer.

— Lucy.

Elle se redressa, fixa un point devant elle comme si elle n'était pas sûre d'où venait la voix qui avait prononcé son prénom. Puis elle lâcha sa plume et se tourna.

— Lucy, c'est papa.

Elle bondit de son siège, les yeux rivés sur lui. Posant un genou en terre, il lui ouvrit les bras. Elle vint s'y jeter en courant.

— Je suis rentré, murmura-t-il en la serrant fort. Papa est revenu à la maison.

Elle s'accrocha à lui, les bras noués autour de son cou comme si elle ne voulait plus jamais le lâcher.

— Tu es contente de me voir ?

Il ne desserra pas son étreinte. Après tout, ils étaient seuls et ne s'étaient pas vus depuis trois ans.

Elle acquiesça vigoureusement.

— Moi aussi, je suis heureux, Lucy Severn, très heureux. À quoi travaillais-tu ?

Elle se libéra en se tortillant, puis le tira jusqu'au bureau. Aussi volontaire que la comtesse, cette petite.

— *Bienvenue à la maison, papa. Je vous aime, Lucy,* lut-il à voix haute. Tu as une très belle écriture, Lucy. Qu'as-tu d'autre à me montrer ?

Elle lui présenta ses œuvres, ouvrant carnets à dessin, cahiers, indiquant les livres qu'elle avait lus ou était en train de lire. Comme tout père digne de ce nom, il s'exclama et s'émerveilla, lui posant une question de temps à autre.

De temps à autre seulement, et chaque fois, elle répondait d'un signe de la tête.

Le visage radieux, Lucy l'entraîna dans le boudoir où s'était réfugiée la comtesse.

— Vois qui est là, Lucy ! s'écria lady Greendale. Notre duc n'est plus disparu, tu l'as retrouvé. Allez-vous l'emmener voir les chatons dans les écuries, à présent ?

— Les chatons relèvent davantage de la responsabilité d'une comtesse que d'un duc, vous ne croyez pas ? répliqua-t-il.

Il adressa un regard sévère à Gillian, mais sa fille lui balançait le bras et le fixait de ses immenses yeux bleus.

Les yeux Severn, encore plus beaux grâce à la contribution d'Helene.

— On ne rentre qu'une seule fois de la guerre, argua lady Greendale. Pourquoi ne pas rendre visite aux chatons ?

Elle voulut saisir la main libre de Lucille, mais la fillette eut un mouvement de recul. Christian en éprouva un pincement de plaisir, mais alors qu'ils s'apprêtaient à quitter la pièce, Lucy lâcha la sienne et secoua la tête.

— Elle ne veut pas sortir, devina Gillian. Nanny m'avait prévenue que les choses empiraient.

— C'est une belle journée, s'extasia Christian. J'ai envie de passer du temps avec ma fille. Qui plus est, Chesterton est sûrement impatient de voir combien elle a grandi pendant qu'il faisait campagne dans la Péninsule. Tu te souviens de Chesterton, Lucy ?

Elle opina du bonnet, portant son regard d'un adulte à l'autre.

— Alors allons-y, décréta Christian en la soulevant pour l'installer sur son dos. Nous avons une écurie à visiter.

La comtesse se mit à bavarder, ce qui était un soulagement car sa fille ne disait toujours pas un mot.

— Chesterton est sûrement le cheval le plus grand que j'aie jamais vu, mais il me paraît fiable et je le trouve magnifique. Je parie que si ton papa te faisait monter dessus, tu pourrais voir jusqu'en France.

Christian sentit sa fille glousser – silencieusement.

Le temps qu'ils aient inspecté les lieux, il se réjouit du monologue incessant de la comtesse, de sa capacité à commenter tout et n'importe quoi, des jambes des poulains aux moustaches des chatons.

À l'évidence, Lucy avait hérité de la propension de son père à se taire, et comptait continuer ainsi pour des raisons connues d'elle seule.

7

Christian regagna la nursery, Lucy toujours accrochée à son dos comme un singe. Il la posa à terre et
elle courut jusqu'à la salle de classe. Sa fille aurait-elle
perdu ses bonnes manières en même temps que l'usage
de la parole ?

— D'ordinaire, elle est très polie, s'étonna la comtesse, l'air inquiet.

Avant que Mercie ne puisse formuler une réponse
(que savait-il de sa propre fille ?), Lucy reparut, un
cahier et un crayon à la main. Elle brandit le premier
sous le nez de son père.

— Si je reviens demain ? Bien sûr, si tu le désires.
Nous retournerons voir Chesterton et les chatons.

Il lui rendit le cahier.

Pourquoi refusait-elle de parler, bon sang ? Il avait
l'impression d'endurer une punition qu'il n'avait pas
méritée.

L'enfant agita une fois de plus le cahier devant lui.

— « Cousine Gillian doit nous accompagner ? » lut-il.

Excellente idée.

— Comtesse ?

— Avec plaisir, répondit Gillian en caressant la chevelure de la petite. D'ici là, tu auras peut-être écrit un
poème sur les nuages et les poulains ou sur le grand

alezan sur le dos duquel tu pourras voir jusqu'en France.

Cela lui valut un sourire.

— Alors à demain, conclut Christian.

Comme il se détournait, une paire de bras grêles s'enroula autour de sa taille. L'étreinte de sa fille était empreinte de désespoir et d'une détermination féroce, quoique muette.

— J'avais oublié, avoua-t-il en la hissant sur sa hanche. Tu viendras nous retrouver après le thé, n'est-ce pas ?

Lucy secoua la tête, pointa l'index sur son père, le ramena vers sa propre poitrine.

— Que je vienne, moi ? Non, je ne crois pas. Cette fois-ci, c'était une exception. La prochaine, c'est toi qui te joindras à nous, mais tu n'auras que deux étages à descendre. Si je ne te vois pas, je comprendrai que tu es trop fatiguée et je me contenterai de la compagnie de cousine Gillian.

Il la reposa sans hâte, pivota sur ses talons, s'immobilisa.

— Comtesse, puis-je vous escorter ?

Celle-ci paraissait effondrée, mais lui répondit sans hésitation :

— Volontiers, Votre Grâce.

Il ne reprit la parole que lorsque la porte fut fermée derrière eux.

— Vous pensez sans doute que j'ai tout gâché, mais il me semble malavisé de faire des histoires autour de ce qui n'est peut-être au fond qu'un caprice. En supposant, bien sûr, qu'elle *ne veuille pas* parler, ou plus précisément, qu'elle en soit *incapable*.

Cette observation fut accueillie par un silence, déstabilisant venant de la comtesse – cousine Gillian. Contre toute attente, Christian prit conscience que le silence, son meilleur et plus fiable allié, n'était plus le bienvenu dans son existence.

Autour d'un plateau substantiel servi sur la terrasse, Gilly convint que la distinction entre le *refus* de parler et l'*incapacité* à parler avait son importance. Le duc était brusque, perturbé, parfois odieux, mais il n'était ni stupide ni dénué d'instinct paternel.

Pour cette raison, elle lui avoua une transgression.

— J'ai traîné un peu avant de quitter la pièce et je vous ai vu prendre Lucy dans vos bras, Votre Grâce. Je vous prie d'excuser mon indiscrétion, mais j'avais peur que vous ne lui infligiez un interrogatoire alors qu'elle était si impatiente de vous voir.

Il se recala dans son siège et un rayon de soleil baigna son visage. Une lumière bienveillante en ce début d'été, qui soulignait toutefois sa fatigue et la cicatrice sur le lobe de son oreille.

— Vous osez m'avouer que vous m'espionniez ?

Il paraissait amusé, quoique Gilly ait un mal fou à le cerner. Elle ne s'était pas du tout attendue qu'il l'embrasse et se demandait encore ce qui l'y avait poussé, et ce qu'elle pensait de son audace.

— Je tenais à ce que vous le sachiez et à vous exprimer mes regrets. J'aurais dû vous laisser profiter en toute intimité de ce moment.

Son comportement avec sa fille avait été irréprochable ; parfait, à vrai dire. Il avait fait montre d'une telle affection que Gilly en avait eu les larmes aux yeux. Les petites filles avaient besoin d'affection, surtout celle de leur papa.

— Mon intimité a souffert de violations bien pires, milàdy. Vous n'auriez pas dû vous attarder, c'est vrai, toutefois vous aimez cette enfant, et personne ne songerait à vous le reprocher étant donné les circonstances. Mais vous ne mangez rien. Ma compagnie vous couperait-elle l'appétit ?

La taquinait-il ? Elle se redressa.

— Votre compagnie m'est agréable.

Il lui tendit un quartier d'orange, et plutôt que de lui prendre avec les doigts, Gilly le saisit avec ses dents, un geste d'une familiarité choquante. Mais, après tout, c'était lui qui avait inauguré ce petit rituel, et le fait d'oser enfreindre ainsi le protocole (un de ces jours, peut-être abuserait-elle de sa confiance et le mordrait-elle) la réjouissait.

— Ma compagnie, répéta-t-il d'un ton songeur, vous est *agréable*. Que d'émotion dans ces paroles, comtesse. Je peux vous assurer que le sentiment est réciproque.

Il attrapa le brin de lavande dans sa citronnade et le jeta dans l'une des plates-bandes de marguerites.

— Je vais examiner la correspondance du médecin, nous ferons une promenade avec Lucy demain, puis nous aviserons.

Mercie frotta ses doigts humides et Gillian se demanda ce qu'on avait infligé à cette main.

Au reste de son corps, à son esprit. À son cœur, à son âme.

Cela ne la regardait en rien.

— Nous avons d'autres affaires à régler, comtesse. Encore un quartier d'orange ?

— Non, merci, murmura-t-elle, décontenancée.

Pour elle, le mot « affaires » rimait avec finances, livres de comptes. Il n'avait avalé que deux quartiers d'orange, et en posa un sur l'assiette de la jeune femme.

— Quels sont vos projets à long terme, milady ? Je vous pose la question en tant que papa de Lucy et mari de votre défunte cousine.

— Mes projets ?

Sa tartine beurrée se transforma en sciure de bois dans sa bouche quand elle surprit la lueur dans ses prunelles. Il venait de lui tendre une embuscade, le scélérat, sous le soleil éclatant d'un bel après-midi d'été. Greendale maîtrisait cet art à la perfection.

Mercie allait maintenant lui expliquer, poliment, qu'il avait besoin de passer du temps seul avec sa fille et que la présence d'une cousine par alliance en ces lieux présentait un obstacle.

Qu'il aille au diable, avec ses mains élégantes et meurtries, sa belle voix douce, ses yeux magnifiques et sa bonté envers son enfant. Maudit soit-il.

Surtout pour l'avoir embrassée. Ces baisers furtifs, presque chastes étaient si... si... À force de chercher les mots pour les décrire, Gilly en avait perdu le sommeil. Elle avait beau s'en défendre, un qualificatif s'immisçait sans cesse dans sa conscience : « tendres ». Comme si Gilly était sa raison de vivre, celle qui lui permettait de combattre ses démons, de surmonter ses cauchemars pour la rejoindre.

Sornettes. Il était rentré de Carlton House à la tombée de la nuit par des chemins détournés, et elle était ridicule de faire toute une histoire d'un écart nocturne entre deux adultes épuisés.

À présent, il la contemplait d'un regard tout sauf tendre et son estomac se noua.

— Nous venons à peine d'arriver à Severn, Votre Grâce. Est-il indispensable d'en discuter maintenant ?

— Absolument.

De nouveau, il lui tendit un quartier d'orange.

— Je vous en prie, dit-il.

Je vous en prie, mangez, ou je vous en prie, confiez-moi vos espoirs et vos craintes concernant les arrangements pour l'année à venir ? Ses yeux bleus brillaient et Gillian regretta soudain de ne pas avoir emporté son grand châle de satin noir sous lequel elle se sentait protégée. Cette fois, elle saisit le fruit avec ses doigts et le porta délicatement à sa bouche.

— L'armée impose un excès de discipline et d'encadrement comme pour contrebalancer le chaos et l'agitation du quotidien, reprit Mercie. Depuis plus de trois ans, je n'ai pas joui d'une vie tranquille, selon mes goûts. Je sollicite votre bonne nature afin que nous puissions coordonner nos desseins.

Elle mâcha son fruit, se ressaisit. Elle ne pouvait guère lui reprocher de vouloir se retrouver seul dans sa propre demeure.

— Je n'ai rien envisagé pour les trois mois à venir.

Marcus lui avait envoyé une lettre de condoléances après le décès de Greendale, omettant ostensiblement de lui signaler qu'elle pouvait disposer à sa guise de la maison douairière qui lui était destinée sur la propriété de son défunt époux. Peut-être avait-il jugé que c'était inutile puisque l'occuper était son droit le plus strict. Toutefois, la bâtisse n'était guère plus qu'une ruine.

En face d'elle, le duc pinça les lèvres avec impatience.

— Pour le trimestre à venir, vous resterez ici, milady. Nous en étions convenus pour le bien-être de Lucille. J'aimerais cependant que vous songiez à vous installer ici de façon permanente. Vous êtes en deuil, je compte mener une existence paisible. Vous connaissez la maisonnée et j'ai besoin de quelqu'un pour gérer le personnel.

Pour autant qu'elle le sache, il n'avait personne pour s'occuper de *lui*, ce qui semblait le laisser totalement indifférent.

— Vous me recueilleriez par charité ? l'interrogeat-elle d'un ton à la fois prudent et surpris, car son invitation, si inattendue fût-elle, était tentante.

Il s'écarta de la table et lui coula un regard agacé.

— C'est moi qui mérite la charité, comtesse. Je vais être submergé par les affaires du domaine. Easterbrook, en tant que mon successeur, m'a clairement fait comprendre que les régisseurs et les locataires étaient aussi réticents que les banquiers à obéir à ses ordres. Je n'aurai pas de temps à consacrer aux problèmes domestiques, pas plus qu'à ma fille ni à toutes les mondanités liées à mon titre. J'ai vraiment besoin de votre aide et je vous demande de me l'accorder pour une durée plus ou moins permanente.

Venant de lui, la longueur et la force de ce discours avaient quelque chose de rassurant. La part de Gillian qui n'avait cherché qu'à se rendre utile s'en félicita. L'autre, celle qui avait connu un bref instant de tendresse dans la pénombre de la bibliothèque, était déstabilisée.

— Vous vous remarierez, dit-elle.

Il le faudrait, non pas pour assurer sa descendance, mais parce qu'il avait besoin de quelqu'un pour se tenir à ses côtés dans la bibliothèque quand il souffrait d'insomnie, quelqu'un pour veiller à ce qu'il prenne soin de lui et se nourrisse convenablement. Quelqu'un pour lui dénicher le valet idéal.

Il méritait qu'on le chérisse.

— Il est possible que j'y songe ultérieurement, surtout si Easterbrook s'abstient de vendre. Mais cette perspective ne m'enchante guère, et j'ai l'intention d'observer le demi-deuil un certain temps. Je n'ai appris le décès d'Helene que le jour où je me suis retrouvé face à Easterbrook, près de Toulouse.

Gillian en fut sidérée.

— Et Evan ?

— Par la même occasion.

Il était si posé, si prosaïque, que cela lui fendit le cœur. Elle se réjouit d'autant plus de l'avoir vu à genoux, serrant sa fille dans ses bras.

— Je vais réfléchir à tout cela, Votre Grâce. Vous êtes fort généreux, et l'idée de passer ma période de grand deuil dans un lieu tel que Severn me séduit.

Un lieu où elle aurait largement de quoi s'occuper, un lieu où panser ses plaies après huit années de mariage avec Greendale.

— Certaines personnes ne l'observent que six mois.

Il lui tendit le dernier quartier d'orange.

— Je vous demande une année. Donnez-nous, à Lucille et à moi, votre année entière de deuil.

— Je vais y réfléchir, Votre Grâce, répéta-t-elle. Nous verrons comment les choses se passent avec Lucy. Vous pourriez décider de l'envoyer dans un couvent, où son silence serait considéré comme un accomplissement spirituel.

— Il n'en est pas question. Je refuse de l'expédier où que ce soit, pour quelque raison que ce soit. Vous avez une cicatrice, comtesse.

Quoi ?

Il s'empara de sa main et en effleura le dos avec son pouce. En dépit des sévices qu'il avait subis, sa prise était ferme. Peut-être même empreinte d'une certaine tendresse.

— Une brûlure, selon moi, enchaîna-t-il en examinant la marque. Une vilaine brûlure. Ancienne. Complètement guérie.

Ce contact délicat, délicieux, apaisa les nerfs de Gillian autant que la brise tiède et le soleil.

— Un accident avec du thé brûlant, avoua-t-elle. Ce sont des choses qui arrivent.

Il lui tapota les phalanges et lui rendit sa main.

— Nous finissons tous par guérir un jour ou l'autre, n'est-ce pas ? murmura-t-il.

Il ne souriait pas, mais Gillian eut la sensation qu'ils venaient de partager quelque chose, un clin d'œil, une plaisanterie, un secret à propos des cicatrices et des histoires qu'elles cachaient.

Un secret douloureux, pour certains.

— Vous devriez rassurer Lucy, lui dire que vous ne la laisserez jamais partir. Je soupçonne Harris de recourir à toutes les menaces imaginables pour l'inciter à parler. Je lui ai pourtant formellement interdit le recours à la violence dans la salle de classe.

Cette déclaration éveilla la curiosité du duc.

— La plupart des écoliers anglais ont droit à une bonne raclée un jour ou l'autre et ce, en général, pour leur plus grand bien.

— D'après qui ? Les tuteurs qui frappent les élèves au point que ces derniers en perdent l'usage de la parole ? Les pieux hypocrites qui citent des proverbes de façon erronée ?

Elle n'aurait pas dû aborder ce sujet, pas avec lui, pas maintenant. Un accès de colère menaçait, plus explosif que les précédents.

— Un enfant entêté qui ne connaît pas la discipline ne peut apprendre à se maîtriser, décréta Mercie.

Sans doute récitait-il une platitude entendue un jour où il avait lui-même reçu quelques coups de canne dans le dos.

— Helene était entêtée. Vous en êtes-vous pris à elle dans l'espoir d'éradiquer ses défaillances ?

Ils se disputaient. Gillian ne tenait nullement à mettre le duc en colère, mais lorsqu'on abordait ce sujet, elle avait du mal à conserver son calme.

— Jamais je ne lèverais la main sur une femme.

— En revanche, vous n'hésiteriez pas à la lever sur une fillette pour lui apprendre la maîtrise de soi et la retenue. Croyez-moi, utiliser la violence pour, prétendument, améliorer ceux qui ne peuvent se défendre est tout, sauf un exemple de maîtrise de soi.

Gillian fixa son assiette vide, les poings serrés sur les genoux de peur de s'emparer de ladite assiette et de la fracasser contre une surface dure.

La tête de Mercie, par exemple.

— Ni châtiments corporels donc, et plus de menaces, déclara ce dernier. De la part de quiconque.

Gillian se risqua à lui jeter un coup d'œil, et comprit à son expression qu'il considérait l'éventualité de son départ comme une menace.

— Je vous recommande les gâteaux au citron, comtesse.

Il se leva, s'inclina, puis s'en alla, le dos droit et la tête haute.

Gilly s'interrogea. L'hospitalité du duc était-elle un geste de subtile bonté ? Ou venait-il de lui offrir une prison dorée ?

Une de plus.

Christian n'était pas précisément heureux d'être en vie. Survivre à la torture transforme un homme en une sorte de fantôme traînant derrière lui une charge de souvenirs impossibles à partager et habitant un corps fragilisé à l'extrême. Ce corps dormait mal, se déplaçait péniblement, digérait avec difficulté. On ne pouvait certainement pas compter sur lui pour s'adonner aux passe-temps amoureux – non qu'il soit tenté.

Pas maintenant. Pas avant longtemps.

Toutefois, l'heure qu'il avait passée en compagnie de sa fille lui avait permis de constater combien elle était heureuse qu'il ait survécu, et cela transformait son existence.

En ce qui le concernait, il se serait volontiers contenté de s'enliser dans l'amertume, de se réveiller chaque jour après une nuit sans sommeil, les membres douloureux et l'âme hantée par le désir de vengeance.

Pour le bien-être de sa fille, il devrait faire... plus, en attendant de retrouver Girard et de l'exécuter.

Lucy voulait que son papa l'emmène en promenade sur Chesterton, un exercice exigeant qu'il soit capable de guider sa monture de son bras valide tout en maintenant la petite de l'autre.

Elle aimait le prendre par la main, peu importe laquelle, et grimper sur son dos.

Elle attendait avec impatience son arrivée à la nursery, à des heures fixes.

S'il avait réussi à survivre aux épreuves infligées par Girard, c'était grâce à sa condition physique d'officier aguerri et déterminé à diriger correctement ses hommes. Cet aspect de la vie militaire – le défi physique –, Christian l'avait développé au maximum.

Le moment était venu de s'y remettre, autant que le lui permettrait son corps las et martyrisé.

Comme son père et son grand-père avant lui, il commença sa première journée à Severn par une balade à cheval. Il parcourut le parc et ses allées cavalières au pas. Le voyage de la veille l'avait épuisé autant que Chesterton, et l'objectif de cette sortie était double. Il voulait retrouver sa forme physique, ou du moins, s'y essayer, et inspecter son domaine. La comtesse avait eu raison de l'inciter à rentrer chez lui : le sud de l'Angleterre était magnifique en été.

Apparemment, lady Greendale avait décidé d'en profiter aussi car il l'aperçut en train de déambuler à travers les jardins que sa mère chérissait tellement. Pour une fois, elle n'était pas en noir et ne portait pas de bonnet.

Le plus sage aurait été de la laisser flâner à sa guise, mais elle était si... jolie. Elle était vêtue d'une robe à taille Empire de couleur lavande et ses cheveux blonds accrochaient les rayons du soleil matinal. Elle fredonnait, se penchant ici et là pour humer une fleur.

— Prise en flagrant délit, dit-elle alors qu'elle venait de s'agenouiller pour respirer une rose rouge, maculant sa robe de terre. Vous ne devriez pas rôder dans les bois, Mercie. Venez au soleil, venez saluer cette magnifique journée avec moi.

Elle caressa les pétales du bout du nez avant de lui offrir un doux sourire qui lui évoqua celui de ces demoiselles de la Renaissance italienne cachant d'exquis et vilains secrets.

— Bonjour, comtesse. Vous vous êtes levée tôt.

— Comme vous, comme le jour. Et votre bon ami M. Chesterton.

— Mon ami paresseux. Nous n'avons pas dépassé le petit trot, n'est-ce pas, Chesterton ?

Le cheval scruta les alentours, dressant les oreilles à l'appel de son nom. Christian sauta à terre, gratifia l'alezan d'une tape affectueuse, puis, les rênes à la main, rejoignit la comtesse qui poursuivait sa promenade.

— Avez-vous bien dormi ? s'enquit-elle. Ma mère m'a appris à poser cette question par politesse, mais elle me paraît plutôt intime.

— Je dors rarement bien, répondit-il, pour le simple plaisir de l'encourager à parler.

— C'est aussi mon cas.

Le sourire de Gillian se teinta de tristesse, et il se demanda pourquoi ils ne s'étaient pas retrouvés dans la bibliothèque, la veille au soir, où ils auraient pu s'adonner à une activité plus intéressante que dormir.

— Les insomnies sont peut-être le lot des adultes, ajouta-t-elle.

Elle glissa son bras sous le sien, sans y être invitée, comme pour... pour le réconforter ?

Il s'écarta, se libéra et porta les doigts à ses lèvres pour émettre un sifflement strident.

Sauf que ceux de sa main gauche ne lui permettaient plus ce qu'il avait appris enfant. Il ne parvint qu'à exhaler une sorte de souffle qui, en aucun cas, n'attirerait l'attention des palefreniers. Sa main droite ne fit pas mieux et il eut envie de flanquer un coup de pied dans quelque chose – les parties d'Anduvoir, tiens, pour commencer ! La pensée que seul Girard comprendrait pourquoi ne le consola en rien.

— Nous avons besoin d'un lad ? devina la comtesse. Laissez-moi essayer.

Elle s'exécuta, lâchant un son perçant qui fit sursauter les hommes au fond du jardin. L'un d'entre eux se précipita vers eux, enfourcha Chesterton et fonça en direction des écuries.

La vue de cet homme s'éloignant sur son cheval titilla furtivement la mémoire de Christian, sans qu'il puisse se l'expliquer. Mais cette impression de déjà-vu se volatilisa aussi vite qu'elle était apparue.

— Quelle bonne âme, murmura la comtesse en suivant Chesterton du regard. Et doué d'une excellente mémoire, qui plus est.

— Absolument, convint Christian. S'il ne m'avait pas reconnu, j'ignore si j'aurais survécu très longtemps dans la campagne française, à tenter de prouver mon identité aux autorités.

Car une épouse de paysan affamée aurait sans nul doute abattu l'épouvantail barbu qui avait perdu l'usage de la parole.

— Je suis contente que Chesterton se soit souvenu de vous.

De nouveau, elle noua son bras au sien, puis laissa glisser ses doigts sur son avant-bras pour lui encercler le poignet.

— Qu'est-il arrivé à votre main ?

La guerre. La douleur. Le mal sous la forme de caporaux ivres qui n'auraient sans doute pas compris son anglais s'il avait accepté de briser le silence.

— Les Français.

Ils poursuivirent leur promenade en silence, la superbe matinée estivale rendant les souvenirs des scènes de torture obscènes, mais pas moins réels. Malgré lui, Christian se mit à parler.

— Les gardes ont essayé de m'arracher un aveu de trahison afin que, dans l'hypothèse où je réussirais à m'échapper, mes compatriotes me condamnent à mort. Le but n'était pas de provoquer la douleur physique en soi – bien que nombre de soldats prennent plaisir à torturer leurs prisonniers pour cette raison –, mais de me détruire mentalement. Le rêve d'évasion nourrit souvent les espoirs du captif, et Girard voulait que j'entretienne cette chimère, probablement autant pour me tourmenter que pour me réconforter. Il était furieux quand il s'est rendu compte de ce que ses hommes avaient infligé à son duc préféré.

— La torture était simplement un moyen de parvenir à leurs fins ? s'enquit-elle d'un ton naturel, entremêlant ses doigts aux siens.

Avec douceur mais résolument. Girard l'avait traité ainsi après qu'Anduvoir s'en était allé terroriser les prostituées du campement.

— L'objectif de mes geôliers était de me dépouiller de ma raison, de transformer un petit duc fier en un individu pleurnichard et suppliant. Me briser est devenu pour eux un défi, un jeu et, dans une certaine mesure, ça l'est aussi devenu pour moi.

Du moins était-ce ce qu'il en avait déduit. Sinon, pourquoi Girard aurait-il alterné traitements inhumains en présence d'Anduvoir et attentions scrupuleuses ?

— Un jeu, comme un duel à mort.

— La mienne ou, en tout cas, celle de mon cerveau.

Elle lui prit la main et en posa le dos contre le satin extraordinaire de sa joue. Avant de s'autoriser certaines libertés avec elle dans la bibliothèque, il avait oublié combien le visage d'une femme pouvait être exquis. Doux comme le soleil et la pluie d'été, doux comme le calme de la campagne anglaise.

— Si nous nous asseyions ? proposa-t-il.

Hélas, si elle acceptait, elle lui lâcherait sans doute la main ! Mais il était veuf, elle ne pouvait guère lui en vouloir de savourer un simple contact humain alors qu'il venait de perdre son épouse et son fils.

Elle se laissa entraîner jusqu'à un banc ombragé, à proximité des roses, dont le parfum embaumait l'air. Quand ils furent installés, elle garda sa main dans la sienne.

— À Greendale Hall, je n'étais pas autorisée à jardiner, expliqua-t-elle. Le domaine était impeccablement tenu car lord Greendale soignait son domaine, mais je n'avais pas le droit de m'y promener ni de creuser la terre, encore moins de m'entretenir avec les jardiniers à propos des plantations.

À en juger par son ton mesuré, cette interdiction l'avait irritée.

— Ici, vous êtes libre d'agir à votre guise. Je vous demanderai juste de ne pas toucher aux roses de ma mère.

— Elles sont superbes.

— Comme l'était ma mère.

Encore un silence, durant lequel Christian prit conscience de son environnement, au-delà de cette petite main retenant la sienne. En ce début d'été, les

116

roses s'épanouissaient un peu partout. Pourquoi les gens de la bonne société insistaient-ils pour passer le mois de juin en ville ? La campagne était tellement belle en cette saison, c'était incompréhensible. Le soleil lui caressait le visage, le parfum des fleurs était divin, les oiseaux gazouillaient joyeusement.

Christian eut soudain très envie d'embrasser la femme à ses côtés, non pour la remercier, mais par pur plaisir.

— Vous aviez raison concernant Severn, murmura-t-il. J'ai vu plusieurs fermes sur le domaine et elles sont en bon état. En revanche, les métairies alentour sont moins pimpantes.

— Vous ne tarderez pas à remédier à la situation, assura-t-elle. Ce matin, j'avais l'intention d'inspecter le cimetière familial et les alentours de la chapelle.

— Vous voulez vous occuper des tombes ?

Cette idée le rebutait et il la détesta d'emblée.

— Je doute que Nanny ou Harris aient songé à y amener Lucy. Quand la petite s'y rendra, je veux que le lieu soit joli et apaisant.

Et quand *lui* s'y rendrait ? se demanda-t-il, bien qu'Helene ait apparemment mis elle-même fin à ses jours, et qu'aucune brassée de fleurs ne parviendrait à le faire oublier.

— Vous voulez emmener Lucy voir les tombes de sa mère et de son frère ?

— Je les nettoierai d'abord, riposta-t-elle, le menton haut. C'est à son père de l'y emmener.

Il libéra sa main, non sans peine.

— Je ne suis pas d'humeur à traîner dans les cimetières, milady, pas maintenant.

Ni jamais. Nombre d'enfants avaient succombé à la grippe, il ne pouvait donc pas accuser directement Girard de la mort de son fils. Cependant, le temps était venu d'adresser des courriers, de requérir quelques faveurs, de harceler les généraux et de commencer à traquer la peste française.

— Rien ne presse, répliqua-t-elle, l'air plus perplexe que désapprobateur.

Pourtant, elle semblait attendre quelque chose de lui, des excuses ou une explication.

Ainsi soit-il.

— Je me suis engagé dans l'armée pour fuir Helene, et elle a été ravie que je parte.

L'aveu s'adressait essentiellement à la pointe de ses bottes. Il aurait voulu quitter le banc, mais n'en trouva pas la force.

— Ce n'était pas une épouse facile, j'imagine.

S'il se fiait au ton de la comtesse, Helene n'avait pas été une cousine facile non plus.

— Elle était vaniteuse, gâtée, égoïste et méchante, asséna Christian. Par moments. Elle était aussi ravissante, généreuse, exubérante et capable de bonté, mais nous n'étions pas faits l'un pour l'autre et nous apprenions à l'accepter.

Cela dit, accepter le penchant d'Helene pour le flirt étant au-dessus de ses forces, il avait fini par rejoindre les troupes de Wellington.

Pour autant qu'il le sache, sa femme lui était restée fidèle. Pourtant, comme souvent quand un ménage bat de l'aile, Christian avait senti que s'il restait dans les parages, sa seule présence la conduirait à franchir la limite.

— Êtes-vous parti à la guerre dans l'espoir de vous faire tuer ? Pour une femme ? J'imagine mal le duc de Mercie céder à un tel romantisme.

Lui aussi, Dieu l'en préserve !

— Je n'y suis pas allé pour me faire tuer, mais pour servir mon roi et ma patrie. Et, si je puis me permettre, j'ai réussi.

Cette idée ne le réconfortait en rien, mais la torture avait une fâcheuse tendance à vous priver de tout réconfort.

— De façon spectaculaire, renchérit-elle.

Elle se mordilla la lèvre supérieure, sans doute pour se retenir d'en dire plus. La comtesse était dotée d'un sérieux instinct de conservation.

Et elle savait se taire.

— Je voulais davantage d'enfants, reprit Christian, renonçant une fois pour toutes à sa dignité. Il me semblait prudent d'assurer ma descendance. Helene m'a dit qu'elle me poignarderait dans mon sommeil à la moindre tentative. J'ai pensé qu'une séparation nous rapprocherait. J'avais tort. J'en ai pris conscience lors de ma dernière permission.

— Elle vous le devait, déclara Gillian d'un ton sévère. Nous en avons discuté avant de nous marier, elle et moi. Elle avait pitié de moi parce que j'étais tombée sur Greendale, mais j'étais prête à offrir des descendants à mon mari.

Elle s'était empourprée, ce qui redonna le moral à Christian. Cela lui allait à merveille, de même que la couleur de sa robe. Dans la douce lumière matinale, elle était fort attirante. Suffisamment pour lui donner l'envie de se remarier.

— Vous auriez adoré les bébés que vous auriez portés pour ce vieux grincheux, dit-il comme pour la consoler.

De quoi ? De ne jamais avoir eu d'enfants ? D'avoir épousé un gâteux aigri, jaloux de ses plates-bandes ? D'avoir été la dernière confidente d'Helene ?

D'ailleurs, comment en étaient-ils venus à aborder un sujet aussi personnel ?

— J'ai rendez-vous avec mon régisseur après le petit déjeuner, annonça-t-il. Je vous raccompagne jusqu'à la maison ?

— Volontiers.

Elle lui tendit la main, il l'aida à se lever et, cette fois, ce fut lui qui se retrouva piégé.

Effleurant sa bouche d'un baiser fugace, elle se laissa aller contre lui. Un flot de sensations exquises submergea Christian.

Ses cheveux lui chatouillaient la mâchoire.

Ses seins, doux et ronds, se pressaient contre sa poitrine.

Un goût de menthe (sa poudre dentifrice ?) s'attardait sur ses lèvres.

Il réagissait avec une certaine lenteur, et elle semblait le comprendre car elle demeura ainsi assez longtemps pour qu'il noue les bras autour de sa taille, appuie le menton contre sa tempe et savoure la douceur de cette étreinte.

Girard méritait de mourir, lentement, douloureusement, mais en dépit de tout ce qu'il avait détruit dans la vie de Christian, jamais il ne pourrait gâcher cet instant.

— Je voulais que le cimetière soit nettoyé pour vous aussi, chuchota-t-elle. Pour nous tous, les tombes doivent être entretenues.

La comtesse s'efforçait de protéger ceux auxquels elle tenait, et par cet aveu, elle lui prouvait qu'elle tenait à *lui*. Elle ne lui avait pas promis de rester jusqu'à la fin de son année de deuil – le maximum qu'il puisse lui demander pour le moment –, mais elle venait de lui offrir une part de sa confiance.

Il la fit pivoter, lui prit le bras et l'escorta jusqu'à la maison, l'obligeant à rester à ses côtés.

8

— Que dirais-tu d'une chevauchée dans le parc un de ces jours ? demanda Mercie à sa fille.

Il avait pris l'habitude de marquer une pause suffisamment longue pour l'inviter à lui répondre, mais pas au point de créer un malaise. Gilly se demandait si c'était un talent inné ou s'il avait appris, à ses dépens, à maîtriser l'art de l'interrogatoire.

— Pas d'objection, apparemment, enchaîna-t-il, j'inviterai donc la comtesse à nous accompagner.

— Je ne possède pas de tenue appropriée, mais j'en confectionnerai une, maintenant que je sais que les écuries sont ouvertes aux invités, intervint Gillian.

Mercie parut d'abord déconcerté, puis agacé.

— Si nous allions sélectionner une monture pour lady Greendale ? proposa-t-il à sa fille en lui tendant la main. Pour former une alliance avec un cheval ou une personne du sexe opposé, il est indispensable de le courtiser. Surtout, ne répète jamais cela à ta gouvernante, Lucy.

Comme si elle répéterait quoi que ce soit à qui que ce soit.

Mercie entraîna la petite de stalle en stalle. Au bout d'un moment, il la souleva dans ses bras, geste qu'elle était assez grande pour refuser et assez sage pour apprécier. Ravie, la tête posée sur l'épaule de son père, elle se laissa transporter d'un cheval à un autre.

Devant le spectacle de ces deux têtes blondes nichées l'une contre l'autre, le duc murmurant de temps en temps quelques mots à la fillette, Gilly eut un pincement au cœur. Pauvre Helene, elle n'avait jamais connu ce bonheur simple d'une expédition aux écuries entre père et fille. Elle ne le connaîtrait jamais. Elle ne pourrait jamais non plus arroser les plantes dans la bibliothèque tout en observant à la dérobée le duc occupé à écrire à ses anciennes relations militaires, dont beaucoup étaient restées sur le continent.

Ni lui peler ses oranges.

Ni l'embrasser. S'étourdir de son parfum. Sentir son cœur battre au rythme ferme et régulier d'un cheval au trot.

— Venez par ici, comtesse, j'ai là une gente dame qui souhaiterait faire votre connaissance. Je l'avais offerte à Helene à l'occasion de la naissance d'Evan.

Gilly rejoignit le duc, et découvrit une adorable jument. Robe dorée, quatre balzanes, flamme blanche, sa crinière et sa queue étaient couleur de lin.

La jeune femme lui caressa le chanfrein.

— Elle est mignonne. Quel dommage qu'elle ne soit jamais montée.

— Je suppose que les palefreniers tirent à la courte paille le privilège de cette corvée, railla Mercie. Mais elle sera parfaite pour vous. Helene la dédaignait précisément à cause de sa taille modeste.

Il avait prononcé ces mots d'un ton nonchalant, comme si l'attitude de son épouse l'avait laissé indifférent, mais Gilly commençait à se demander si tout ce qu'Helene lui avait raconté à propos de son mari était vrai. Peut-être ce séjour dans l'armée l'avait-il changé, à moins que le jugement d'Helene n'ait été tout, sauf objectif ?

Le duc n'était pas sinistre ; il était sérieux comme un homme fait peut l'être.

Il n'était pas égoïste, mais discipliné.

Ce n'était pas une brute, mais plutôt un grand et bel homme (quoique mince) dont les baisers n'avaient rien d'agressif.

S'il était un débauché vorace, il le cachait bien. Helene avait prétendu qu'il collectionnait les maîtresses et entretenait plusieurs liaisons simultanément. Gilly s'était gardée de lui demander d'où elle tenait une information aussi salace tout en priant pour que Greendale en fasse autant et lui fiche la paix.

— Mon enfant, ton heure de liberté est terminée, annonça-t-il en déposant Lucy sur le sol. Viendras-tu me retrouver ici demain ? Tu pourrais faire un petit tour à la longe sur Damsel. La comtesse t'encouragerait.

Le visage de Lucille s'illumina et elle applaudit en hochant la tête avec enthousiasme.

— Marché conclu. À présent, file.

Il la fit pivoter et lui donna une petite tape sur l'épaule.

— Promets-moi de te rendre directement à la nursery et de faire attention à ne pas salir ton tablier en chemin ; je ne tiens pas à ce que Nanny et la comtesse ne se déchaînent contre moi.

Il agita l'index, l'air taquin, puis lui souffla un baiser.

Sinistre ? Sûrement pas.

La petite s'éloigna en gambadant, se retourna pour leur faire un signe de la main sur le seuil de l'écurie, puis traversa le jardin en courant.

— Elle est plus animée depuis votre arrivée, constata Gillian. Tous les domestiques sont ravis que vous soyez de retour.

— Bien sûr. Ressuscité d'entre les morts et *tutti quanti.* Voulez-vous marcher un peu avec moi, comtesse ?

Il lui prit la main et la posa au creux de son coude avec une aisance qui la réjouit secrètement. Les rares fois où elle avait été forcée de se promener avec Greendale, il avait passé son temps à lui siffler des reproches tout en affichant une mine innocente. Auprès de Mercie, elle se sentait... en paix.

Et protégée. Tout le contraire d'avec son mari, ses critiques acerbes et ses menaces.

— Vous êtes bien silencieuse, lady Greendale. Cela rend un homme nerveux.

— Nous partageons un toit, Votre Grâce, et sommes cousins par alliance. Auriez-vous la bonté de m'appeler Gillian ? Plus personne ne le fait.

Non pas que Greendale s'en soit soucié. Les noms dont il l'avait affublée... ne valaient pas d'être retenus.

— C'est joli.

Greendale avait déclaré que c'était un prénom de paysanne.

— Combien de temps comptez-vous rester, Votre Grâce ?

— Rester ?

Il cueillit une rose rouge, la huma, la lui tendit.

— Ceci me fait penser à vous.

Encore un compliment ?

— Rester ici, à Severn.

Elle eut très envie d'enfouir le nez dans la fleur, mais n'osa pas, car cela lui paraissait trop intime.

— Avant de repartir, ajouta-t-elle.

— J'ai plus ou moins quitté l'armée, et l'unique raison pour laquelle je remettrais le pied sur le continent serait pour régler d'anciennes affaires militaires, ce qui pourrait se produire.

— Vous possédez d'autres domaines, ainsi que votre maison à Londres, qui pourraient requérir votre présence.

Une partie d'elle-même voulait qu'il parte, de peur que leurs baisers amicaux et réconfortants ne deviennent des baisers d'une tout autre nature.

— Me demandez-vous si j'ai une maîtresse à Londres qui se languit de moi, ma chère ? Dois-je en être flatté ou insulté ?

Ma chère ? Se moquait-il d'elle ? Elle le revit en train d'agiter le doigt devant sa fille, feignant la sévérité.

— Taisez-vous. Je ne demanderais jamais une telle chose.

Mais peut-être le soupçonnait-elle.

— Helene ne se gênait pas.

Il démêla leurs bras pour la saisir par le poignet et l'entraîner vers un banc ombragé.

— Elle me traitait de coureur de jupons à longueur de temps.

Bonté divine. Se plaindre auprès d'une cousine était une chose, mettre en pièces son époux en était une tout autre.

— Vous aviez du succès. Greendale l'avait remarqué.

— Greendale était un rustre. Il aurait reproché à l'ange Gabriel de voler. Je suis resté fidèle à mes vœux, comtesse. Mes parents avaient fait un mariage d'amour et j'ai épousé Helene dans l'espoir de la chérir de toutes mes forces.

Il se tut, et Gilly chercha désespérément un moyen de réorienter la conversation. Helene avait espéré être *chérie* et, apparemment, elle l'avait été. Le duc reprit, d'un ton songeur :

— J'ai souvent suspecté Helene d'aimer d'autres hommes, et sans doute pensait-elle que j'étais infidèle.

À la liste de ses qualités, Gilly ajouta la sagacité, ce qui n'était pas forcément un bienfait dans certaines circonstances.

— Elle adorait être duchesse de Mercie, dit-elle, ravie que ce soit vrai.

— En effet. Cela me console.

— Allez-vous observer le deuil pour elle et pour Evan ?

— Tout dépend des conseils que me donnera le vicaire, mais je serais plutôt enclin à prendre le demi-deuil dans la mesure où Helene a disparu voilà déjà un an.

— Evan aussi.

La bouche du duc se tordit en un rictus d'impatience plutôt que de dégoût.

— Quoi ?

— En ce qui concerne cet enfant, je ressens à la fois du chagrin et de la culpabilité. Pour diverses raisons, mais en partie parce que ce petit bonhomme avait davantage besoin de moi que mon épouse. N'étais-je pas le mieux placé pour le préparer à devenir mon successeur ? Malheureusement, ma présence dans la nursery était à peine tolérée. Rejoindre l'armée m'a paru la meilleure solution, le moyen de faire bon usage d'un duc indésirable.

Gilly fut à la fois touchée et déconcertée par cette confidence. Au diable, Helene et son égoïsme. Le nombre de ducs anglais s'élevait à quelques douzaines et encore, les années fastes. Comment même un seul d'entre eux pouvait-il se sentir de trop ?

— Vous n'êtes pas indésirable, Votre Grâce. Pas pour Lucy, ni pour vos régisseurs et vos domestiques.

— Et qu'en est-il de vous, comtesse ?

Malgré la gravité de sa question, il y avait dans son regard de l'humour et peut-être aussi de la... curiosité ?

— En l'occurrence, c'est moi, l'intruse.

— Je vous prie de vous ôter cette idée de l'esprit.

Il se mit debout, l'aida à se lever.

— Quand le vicaire viendra en visite, vous servirez le thé. Quand Lucy aura besoin de sa première robe de bal, vous en superviserez la création. Quand la bonne détournera l'assistant du majordome de la première femme de chambre, vous interviendrez, sans quoi ce sera la fin de la civilisation.

— Et que ferez-vous pendant ce temps ?

— J'attendrai que ma fille retrouve l'usage de la parole et je m'efforcerai de régler ce qui doit l'être concernant mon passé.

Il s'inclina légèrement, effleura du bout du doigt la rose que Gilly tenait toujours à la main, puis regagna la maison.

Gilly le suivit des yeux en se demandant si, par ses questions et ses confidences, le duc avait – sans le vouloir – cherché à flirter avec elle. Un tout petit peu.

En réponse à ses demandes de renseignements concernant Girard et Anduvoir, Mercie eut la grande satisfaction de recevoir une lettre de Devlin St. Just. Parmi la pile de correspondance essentiellement mondaine, il l'avait mise de côté pour la lire dans la solitude de la bibliothèque, en fin de journée.

Pour être franc, le volume des bons vœux en provenance de ses pairs et de ses voisins le surprenait. Chaque jour, les lettres affluaient, certaines signées de parfaits inconnus, le félicitant de son retour, le remerciant pour ses services au royaume « au-delà du simple devoir » et lui souhaitant le meilleur à la lumière de ses « nobles sacrifices ».

Rien que des platitudes, qui lui inspiraient un mélange d'humiliation et de colère – bien que Girard ne soit jamais évoqué.

— Je vous dérange ?

La comtesse, en déshabillé de satin noir, se tenait sur le seuil de la pièce, ses cheveux rassemblés en une tresse dorée drapée sur l'épaule.

— Aucunement.

Christian se leva, car Gillian était une dame. Une dame de plus en plus attirante.

— Le sommeil vous fuit ? s'enquit-il.

— J'espère que non.

Elle s'avança, ferma la porte derrière elle pour conserver la chaleur du feu.

— Je vous rapporte le recueil de poèmes de Blake, de crainte qu'il ne s'égare dans une de mes malles.

Une fois de plus, elle laissait entendre qu'elle allait partir. Toutes les émotions contradictoires qu'il avait éprouvées en lisant son courrier se transférèrent sur la jeune femme qui se tenait devant lui, pieds nus.

De jolis pieds, longs et fins, joliment arqués, aux orteils charmants. Composer des odes aux pieds d'une veuve n'était-il pas le signe d'une folie naissante ?

— Voulez-vous choisir un autre livre ? Et quelle idée, ma chère, de vous promener ainsi déchaussée ?

— Je n'ai pas réfléchi, avoua-t-elle, avec ce demi-sourire un peu triste qu'elle réservait souvent à Lucy.

Il la soupçonnait de regretter de ne pas avoir eu d'enfant. Un regret qu'elle devrait enterrer résolument dans la tombe sans nul doute impeccable de Greendale.

— D'après mon défunt mari, l'insouciance était mon plus gros défaut.

— Un mari que vous avez le bon sens de ne pas pleurer exagérément. Venez vous réchauffer près du feu. Je vais vous trouver un autre livre.

— C'est très aimable à vous.

Elle s'avança jusqu'à l'âtre et s'assit au bord du foyer.

— Vous avez entretenu cette flambée toute la journée. Les briques sont chaudes.

— J'ai besoin d'avoir au moins une pièce dans la maison où soulager mes pauvres os transis. Je sais que nous sommes en été mais…

Avant qu'il ne se répande en explications, elle caressa les pierres.

— La chaleur vous réconforte. Quelqu'un devrait instaurer une règle imposant aux époux de ne mourir qu'au printemps, afin d'assurer la tiédeur estivale au conjoint survivant en grand deuil.

Christian lui apporta un autre volume de poésie.

— Une anthologie, l'idéal pour se détendre en fin de journée.

Il s'installa près d'elle sans y être invité car il ne voulait pas lui offrir un prétexte pour s'enfuir.

— Merci de m'avoir protégé du vicaire et de sa femme. J'avais oublié qu'ils avaient quatre filles à marier.

— Il s'est montré plutôt subtil à ce sujet, mais je suis certaine qu'une nouvelle toiture pour la nef passe en priorité.

Elle resserra son peignoir bien que le feu crépitât joyeusement.

— L'église est-elle en si mauvais état que cela ? s'enquit-il.

Il s'interrogea. Devait-il emmener Lucy – et la comtesse, bien sûr – à la messe un de ces dimanches ?

— Je l'ignore. Quand je rendais visite à Helene, elle ne s'y rendait que très rarement.

— Aucun de nous deux n'y allait régulièrement. J'y faisais une apparition de loin en loin, histoire de me montrer, d'admirer quelques poupons. Vanité de duc.

— Votre foi vous a-t-elle aidé au cours de votre captivité ?

— Non, rétorqua-t-il, pris de court. Pas au sens où vous l'entendez. L'Ancien Testament, peut-être, où la justice simple est encouragée, mais pas ces inepties vous imposant de tendre l'autre joue et de pardonner. Mes bourreaux savaient parfaitement ce qu'ils faisaient et y prenaient un malin plaisir.

Certes, par moments, Girard avait paru sincèrement contrit, ce que Mercie avait attribué à son génie maléfique. Et, oui, l'écho des derniers mots du garde blond – *Je suis désolé. Vraiment* – résonnaient dans sa mémoire de temps en temps. Le diable se répandait-il en excuses pour sa propre cruauté ?

— Cela m'effraie de penser que des êtres aussi malfaisants se promènent parmi nous, murmura Gillian. Je les imagine, allant à la messe et admirant les poupons, comme vous autrefois.

Considérait-elle son défunt mari, qui l'avait chassée du jardin et avait dénigré son intelligence, comme un représentant du diable ?

— J'étais moralement endormi, avoua-t-il. Je regrette infiniment de ne pas avoir conservé cet état d'innocence.

Repliant les jambes contre sa poitrine, elle posa la joue sur ses genoux.

— Vous souffrez toujours d'insomnies, n'est-ce pas ? Vous traînez ici la plupart du temps jusqu'aux petites heures du matin. Dès les premières lueurs de l'aube, vous enfourchez votre cheval. Vous avez l'air... agité.

— Vous êtes d'humeur observatrice ce soir, milady.

Il pouvait toujours compter sur elle pour le harponner d'un commentaire lapidaire, d'une question embarrassante. S'il lui en voulait parfois, il n'en admirait pas moins son courage.

— Je m'inquiète pour vous. Vous êtes presque aussi silencieux que votre fille, Mercie, et je me demande si la compagnie de vos camarades de l'armée ne vous serait pas plus bénéfique que de rester ici, isolé en pleine campagne, en partie à cause de mon insistance.

— Il est vrai que vous avez beaucoup insisté.

— Vous n'avez pas objecté.

De nouveau, ce sourire doux, un peu las, un peu railleur. Il se leva et alla jusqu'à son bureau dont il ouvrit le tiroir du bas.

— J'ai ici quelque chose qui vous appartient.

Il revint vers elle, s'assit à ses côtés, déplia son châle de soie noir, savourant la sensation du tissu filant entre ses doigts.

— Tenez.

Il le drapa sur ses épaules et s'en servit pour l'attirer contre lui, maintenant d'une main les pans aux broderies délicates et extravagantes et posant son bras libre sur ses épaules.

Son ossature était fine, et pourtant si solide.

— Vous avez froid, malgré la flambée. Ce sont vos pieds nus qui vous empêchent de vous réchauffer.

Ou peut-être la solitude lui pesait-elle, mais près de lui, tout contre lui, elle se détendit peu à peu.

Tel le sable d'un sablier s'écoulant d'un vase à l'autre, Christian sentit la tristesse de Gillian s'insinuer en lui. Ou ce qu'il ressentait n'était peut-être que la conscience aiguë de vivre en marge à cause de son expérience, de la même manière qu'une veuve se retrouve à la marge à cause de son chagrin. Le détachement était toujours là, mais entre l'activité, la fatigue chronique et la volonté, il parvenait à l'ignorer.

Elle se blottit contre lui et il fut soulagé de constater qu'elle n'était pas effarouchée par son détachement apparent. Sa chaleur animale, primitive, l'attirait à lui, visiblement.

— Dites-moi que vous restez, chuchota-t-il.

Les mots étaient sortis spontanément, et il était furieux de les avoir prononcés, mais il voulait à tout prix connaître sa réponse.

— Comtesse…

Il ferma les yeux, ce qui ne l'aida en rien car il sentait son parfum de femme avec plus d'acuité.

— Gillian.

Il s'inclina vers elle, effleurant par mégarde sa tempe des lèvres.

— Promettez-moi de rester avec nous, répéta-t-il tout bas.

Cédant à une impulsion irrésistible, il l'embrassa sur le front, puis sur la joue, s'attarda un instant avant de s'écarter.

Si ces baisers n'avaient rien d'érotique, ils n'étaient pas non plus exactement de ceux que l'on réserve à une cousine par alliance. Gilly aurait dû le gifler, se lever d'un bond, lui annoncer poliment qu'elle s'en irait dès la fin de la semaine…

Elle glissa le bras autour de sa taille.

— Pour le moment. Je reste pour le moment.

Ils demeurèrent ainsi pelotonnés l'un contre l'autre jusqu'à ce que sonnent les douze coups de minuit. La comtesse releva la tête et bâilla.

— Nous devrions aller nous coucher, Votre Grâce. Je me suis confectionné un habit de cavalière et, demain, j'aimerais aller me promener avec Lucy et vous.

— Je m'en réjouis d'avance.

Pourtant, dans un petit coin de son âme, celui qui se sentait piégé par ce désir brutal de réclamer sa bouche, il redoutait leur prochaine rencontre.

Elle avait le don de le réconforter, de l'enjôler, de le rassurer, elle l'arrachait aux souvenirs douloureux de sa captivité et cependant... la vengeance ne serait possible que s'il les entretenait.

Il l'escorta jusqu'à sa chambre et elle l'y autorisa, une satisfaction supplémentaire qu'il se reprocherait le lendemain matin – peut-être. Sur le seuil de la pièce, il tergiversa, cherchant ses mots, guettant ceux de sa comtesse en général si volubile.

— Dormez bien.

Il se pencha pour déposer un baiser sur son front. Elle était debout, il n'avait pas besoin de se tordre le cou et n'eut aucune difficulté à effleurer sa joue de ses lèvres.

— Vous aussi.

Elle leva la main pour repousser une mèche échappée de son catogan.

— Tâchez de vous reposer.

Il souhaitait et redoutait à la fois son baiser, mais elle se contenta de lui caresser de nouveau les cheveux, puis tourna les talons et disparut dans sa chambre.

Seul dans le corridor obscur et glacial, partagé entre le soulagement et le désarroi, il se consola en se disant qu'il avait au moins marqué un point en la persuadant de rester. Même s'il devait partir pour Londres ou ses autres domaines, ou encore pour traquer et tuer Robert Girard, elle resterait.

— Sauf votre respect, mon général, vous devriez mener une enquête afin de déterminer pourquoi personne ne s'est mis en quatre pour rechercher Mercie lors de sa disparition.

Le ton de Devlin St. Just était mesuré, mais pas moins de trois généraux l'avaient invité, lui, un simple colonel, à une partie de cartes nocturne. Le but du jeu, comme il en avait pris conscience après quelques verres de cognac, était de lui arracher des informations sur le duc disparu.

Que l'on avait retrouvé, mais qui était sans doute toujours aussi perdu. Et Dieu sait que Devlin l'était également.

— Nous nous renseignerions volontiers, déclara le général Baldrige, récemment arrivé du Sud. Cependant, un duc qui se fait capturer sans son uniforme et en pleine guerre demeure une affaire délicate. Jusqu'où les efforts doivent-ils être poussés ?

Le général Tipton, droit comme un « i », sobre comme un pasteur méthodiste, aux sourcils gris et broussailleux, intervint.

— Tout ce que nous suggérons, St. Just, c'est que vous preniez de ses nouvelles. Que vous discutiez autour d'un verre. Il semblait vous apprécier.

— D'ailleurs, votre cher père serait enchanté que vous vous accordiez quelques jours de permission, non ? ajouta le général Porter.

Son cher père étant le duc de Moreland, marié à la duchesse éponyme qui le gratifierait d'une harangue digne d'un sergent d'artillerie s'époumonant sur le gâchis de munitions si elle apprenait que Devlin avait décliné une offre de permission.

Toutefois, rentrer à la maison signifiait retrouver sa famille... et par conséquent, souffrir de l'absence de son frère Bartholomew autant que de la présence de plus en plus effacée de son frère Victor qui se mourait lentement de la tuberculose.

La guerre paraissait une perspective plus sympathique, mais le Corse, coincé dans son île au beau milieu de la Méditerranée, avait renoncé. Néanmoins, St. Just comprenait la politique militaire.

— Je dois m'occuper de mes hommes, répliqua-t-il. Dans quelques semaines, peut-être.

Baldrige le gratifia d'un sourire.

— Entendu. Dans quelques semaines. Selon les rumeurs, Girard a retenu Mercie pendant presque un an. Aux yeux de ses propres supérieurs, Girard est l'incarnation du diable. Ce monstre a pourtant réussi à apprivoiser quelqu'un au ministère de la Défense. Qui aurait pu deviner qu'il était d'origine anglaise ? Nous donnerions beaucoup pour savoir comment un soldat titré a pu endurer le traitement de Girard, St. Just. Beaucoup.

Une promotion donc, or celles-ci étaient difficiles à décrocher en temps de paix. Au minimum, Devlin pourrait exprimer son choix parmi les postes disponibles – à condition d'obtenir un compte rendu décent de Mercie.

Les généraux voulaient savoir ce qu'avait subi le duc, en détail, quels tourments on lui avait infligés, dans quel ordre, et par quel miracle il y avait survécu. De quelles blessures il avait souffert, comment on les avait soignées, à moins qu'elles n'aient été qu'un prétexte pour des sévices supplémentaires ?

St. Just avala d'un trait deux doigts d'excellent cognac français (il en avait envoyé une caisse à son père la semaine précédente) et s'excusa.

Si pénible que lui semblât la perspective de retrouver ses proches, ces derniers l'aimaient, il n'en doutait pas une seconde. L'autre terme de l'alternative, rejoindre une garnison dans les étendues sauvages et glaciales du Canada, ne l'attirait en rien, pas même en temps de paix.

Il serait donc le prochain à torturer Christian Severn, cette fois en l'obligeant à revivre les mois d'enfer qu'il cherchait sans doute désespérément à oublier.

La comtesse au caractère bien trempé qui lui avait si nonchalamment accordé une pincée d'affection la veille au soir désobéissait à ses ordres.

Ou plutôt, à ses requêtes. Christian sauta à bas de sa selle et s'adossa au mur du cimetière familial.

— Je vous avais dit de laisser cette tâche aux jardiniers, milady.

— Bonjour, Votre Grâce.

La comtesse – Gillian – s'assit sur ses talons et se toucha distraitement la joue, la maculant de terre.

— Je ne me rappelle pas vous avoir entendu m'interdire d'entretenir ces sépultures. Vous m'avez défendu d'y amener Lucy.

Christian décela dans ces deux simples phrases au moins une dizaine de reproches. Pour ne pas l'avoir saluée correctement, pour son ton impérieux, pour ne pas avoir conduit Lucy sur la tombe de sa mère, pour ne pas y être venu lui-même, ni sur celle d'Evan, etc.

Lady Greendale pesait toujours ses mots. Se résignant à un procès sommaire, Christian noua les rênes de Chesterton et l'expédia en direction des écuries.

Une fois de plus, la vue de sa monture s'éloignant au trot réveilla un vague souvenir, amplifiant sa mauvaise humeur.

— Vous ne craignez pas que les palefreniers s'affolent en le voyant rentrer seul ? Ils pourraient craindre qu'il ne vous soit arrivé malheur.

— À moins que je ne sois capable de nouer les rênes avant de rouler dans un fossé, j'en doute.

Il franchit le muret, péniblement. Un an plus tôt, il l'aurait enjambé sans difficulté, mais il n'osait pas en prendre l'initiative, ce qui, apparemment, crispa la comtesse.

— Que faites-vous, exactement ? s'enquit-il.

Il la rejoignit sur la couverture qu'elle avait étalée sous ses genoux.

— J'emploie une armée de jardiniers et je les paie généreusement pour qu'ils maintiennent le domaine en parfait état.

— Je transplante les violettes et le muguet. Tenez, rendez-vous utile.

Elle lui tendit une motte de terre d'où dépassaient d'un côté quelques violettes et de l'autre, de fines racines blanches. Il fixa ces dernières, si pâles et vulnérables et pourtant indispensables à la vie et à la stabilité.

— Je pense savoir dans quel sens il faut les mettre, mais que comptiez-vous en faire, comtesse ?

Elle l'observa à la dérobée, peut-être avec un sourire, pas pour lui, bien sûr, car, de toute évidence, il était en disgrâce.

Pour l'avoir embrassée la veille ?

Pour *ne pas* l'avoir embrassée la veille ?

— Placez-les là, déclara-t-elle en lui indiquant l'endroit avec son plantoir. Le long de la tombe d'Evan.

— Ne sommes-nous pas supposés saluer les morts, réciter des prières tout en travaillant ? Voire chanter une hymne ou deux ?

Il se mit à gratter le sol à l'aide de l'outil qu'elle venait de lui tendre. Celui-ci, qui ressemblait à une grosse griffe en métal, s'enfonçait sans peine dans le terreau, mais il avait du mal à le manipuler de la main droite.

Il le transféra dans sa main gauche. Les deux ongles arrachés par les hommes de Girard avaient quasiment repoussé, la blessure à l'auriculaire était pratiquement guérie et à force de monter à cheval, il avait récupéré des forces.

— Vous manquez de respect envers les défunts, marmonna-t-elle, attaquant vigoureusement le sol avec son plantoir.

— Et vous, vous me manquez de respect constamment. Ainsi qu'envers tout ce qui vous barre le chemin. Dieu du ciel, ce parfum est divin !

Il prit la main gantée de Gillian dans la sienne et huma les brins de muguet.

— Pourquoi avoir choisi cette variété de fleurs ?

— Elles supportent l'ombre et abondent le long des chemins. Rendez-les-moi.

Elle lui avait abandonné le muguet, le laissant renifler les petites clochettes blanches. Il s'exécuta, les brandissant sous son nez.

— Cessez de me taquiner.

Elle s'empara du muguet, le gratifia d'une tape sur le bras.

— Si vous tenez à vous attarder ici, prenez au moins l'initiative d'orner la sépulture de votre fils.

La veille, il avait passé la moitié de la soirée devant ce tombeau, parlant à son fils de sa sœur, de cousine Gilly, de Chesterton, évoquant surtout des choses heureuses dans l'espoir d'oublier sa tristesse.

Néanmoins, par cette magnifique matinée estivale, le ton de la comtesse était sec, trop sec.

— Qu'est-ce qui vous tracasse, ma chère ?

Il planta ses violettes tandis qu'elle continuait à massacrer la terre avec son plantoir.

— Dites-le-moi, voulez-vous ?

Peut-être se sentait-elle prise au piège, obligée de rester à Severn, et avait-elle besoin de le fustiger pour ses audaces devant la cheminée. Si elle avait des regrets, cela l'attristait, car il serait obligé d'en éprouver aussi.

Il ne voulait surtout pas être responsable de son désarroi.

Il posa la main sur la sienne.

— Cessez, comtesse. Vous êtes contrariée et je ne le supporte pas.

— Comment pouvez-vous les délaisser ? gémit-elle. Comment pouvez-vous vous montrer aussi insensible à l'égard des membres de votre propre famille ?

— Insensible ?

Il s'assit, laissant de côté sa griffe.

— Sous prétexte que je suis indifférent au lieu où reposent leurs dépouilles, vous en déduisez que je ne les aimais pas ? C'est cela ?

— Vous êtes... presque enjoué et eux, ils sont m-morts, balbutia-t-elle.

Elle pleurait. Enfer et damnation, la comtesse était en larmes. Pour la faire taire, pour couper court à cette manifestation de détresse, il se leva, s'éloigna de quelques pas et déclara, le dos tourné :

— Cherchez-vous à m'arracher des sanglots, madame ? Je ne me souviens pas de vous avoir vue pleurer la disparition de votre mari. Au contraire, vous vous réjouissez de son décès. Vous me l'avez dit vous-même.

— Vous ne pouvez pas vous réjouir du départ d'Evan, rétorqua-t-elle, furieuse. C'est inacceptable.

— Pourquoi ? Il m'a coûté l'accès aux faveurs de mon épouse, non ?

D'où lui venaient ces paroles odieuses ? Il avait aimé son fils et sa femme, quand bien même il n'avait pas su le leur montrer. Et il s'en voulait parce que lui, l'époux, le père, n'avait pas été là quand ses proches avaient eu besoin de lui.

Il prit appui sur le muret, toujours de dos, tandis qu'une paire de bras s'enroulait autour de sa taille.

— Vous ne parlez pas sérieusement, Christian Severn.

Elle l'étreignit avec force, comme pour imprimer ces mots dans sa chair.

— Vous vous égarez, insista-t-elle. Helene m'a toujours dit que vous étiez fou de cet enfant. Elle me l'a aussi écrit. Et vous avez toujours traité ma cousine avec respect. Elle s'en vantait régulièrement.

Il opina, priant pour qu'elle se taise. Son incorrigible intrépidité la poussait à formuler à voix haute ce qui ne devait pas l'être. Il pivota, pensant qu'elle s'écarterait. Au lieu de quoi, elle l'attaqua de front, se laissant aller contre lui, l'enveloppant de ses bras, le nez au creux de son cou.

Alors il s'abandonna à l'instant et l'enlaça à son tour. Elle était petite, solide, terriblement féminine. L'étreindre était un plaisir et... un soulagement.

— Pardonnez-moi, murmura-t-elle. Je ne pleure pas mon défunt mari comme je le devrais. Je suis mal placée pour vous dicter vos sentiments.

Comme elle ne bougeait pas, Christian ôta le gant de sa main gauche avec ses dents, puis lui effleura les cheveux. Il aurait voulu la réconforter, mais elle attendait de lui des explications, pas des caresses ou des vœux silencieux.

— Vous craignez que personne n'entretienne votre propre tombe, dit-il. Cette inquiétude vous ronge.

Contre toute attente, elle se blottit davantage contre lui alors qu'elle aurait dû se libérer, prendre la fuite, retourner à Londres ou à Greendale Hall, n'importe où mais loin de cet endroit qui lui inspirait du chagrin.

— Quand on est prisonnier, enchaîna-t-il, on souffre physiquement. La guerre est suffisamment dure à vivre pour un soldat servant sa patrie. Les prisonniers ne peuvent faire l'objet d'une grande charité, sans quoi qui se battrait jusqu'à la mort pour éviter la captivité ? Les privations d'ordre matériel sont admissibles, mais la cruauté mentale... Vos geôliers vous assurent que vos proches vous ont oublié, que personne ne vous retrouvera jamais, que...

Elle sanglotait tout bas contre son torse, mais il se força à poursuivre :

— On vous démontre encore et encore que vous ne comptez plus, que vous n'avez jamais compté. Pas aux yeux de vos gardiens, ce qui est logique, mais pas non plus à ceux des camarades avec lesquels vous avez combattu, de votre roi, de votre propre famille. Ils vous le martèlent jusqu'à ce que vous finissiez par le croire, et vous tirez un trait sur toutes vos anciennes convictions. Mais je vous le promets, comtesse, votre tombe sera entretenue quand Dieu vous rappellera à lui et vous serez pleurée.

Apparemment, ses efforts pour la réconforter étaient vains car elle frissonna et ses larmes redoublèrent.

Que faire sinon l'étreindre, lui caresser les cheveux et s'émerveiller de cette capacité à éprouver du chagrin ? Il avait l'impression qu'elle s'apitoyait davantage sur son sort à lui que sur celui d'Helene et d'Evan, voire sur le sien propre.

— Excusez-moi, bredouilla-t-elle. Je suis désolée.

Il ne lui demanda pas de quoi, pour qui. Il ne la relâcha pas non plus.

9

Gilly se figea sur le seuil de la nursery, atterrée par la scène qui se déroulait sous ses yeux.

— Je ne veux pas de cette... vermine dans ma demeure. Est-ce clair ?

Le ton du duc était posé mais implacable tandis qu'un minuscule chaton roux miaulait désespérément dans sa main gantée. S'il ne serrait pas la pauvre bête, le son de sa voix suffisait à la terroriser.

— Très clair, Votre Grâce.

Harris exécuta une brève révérence.

— Très clair, répéta-t-elle.

Lucy tendit la main vers l'animal, remuant les doigts en une supplication silencieuse. Quintessence du tyran de la cour de récréation, son père lui jeta un regard noir.

— Tu l'as amené ici sans demander la permission, Lucy. Comme s'ils n'étaient déjà pas assez nombreux à rôder dans les écuries ou le grenier à céréales, à traîner dans le foin fauché et à hanter la laiterie. Je ne veux pas de cet infect et maudit rejeton du diable sous mon toit et je t'interdis formellement d'en rapporter un autre.

Lucy tapa du pied, croisa les bras et le fusilla du regard, sous celui, effaré, de Harris.

— Excusez-moi, intervint Gilly en pénétrant dans la pièce. Lucy et Harris vont ramener ce chaton où elles l'ont pris.

Elle s'empara du chaton en question, le donna à Harris en gratifiant Lucy d'un regard d'avertissement. La fillette saisit la main de sa gouvernante qu'elle entraîna hors de la nursery.

— Vous pouvez disposer, marmonna Mercie, l'air furibond.

Gilly attendit qu'elles aient disparu, ferma la porte et considéra ce duc qui faisait une montagne d'une taupinière.

— Vous ne vous êtes jamais faufilé dans votre chambre avec un chaton dans votre enfance, Votre Grâce ?

— Jamais, trancha-t-il, son exaspération palpable.

— Un chiot, alors ? Une grenouille ? Vous n'avez jamais mis un papillon dans un bocal, des têtards dans un arrosoir pour les cacher dans votre armoire et les ressortir le soir afin de les examiner à la lueur d'une bougie chapardée ?

Il se passa la main dans les cheveux et lui tourna le dos.

— Cette petite n'a pas besoin de vos mouvements d'humeur, Mercie.

— Encore moins d'un sac à puces sous ses couvertures.

— Beaucoup de gens ont horreur des chats, concéda-t-elle.

Mais les *chatons* ? Comment pouvait-on détester un chaton ?

— Je les déteste.

Il pivota vers elle, l'expression indéchiffrable.

— Vous vous attendez que je présente mes excuses à Lucy, je suppose ?

Comme la fillette un peu plus tôt, Gillian croisa les bras dans un geste de défi.

— En quel honneur ? Vous êtes le maître des lieux et, que je sache, elle n'avait pas la permission d'y amener cette bête.

Il fonça au pas de charge vers la porte.

— Je ne suis pas d'humeur à me disputer avec vous à ce sujet. Je vous souhaite une bonne journée.

Sur ce, il disparut. Gilly s'installa dans le rocking-chair près de la fenêtre pour observer Harris et Lucy qui traversaient le parc en direction des écuries. Sa Grâce s'était présentée en tenue de cavalier, ce qui signifiait qu'il croiserait probablement le chemin de sa fille d'ici quelques minutes.

Peut-être s'excuserait-il du ton qu'il avait employé mais certainement pas d'avoir chassé le chaton de la maison. Un sentiment de panique l'avait submergé quand il l'avait découvert dans la nursery et Dieu vienne en aide aux énormes chasseurs de souris de la cuisinière si Sa Grâce débarquait à l'improviste en cuisine.

Christian aimait trop les chevaux pour s'en prendre à Chesterton, mais il éprouvait le besoin de galoper, de charger à travers champs, de sauter des barrières.

Ce chat... cette fichue boule de fourrure orange se jetant sur ses bottes...

Il parcourut des kilomètres, sachant qu'il paierait cet excès plus tard, et ne prenant conscience que graduellement de ce qui l'entourait. Les métairies, un coin du bois, les collines ondoyantes, les pistes cavalières qu'il avait foulées dans son enfance, les ruisseaux qu'il avait franchis pour la première fois sur son poney, derrière son père qui se rendait à des réunions locales.

Son domaine... mais s'il n'y prenait garde, Easterbrook en deviendrait l'administrateur tandis que le duc de Mercie occuperait une suite à l'asile de Bedlam.

Sa propriété avait été délaissée, sa fille était devenue muette, sa maisonnée ne se portait guère mieux malgré les efforts de la comtesse pour la reprendre en main, et voilà que lui, le duc de Mercie, avait perdu la tête à la vue d'un chaton ! Comment pouvait-il espérer traquer Girard et l'exécuter quand poser simplement les yeux sur un *chaton* le mettait dans un tel état ?

Sa rage s'estompa peu à peu, cédant à l'irritation – contre lui-même, contre sa fille et cette maudite bestiole –, et lorsqu'il regagna la terrasse dans l'intention de commander une collation, il était à peu près calmé.

Il aurait du mal à se remettre de la fatigue induite par cet excès de dépense physique mais, pour l'heure, il était affamé, et heureux de l'être. Il ne se rappelait pas avoir eu faim une seule fois au cours de l'année écoulée et considérait cela comme un progrès.

— Qu'est-ce que c'est que cela ? lança-t-il à un valet de pied qui gravissait l'escalier.

Ce dernier redescendit deux marches.

— Les malles de la comtesse, Votre Grâce. Elle part pour Londres demain.

Quatre énormes malles, empilées deux par deux, encombraient le couloir le plus proche de la porte d'entrée.

— Remontez-les dans sa chambre et demandez-lui, je vous prie, de me rejoindre dans la bibliothèque.

Il s'éloigna au pas de charge, signalant ainsi son courroux à quiconque croiserait son chemin.

Ainsi, elle avait décidé de s'enfuir ? De défendre les droits des chats et des vilaines petites filles au mépris des ordres du maître de maison ? De les abandonner, Lucy et lui, à cause d'une malheureuse saute d'humeur ? Sapristi, il allait lui...

— Bonjour, Mercie.

Sereine et souriante, la comtesse entra dans la pièce d'une démarche plus volontaire que gracieuse. Lady Greendale ne s'adonnait guère à la nonchalance, et c'était tant mieux. Il aurait moins de mal à la tancer.

— Où aviez-vous l'intention de vous rendre ? attaqua-t-il d'emblée. J'ai vu vos malles. Vous aviez prévu de partir sans me prévenir. Comment Lucy aurait-elle réagi, à votre avis ? C'est une enfant, elle vous est très attachée et voilà que vous prenez la poudre d'escampette au premier différend mineur.

Elle s'immobilisa, ouvrit la bouche pour lui répondre, mais il enchaîna :

— Vous n'avez rien à dire, comtesse ? Pour une fois, je vous surprends à court de réplique désinvolte ? Allons ! Une petite manifestation d'autorité ducale vous aurait-elle offensée à ce point ?

Il marqua une pause – erreur fatale, car elle fonça sur lui, son regard bleu promettant une volée cinglante en retour.

— Ce n'était pas une manifestation d'autorité ducale, *Votre Grâce*. C'était une colère, gratuite et injustifiée, grâce à laquelle cette enfant va prendre un malin plaisir à monter en douce toutes sortes de créatures dans la nursery, à seule fin de vous voir taper du pied en jurant.

— Je n'ai pas juré.

— « Maudit », cita-t-elle avec dédain. « Rejeton du diable »… Vous n'avez peut-être pas invoqué en vain le nom du Seigneur, mais vous avez clairement employé un langage inadapté dans une nursery.

— Vous ne m'obligerez pas à me répandre en excuses pour m'être opposé à la présence de cette bête immonde dans les appartements de ma fille.

Il criait quasiment et en fut presque plus surpris qu'elle.

Tout cela pour un *chaton*.

— Dans ce cas, n'en faites rien, riposta-t-elle.

Elle lui tourna le dos, sa posture digne d'un officier aguerri à la parade, et il fut soulagé de ne pas avoir à croiser son regard.

— Peut-être pourriez-vous m'expliquer les raisons de votre antipathie envers les chatons.

Ce n'était pas une question, juste une perche tendue par-dessus son épaule tandis qu'elle réarrangeait un bouquet de roses blanches. Christian ignorait comment elle s'y était prise, mais les fleurs paraissaient avoir grandi quand la comtesse alla s'installer sur le canapé.

— Avant cela, milady, j'aimerais que vous m'expliquiez la présence de ces malles dans le couloir.

— Je vous en prie, Votre Grâce, asseyez-vous.

Parce que maintenant, elle se permettait de lui donner des ordres ? Mais déambuler à travers la pièce ne servirait qu'à trahir son agitation. Il s'exécuta.

— Voilà qui est fait. Vous en êtes heureuse, j'espère.

Un valet apparut, chargé d'un plateau croulant sous les victuailles, thé, sandwichs et gâteaux. L'omniprésente orange pelée trônait en quartiers sur une assiette et Christian dut se retenir pour ne pas la lancer contre le mur.

Gillian s'apprêtait à partir et il s'énervait au lieu de se mettre à plat ventre devant elle.

Quoique... il en était parfaitement incapable – *merci, Robert Girard* –, mais il pourrait au moins lui présenter ses excuses.

Sans pour autant expliquer son comportement. Encore une incapacité constitutionnelle, mais lui-même n'était pas sûr de la raison qui l'avait poussé à réagir comme il l'avait fait.

— J'ai reçu une lettre de mon avocat, annonça lady Greendale.

— Vous êtes impliquée dans un procès ?

Mauvaise nouvelle. Procès rimait invariablement avec scandale, dépenses exorbitantes et années gaspillées.

— Contre qui ?

— Je ne suis impliquée dans aucun procès. J'avais engagé M. Stoneleigh pour me conseiller lors de l'enquête qui a suivi le décès de Greendale. Son aide m'a été précieuse et, aujourd'hui, il me prie de venir le voir à Londres.

— Et vous, vous laissez tout tomber et partez tel un chien de chasse sur la piste d'un gibier dès qu'on claque des doigts ? Croyez-moi, comtesse, ce n'est pas une attitude à adopter avec les hommes de loi.

— Les faire patienter améliore-t-il leurs services ou l'issue de vos problèmes juridiques ?

— Je suis un maud... un duc. Leurs services ont intérêt à être irréprochables, si tant est que j'aie le malheur d'en avoir besoin.

— Oui, eh bien... commença-t-elle en lui tendant une tasse.

Il s'en empara et but sans réfléchir.

— Dieu du ciel...

Il reposa la tasse, avala précautionneusement. Elle lui avait servi du vrai thé, et non pas ce mélange de lait, d'eau chaude et de sucre qu'il se forçait à ingurgiter depuis des mois. Il attendit que son estomac se rebelle, mais le goût exquis s'attarda dans sa bouche sans provoquer la moindre réaction.

— Je suis désolée, dit la comtesse. J'avais complètement oublié. Ne bougez pas, je vous prépare votre...

— C'est inutile. Le thé n'est pas très infusé et vous y avez ajouté une dose généreuse de lait.

— Cette tasse m'était destinée. Vous m'avez troublée.

Il en but une autre gorgée, heureux d'y parvenir mais résolu à s'arrêter à la moitié de la tasse.

En outre, il était ravi de l'avoir troublée. Elle ne le paraissait nullement mais elle restait silencieuse.

— Peut-être est-ce votre procès qui vous met les nerfs en pelote ? suggéra-t-il.

— Il s'agit d'un problème concernant le testament de Greendale. Stoneleigh m'a rassurée, il souhaite cependant que nous en parlions.

— N'avez-vous pas un notaire chargé de régler cette affaire ?

Christian en avait toute une équipe à sa disposition, mais le moment lui parut mal choisi pour lui proposer leurs services.

— Je préfère en discuter avec M. Stoneleigh, qui saura m'en recommander un si nécessaire.

En général, c'était l'inverse – le notaire indiquait un avocat à son client. Mais la comtesse n'avait pas encore touché à son thé.

— Dites-moi ce qui se passe, la pria-t-il, s'efforçant de faire preuve de bienveillance plutôt que d'autorité ducale – et n'y parvenant qu'à peine. Et buvez avant que ce ne soit froid.

Elle lui jeta un regard perplexe, mais s'exécuta.

— Une orange, Votre Grâce ? s'enquit-elle après avoir reposé sa tasse.

Il aurait voulu qu'elle l'appelle par son prénom. Personne ne s'adressait ainsi à un duc – Helene encore moins que les autres, pas même lorsqu'il la rejoignait dans son lit, la nuit –, mais tous ces salamalecs finissaient par le lasser.

Même Girard l'affublait de son titre.

— Non, merci, répondit-il. Et cessez de tourner autour du pot. Si vous avez un souci d'ordre juridique, vous vivez sous mon toit et je peux vous aider, à condition que vous daigniez m'y autoriser.

Elle sourit.

— Les malles sont vides. Je comptais profiter de mon escapade en ville pour récupérer le reste de mes possessions.

Subitement, le thé lui parut délicieux. Les malles n'étaient pas le signe de son départ imminent. Au contraire, Gillian projetait de rapatrier ses biens personnels à Severn.

Où désormais elle... résidait.

— Quatre malles suffiront-elles ?

Il engloutit un quartier d'orange. Il était prêt à lui fournir une charrette, si besoin était. Et n'hésiterait pas à la conduire lui-même.

— Amplement, assura-t-elle. Je n'y mettrai que mes affaires personnelles et je les ferai envoyer ici, si vous le permettez.

— Bien sûr.

Qu'elle essaie un peu de les expédier ailleurs !

— Greendale m'a répété à l'envi qu'à sa mort je recevrais le minimum exigé, une portion des biens qui ne sont pas inaliénables. J'imagine donc qu'il a organisé ses finances de manière que cette somme demeure dérisoire.

— Qu'en est-il de vos droits de douairière ?

Car si un jour elle se fâchait avec lui, il lui faudrait une demeure où se réfugier.

— Il existe sur la propriété une maison qui m'est destinée, expliqua-t-elle en prenant un quartier d'orange. Feu mon mari n'a pas dépensé un penny pour l'entretenir durant les huit années de notre mariage.

— Elle est envahie par le salpêtre, j'imagine ?

Il s'efforça de masquer son soulagement, mais si la chance était avec lui, la toiture fuyait.

— Elle est sûrement infestée de chauves-souris. Je suis persuadée qu'Easterbrook me permettrait de loger dans la demeure principale, le temps qu'on la remette en état, mais il va sûrement se marier et je me vois mal partager la table avec son épouse.

— Il est dans l'obligation... commença Christian, mais elle lui intima le silence en lui tendant le quartier d'orange.

Il le saisit entre ses dents, ce à quoi elle s'attendait vraisemblablement.

— Les hommes ne tolèrent pas la charité, mais les femmes sont censées l'accepter docilement, voire avec reconnaissance. Comment expliquez-vous cela ?

— Mettre à la disposition de sa veuve une maison n'est en rien un acte de charité. C'est votre dû pour avoir supporté ce vieux gâteux pendant huit années... jour et nuit.

Elle frissonna, confirmant l'impression de Christian que leur union avait été une épreuve. Il s'en réjouissait secrètement, tout en le regrettant pour la comtesse. Il lui tendit sa tasse pour qu'elle le resserve, la première étant passée sans encombre.

Elle s'exécuta, ses gestes gracieux et détendus.

— Je n'ai aucune envie de m'installer dans cette maison en son état actuel. Ni de me chamailler avec la future épouse d'Easterbrook à propos des objets qui faisaient partie de mon trousseau et me reviennent donc d'office, et ceux appartenant à la famille Greendale. Vous êtes sûr que cela ne vous ennuie pas si je fais tout envoyer ici ?

— Je ne tiens pas à ce que vous entrepreniez cette mission sans escorte, mais sachez qu'ici vos affaires seront en sécurité.

— Cette mission ? Vous me parlez comme si j'étais un de vos officiers de cavalerie.

— Vous auriez cloué le bec à ce vieux Soult en un clin d'œil. Boney serait tombé peu après.

Elle ébaucha l'un de ses sourires doux et mystérieux qui l'enchantaient tant. Si elle souriait, peut-être avait-elle réellement l'intention de lui revenir.

De leur revenir.

— Lucy était-elle très affectée, pour le chaton ? s'enquit-il, sidéré de constater qu'il avait vidé sa deuxième tasse de thé.

Quel bonheur. Une bonne tasse de thé noir, servie par une hôtesse anglaise aux manières irréprochables, sous son propre toit.

— Pas vraiment. Elle était consciente d'avoir enfreint la règle. Vous lui en voulez beaucoup ?

— J'ai réagi vivement, convint-il.

Il avait explosé de rage et celle-ci lui avait semblé à la fois justifiée – exaltante, merveilleusement tonifiante – et totalement déplacée.

La comtesse lui tendit la moitié des restes de l'orange et prit l'autre pour elle.

— Vous avez manqué de dignité.

Ils dégustèrent le fruit en silence – ses dents et ses gencives le faisaient nettement moins souffrir – tandis qu'il s'efforçait de rassembler son courage. Elle se rapprocha de lui pour remplir sa tasse et resta là, tout près, son parfum exquis se mêlant à celui de l'agrume.

— Prenez un gâteau, dit-elle en en plaçant un sur son assiette. Je ne vais pas m'en priver.

Ils étaient adultes. Ils auraient dû commencer leur collation par les sandwichs et un échange de banalités, mais déguster ensemble des oranges était devenu une sorte de rituel secret.

— Je... j'étais énervé à cause du chat.

Elle lui tendit un gâteau. Il ne le refusa pas, mordit dedans, le trouva riche, sucré, parfumé d'un soupçon de cannelle. Pour une fois qu'il s'efforçait de lui parler, elle le gavait de gourmandises.

— Nous n'aurons plus faim pour le dîner, fit-il remarquer.

— Nous sommes des grandes personnes. Ne plus avoir faim pour le dîner est l'une de nos rares prérogatives. Vous disiez ?

— À quel sujet ?

— Le chaton.

Elle le scruta de son regard bleu, grave, patient, empli de bonté.

— Les chats...

Il détourna la tête, feignit de se concentrer sur le service en porcelaine orné d'oiseaux de la même couleur que les yeux de la comtesse.

— Les chats jouent avec leur proie. Ils y prennent grand plaisir et transmettent ce savoir à leurs petits.

— Les Français ? devina-t-elle.

Il acquiesça.

— Le château était bourré de chats.

Des bêtes misérables et affamées, libres de s'en aller, mais qui s'obstinaient à rester, tels des rats se cachant dans les fondations d'une ruine, mais encore plus méchants et meurtriers.

Elle glissa le bras autour de sa taille et le serra contre elle.

— Nous devons vous rendre votre courage. Reprenez donc un gâteau.

Il en mangea cinq.

L'escapade en ville était providentielle, car Gilly était assaillie par des émotions contradictoires.

Elle éprouvait de plus en plus de tendresse pour le duc et cela la contrariait car elle était bien décidée à ne plus jamais se laisser dominer par un homme. Ni par le biais du mariage, ni encore moins par celui de son cœur solitaire.

Elle n'était pas contre un peu d'amour, sauf que Mercie n'était pas du genre à accepter les à-peu-près. C'était un passionné, ténébreux et emporté, beau, riche, titré et hanté par son passé. En outre, il était destiné à se remarier, de préférence avec une jeune créature douce et fortunée, fertile et dépourvue de projets sinon le plaisir de porter un diadème.

Quelle veuve raisonnable de bientôt vingt-six ans accepterait de voir un homme pour lequel elle éprouvait ne serait-ce qu'un peu d'amour poursuivi par une rivale de ce genre ?

Mais elle n'avait nulle part où se réfugier.

Mercie serait vexé quand – pas « si » – elle s'installerait ailleurs, même si Lucy allait mieux à ce moment-là. Sa Grâce considérait Gilly comme une parente méritant sa protection et il se mettrait en quatre pour le lui prouver.

Peut-être en éprouvait-il le besoin.

Comme elle arpentait la salle d'attente du cabinet de M. Stoneleigh, le fil de ses réflexions fut interrompu par l'irruption d'un homme bien mis, aux cheveux enduits d'huile de macassar.

Il l'invita à le précéder dans un sanctuaire orné d'épais tapis turcs, d'une imposante cheminée en marbre et d'un gigantesque bureau en acajou derrière lequel se tenait le grand et brun M. Gervaise Stoneleigh, tel un capitaine à la poupe de son navire.

— Madame la comtesse.

Il vint vers elle et s'inclina cérémonieusement.

— Vous me paraissez en bonne forme. Je vous demande pardon de vous avoir obligée à voyager alors que votre deuil est si récent.

— Balivernes, monsieur Stoneleigh. Le lieu n'atténue ni n'accroît le chagrin, d'autant que je me sens tout sauf triste.

Il parut irrité, ou déconcerté, peut-être, par sa franchise.

— Allons, reprit-elle en lui tendant sa veste. Vous m'avez dit que je pouvais m'exprimer librement en votre présence, n'est-ce pas ?

— En effet.

Il regarda son vêtement comme s'il ignorait d'où il venait, puis l'accrocha à une patère derrière la porte.

— Je vous en prie, asseyez-vous, et rassurez-moi sur votre santé depuis notre dernière rencontre.

Gilly se demanda si sa sollicitude, si scrupuleuse, était sincère. Puis elle le surprit à la considérer d'un regard étonnamment intense.

— Je me porte bien et jouis actuellement de l'hospitalité du duc de Mercie, un cousin par alliance. Son épouse était ma cousine. Il m'a demandé de l'aider à remettre en ordre sa maisonnée et à m'occuper de sa fille, ce qui est pour moi un plaisir.

— Vous avez récupéré vos affaires ?

— Oui, bien que vous ne m'ayez pas expliqué pourquoi c'était aussi urgent.

— Je ne suis pas sûr que ça le soit, mais j'ai appris qu'Easterbrook pourrait s'installer à Greendale plus tôt que prévu. Il quitte ses fonctions militaires.

Par bonheur, elle avait pris les devants, bien qu'elle ait toujours entretenu des relations cordiales avec Marcus.

— Il démissionne ? Je croyais qu'il adorait son métier.

— Napoléon est enfin vaincu et les choix qui s'offrent pour ceux qui souhaitent rester au sein de l'armée sont flous, et pour la plupart dénués d'intérêt. Nombre d'officiers sont heureux de regagner leur foyer.

— L'armée n'a pas les moyens de les entretenir maintenant que la guerre est finie, murmura-t-elle.

Pourtant, tant d'hommes aimaient commettre des meurtres au nom du patriotisme.

Certains. Elle n'imaginait pas Mercie remettre un pied sur un champ de bataille, Dieu soit loué.

La bouche de Stoneleigh se tordit, sans doute sa façon à lui de sourire.

— Asseyons-nous, monsieur Stoneleigh, et ne tournons pas autour du pot. Vous pouvez tout me dire, je vous promets que cela restera entre nous.

Il la mena jusqu'aux sièges groupés devant l'âtre vide – pas de feu pour l'homme de loi par une si belle journée d'été.

— Vous me paraissez vraiment très en forme, dit-il, visiblement perplexe. La vie avec lord Greendale était-elle à ce point insupportable ?

Elle avait vécu un enfer qui dépassait l'imagination d'une jeune fille candide de dix-sept ans. En découvrant certains faits, M. Stoneleigh aurait été effaré, et il n'avait pourtant rien d'un innocent.

— Je ne souhaiterais pas une telle épreuve au Corse en personne.

Se gardant de relever ce commentaire, il prit place dans un fauteuil perpendiculaire au superbe canapé en brocart bleu où s'était installée Gillian.

— Sur votre invitation, j'irai droit au but. Êtes-vous enceinte, comtesse ?

— Doux Jésus ! Non !

— Vous en êtes certaine ? insista-t-il, parfaitement sérieux.

— Pas à moins que le deuxième avènement du Messie soit imminent et que je sois l'indigne réceptacle choisi pour porter le Tout-Puissant.

— Il serait peut-être sage que vous preniez des mesures pour altérer votre statut à cet égard, déclara Stoneleigh, reprenant son rôle d'avocat efficace. J'ai jeté un coup d'œil sur les dernières volontés de Greendale et vous en tireriez grand profit si vous pouviez produire un enfant posthume.

— Greendale m'a régalée à d'innombrables reprises en me citant les termes de son testament, monsieur Stoneleigh. Croyez-moi, il était décidé à me laisser sans un sou.

— Dans ce cas, il ne vous a pas tout dit car il a rédigé un codicille, il y a environ un an, laissant l'intégralité de ses biens, moins vos parts douairières, à tout enfant que vous pourriez mettre au monde dans l'année suivant son décès.

— Il me donnait la permission de tomber enceinte quasiment sur sa tombe ? Quelle drôle d'idée !

— Non, il se conformait au droit coutumier qui attribue la paternité d'un enfant au mari de l'épouse durant l'année suivant son veuvage. D'où la durée du grand deuil.

La loi ferait bien de consulter une sage-femme compétente.

— Même les juments, en temps normal, mettent bas avant une année, monsieur Stoneleigh.

— Le droit coutumier précède la science moderne, quand bien même la nature autoriserait quelques variables.

Il défendait sa cause ridicule d'un air guindé et Gilly en aurait été touchée si elle ne l'avait pas déjà énormément apprécié.

— Tout ceci est fort intéressant, mais je ne vois pas en quoi cela me concerne. Je ne suis pas enceinte, je ne peux pas l'être et je doute de pouvoir y parvenir si j'essayais. Y avait-il autre chose ?

Il croisa les jambes et se cala dans son siège, l'étudiant comme si elle était un exemplaire du Code civil prêté par un confrère. Peut-être M. Stoneleigh, si posé et si capable, s'était-il attendu à une autre réaction de sa part.

Devait-elle lui proposer de l'aider dans sa quête d'enfant, moyennant une réduction de ses honoraires pour service rendu ? Bien sûr, ce faisant, elle prendrait froid. Ébauchant un sourire malgré elle, elle se rendit compte tout à coup qu'il n'avait pas dit un mot.

— Qu'y a-t-il, monsieur Stoneleigh ?

— J'ai vu les fonds que vous m'avez remis pour que je les confie à M. Worth Kettering, un gestionnaire bien avisé que j'emploie moi-même. Il prend un soin tout particulier à veiller sur l'obole d'une veuve et il est habile à les investir. Il attend de vos nouvelles et promet de vous fournir des relevés trimestriels décrivant la progression de vos liquidités. Mais puis-je me permettre de vous donner un conseil, madame ?

Grâce à ses conseils, elle avait échappé à une condamnation pour meurtre.

— Je ne suis pas pressée, monsieur Stoneleigh.

Seulement un petit peu, car elle craignait que Mercie ne s'inquiète si son absence se prolongeait.

— Si Mercie est d'accord pour conclure un accord avec vous, il serait sage de votre part d'en finir au plus vite.

Qu'insinuait-il, au juste ?

— Monsieur Stoneleigh, je puis vous assurer que le duc se remet bien de son épreuve. Il a toutes ses facultés et nous n'avons aucune raison d'anticiper un déclin ou un décès prématuré.

Gilly était fière de son duc, pour pouvoir l'affirmer avec une telle assurance. Mercie se remettait doucement mais sûrement, il était plus fort que jamais et Wellington n'y était pour rien.

— Son rétablissement pourrait bien être une partie du problème.

Stoneleigh n'était pas méchant, mais la subtilité n'était pas son fort. Gilly n'avait aucune envie de prolonger leur entretien, le temps qu'il se décide à lui révéler ce qui le tracassait.

— Comment pourrait-on lui reprocher de se remettre de plusieurs mois de torture, monsieur Stoneleigh ? Sa Grâce a perdu sa femme et son fils alors qu'il était en France. Un homme de moindre envergure n'aurait jamais réussi à surmonter un tel chagrin.

— Il le surmonte en complotant une vengeance, milady. La rumeur court dans les clubs selon laquelle Mercie a l'intention d'affronter ses geôliers et de leur faire payer leurs actes. Il a déjà commencé à glaner des renseignements, à tendre des pièges, selon certains.

À sa façon, Stoneleigh cherchait à l'aider – et y échouait lamentablement.

— Imaginez que l'on vous prive de toute intimité pendant des mois, monsieur Stoneleigh. Que l'on vous arrache les ongles. Que l'on vous frappe encore et encore. Imaginez votre corps décoré de tant de cicatrices que vous auriez l'air d'un patchwork ambulant ? Imaginez ne plus trouver le sommeil, ne plus pouvoir digérer le moindre aliment...

Elle tremblait de rage, et Stoneleigh ne semblait guère ravi qu'elle lui impose cette litanie. Gilly se leva, à bout de nerfs.

— Bien sûr que Sa Grâce continuera à s'informer quant aux activités des monstres qui l'ont martyrisé. Toutefois, nous sommes en temps de paix et sa succession ne tient qu'à un fil. Mercie ne mettra pas en péril les biens de la famille Severn sous prétexte d'assouvir son besoin de vengeance. Si quelqu'un a appris la folie de la violence, c'est bien lui.

Et comment Gilly pourrait-elle partager cette leçon intime, improbable avec un jeune et fringant duc du royaume, un homme dans la fleur de l'âge ?

Le regard de Stoneleigh était expressif, un travers qu'il s'efforçait sans doute le plus souvent de cacher. Il allait lui conseiller d'exiger un accord écrit. Gilly le sentait. C'était aussi visible que l'épingle en or de sa cravate.

Il réorienta la conversation, demandant des nouvelles de Lucy, évoquant les célébrations de la victoire et leur coût exorbitant. Peu après, il drapait la veste de Gilly sur ses épaules, un geste qui lui fit penser à Mercie, à la délicatesse avec laquelle il s'était servi de son châle pour l'attirer contre lui...

— Lady Greendale, vous me donnerez de vos nouvelles, j'espère ?

Stoneleigh avait retrouvé ses airs d'avocat inquiet, intense et impérieux.

— Vous me préviendrez si je puis vous rendre quelque service que ce soit, n'est-ce pas, milady ? Promettez-le-moi.

— Vous dramatisez la situation, monsieur Stoneleigh. Cela étant, cela me touche beaucoup, donc, oui, je vous le promets.

Il s'inclina sur sa main et l'escorta jusqu'à la porte, raide et compassé. Derrière sa façade de juriste calculateur et ses manières brusques, palpitait le cœur d'un chevalier décidé à se battre contre des moulins à vent pour sauver une demoiselle en détresse – ou le droit coutumier.

Gilly envoya à Mercie un mot pour le prévenir que son rendez-vous avec Stoneleigh s'était bien passé, puis s'attarda quelques jours en ville afin de regarnir sa garde-robe. Elle profita de l'hôtel particulier du duc, espérant que son absence lui permettrait de se rapprocher de sa fille.

Il adorait sa petite Lucy, ses terres, et pleurait ses proches décédés, Gilly en avait la certitude, malgré son absence de larmes et sa propension à dissimuler ses sentiments. Le silence était parfois plus éloquent que bien des paroles.

Quant à cette histoire de vengeance, elle refusait d'y croire. L'homme qui l'avait étreinte avec une telle tendresse quelques jours auparavant en était incapable. Mercie était en voie de guérison, comme elle, et la violence n'avait pas sa place dans un tel processus. Pas pour elle.

Ni pour lui. Elle en était presque sûre.

Christian se languissait de la comtesse et Lucy aussi, devinait-il. Depuis le départ de Gillian, la petite se montrait moins animée, moins enthousiaste quand il allait la retrouver à la nursery.

— Elle va revenir bientôt, tu sais, assura-t-il tandis qu'ils se dirigeaient vers les écuries.

Lucy arborait une tenue de cavalière miniature, celle que Gillian (il n'hésitait pas à l'appeler par son prénom en pensée, une façon comme une autre de compenser son éloignement) avait dû lui confectionner car elle était parfaitement adaptée à sa taille.

— Tu pourrais orner cette ravissante tenue de broderies, suggéra-t-il. Je suis certain que la comtesse t'y aiderait.

Lucy opina vaguement, et il sentit que l'absence de Gillian n'était pas l'unique raison de sa détresse.

— Le chaton te manque, ma princesse ?

Elle leva les yeux vers lui, sur ses gardes, les baissa aussitôt. Il ne s'était donc pas trompé.

— Ton chaton va devenir un gros chat de gouttière uniquement intéressé par les dames et la chasse. Il restera dehors des nuits entières, à miauler dès qu'il sera amoureux, c'est-à-dire tout au long de l'année sauf au mois de décembre. Ce sera insupportable, non ?

Lucy esquissa un sourire et secoua la tête. C'était un début.

— Et quand il se mettra en tête de marquer son territoire, il ignorera sa litière, préférant inonder tapis et rideaux, y laissant une odeur atroce qui subsistera durant des jours et des jours. Tu ne tiens pas à ce qu'il arrose ton couvre-lit, j'imagine ?

De nouveau, elle secoua la tête. Et son sourire s'élargit.

— Sans oublier que, le jour où il sera atteint de dyspepsie, il régurgitera sur tes pieds ses trois derniers repas partiellement digérés, y compris les os et les poils. Nous ne voulons pas de cela chez nous, n'est-ce pas ?

Cette fois, elle lui sourit franchement, et le cœur de Christian fut délesté d'un fardeau infligé non seulement par son éclat de colère dans la nursery, mais par quelques chats français affamés et les prédateurs parmi lesquels ils évoluaient.

— Nous sommes d'accord ? Plus de chats dans la nursery ?

Elle lui tendit la main et il la serra vigoureusement avant de la soulever pour la déposer sur le montoir destiné aux dames. Le palefrenier arriva avec Chesterton et Christian enfourcha son cheval avant de hisser sa fille devant lui.

Ils s'offrirent une magnifique promenade, Lucy pointant le doigt et s'agitant sur la selle dès qu'elle voulait lui montrer quelque chose – un agneau tardif trottinant autour de sa mère dans les herbes folles, une haie de pommiers en fleur, un cygne glissant sur un étang.

Il laissa Chesterton déambuler sous un arbre aux branches tombantes, afin d'avoir un prétexte pour se pencher en avant et humer le parfum frais de la chevelure de sa fille.

— Sache, ma princesse, que tu peux me confier tes secrets. Je ne les répéterai à personne. Inutile de parler fort, tu peux me chuchoter un ou deux mots à l'oreille un de ces jours si tu n'éprouves plus le besoin de t'isoler dans le silence.

Elle se figea et il regretta de ne pas voir son expression.

— Mais ton silence est précieux, lui aussi. Je vais te confier un secret, si tu veux.

Elle opina, avec circonspection.

— J'ai eu des animaux de compagnie, en... France. Tu me trouveras bête – *moi*, je me trouve bête en tout cas –, mais c'étaient mes seuls amis. Des petites créatures dépourvues d'armes, de dents pointues et de griffes féroces, des bêtes qui ne voulaient rien d'autre qu'un bout de pain et une vie paisible. Tu devines de quoi il s'agissait ?

Était-il fou de lui parler ainsi ?

Mais elle l'écoutait. Elle était tout ouïe.

— Elles étaient silencieuses et discrètes, comme toi, comme des souris. Car c'étaient bel et bien des souris. Elles surgissaient en quête de miettes, fuyant les chats du château, et je les autorisais à manger ce qui tombait de ma gamelle. Nous sommes devenus grands amis, les souris et moi. Nous avons enduré nos privations ensemble.

Hélas, il n'était jamais parvenu à les apprivoiser ! Elles étaient restées méfiantes, malgré le froid ou la faim. Il les avait admirées, ces petites bêtes sans défense.

Lucy ne dit rien, se contenta de se presser contre lui.

Elle pensait sans doute qu'il plaisantait, mais il était au bord des larmes, et c'est en silence qu'il acheva sa promenade avec sa princesse.

Sensible et intelligente comme elle était, Lucy avait dû percevoir son humeur car alors qu'il s'apprêtait à la soulever du montoir, elle s'accrocha à lui un moment, les bras noués autour de son cou, le visage blotti contre son épaule.

Une étreinte, pour un homme qui n'avait eu d'autres amis que des souris, de la part d'une fillette incapable de lui dire son amour à voix haute.

10

Christian devait se retenir pour ne pas passer ses journées à scruter le bout de l'allée, guettant le retour de Gillian. Elle lui avait envoyé un mot pour le prévenir qu'elle avait des problèmes vestimentaires » à régler et ne rentrerait pas avant la fin de la semaine.

Il se plongea donc dans ses occupations, ce qui ne fut pas difficile.

Hancock, le régisseur, était enchanté de l'accompagner dans ses tournées quand le temps le permettait. Les métayers étaient contents d'accueillir leur duc selon un programme soigneusement établi par Hancock. Le vicaire passa de nouveau, un supplice d'un quart d'heure en l'absence de Gillian.

Ses nuits étaient peuplées de cauchemars, pires depuis le départ de Gillian, mais s'activer dans la journée l'aidait – un peu – à les surmonter.

Recevoir des nouvelles quant à l'endroit où se trouvait Girard l'aurait aidé encore davantage.

St. Just lui avait parlé d'autres prisonniers qui avaient mis des mois avant de recouvrer suffisamment la santé pour rejoindre leur régiment. Le corps de Christian se rétablissait vite. Il était de nouveau tonique, ses dents et ses gencives étaient de moins en moins sensibles. Malheureusement, son esprit avait du mal à suivre le mouvement.

S'il acceptait les cauchemars comme un mal néces-saire, son cœur s'emballait au moindre claquement de porte.

Le reflet d'une bougie sur un couteau à éplucher pouvait lui couper le souffle.

Parfois, il se livrait à une tâche simple avec sa main gauche – nouer sa cravate, par exemple. Le résultat était si pitoyable qu'il avait envie de tout casser.

Ce dernier problème était particulièrement pénible. Sa main gauche récupérait sa force, mais sa dextérité demeurait limitée. Sa main droite fonctionnait, mais restait malhabile. Il devait à tout prix apprendre à dominer ce handicap.

Cependant, plus Gillian s'attardait en ville, plus les démons se bousculaient dans sa tête. À quoi bon s'exer-cer à se raser de la main droite ? Pourtant, il n'était pas question qu'un valet s'approche de lui avec un rasoir. À quoi bon encourager Lucy à parler ? À quoi bon continuer à respirer ? Le monde l'avait cru mort sans pour autant s'arrêter de tourner.

Et puis, tout à coup, la voix suave de Girard lui chuchotait à l'oreille :

— Vais-je vous tuer aujourd'hui, *mon ange*[1] ? Est-ce ce que vous souhaitez ? Me laisser ici tout seul, au milieu de ce tas de cailloux, à espérer que le Corse réussira à se remettre non seulement des raclées de votre armée mais aussi de l'hiver russe ? Vais-je vous offrir le silence permanent, et la victoire avec lui ? Je vous envierais trop d'être entre les mains de Dieu. Aussi ai-je décidé que non, l'heure de votre mort n'est pas encore venue...

Les attentions de Girard s'étaient révélées étrange-ment convaincantes. Il avait maintenu Christian en vie, en partie grâce à ses rapports équivoques sur les pertes et les tribulations de la France – mais pas question de remercier cette ordure. Pour compliquer les choses,

---

1. En français dans le texte. *(N.d.T.)*

Girard était apparemment le fils d'un Anglais. Quels intérêts contradictoires se dissimulaient-ils derrière ses stratagèmes ? Le colonel avait-il vraiment envie de mourir ?

Une pendule sonna les douze coups de minuit.

Il vous suffit de visualiser quelque chose d'agréable. Vous y ajoutez des détails, un par un, jusqu'à obtenir une image précise et que le besoin irrépressible de commettre un acte fâcheux soit passé.

Christian s'endormit enfin, comme les six nuits précédentes, en se disant que Gillian avait eu raison de mettre de la distance entre elle et Severn. Il la voulait sous son toit, sous sa protection, mais il n'avait pas grand-chose d'autre à lui offrir. Du moins, tant qu'il n'aurait pas éliminé Girard.

Sombrant dans le sommeil, il l'imagina, petite blonde affairée dont la voix était comme une berceuse pour les âmes torturées.

Gillian se réveilla, consciente que le moment était venu de cesser de tergiverser et de rejoindre Mercie.

De retourner à Severn, de retrouver le domaine, la maison, la fillette qui refusait de parler et, oui, l'homme qui s'efforçait désespérément d'avoir des repères au milieu de tout cela.

— Je vous souhaite un bon voyage, milady.

Meems l'avait accompagnée jusqu'au perron tandis que la berline émergeait des écuries.

— Je vous remercie. Je ne manquerai pas de signaler au duc que son personnel m'a accueillie de bonne grâce en son absence, soyez-en sûr.

Meems eut l'air peiné, mais hocha la tête et s'effaça afin que le valet de pied puisse l'aider à monter dans la voiture.

Elle sortit son anthologie de poésie et tenta d'en lire quelques pages, mais y renonça très vite. Le ciel était couvert, la lumière chiche, et elle avait l'esprit en ébullition. Le voyage se poursuivit sans heurts jusqu'à ce qu'elle se réveille en sursaut en pleine campagne du Surrey.

La voix du cocher lui parvint, grave et apaisante, mais elle décela dans son ton un soupçon de panique. Les chevaux avançaient au petit trot sur l'une des rares portions de route plane et pourtant, le cocher les encourageait à ralentir encore.

— Ho, les amis ! Tout doux... Tout doux... C'est ça.

Un claquement sec et l'attelage fit un bond en avant, la voiture zigzaguant follement à l'arrière.

Projetée contre la portière, Gilly saisit la lanière en cuir au-dessus de sa tête et se mit à prier.

— Allons, les gars, on se calme... Voilà... Bravo. Là...

La berline s'arrêta, se balançant sur ses suspensions.

Un valet au visage blême regarda par la fenêtre.

— Vous n'avez rien, milady ? On a eu un pépin. Sa Grâce va nous botter les fesses – pardon, nous houspiller si jamais vous vous êtes fait mal.

Huit années d'un mariage infernal l'aidèrent à conserver son calme.

— Je vais très bien. Que s'est-il passé ?

— Une roue s'est détachée. On l'a perdue, à un kilomètre en arrière. Une chance qu'on ait de bons chevaux ; ils s'en sont bien sortis, pas vrai ?

Il était pâle comme la mort, et Gillian en déduisit qu'ils avaient évité un drame de justesse. Déséquilibrée, la voiture penchait lourdement d'un côté.

— Je vais en profiter pour me dégourdir les jambes, annonça la jeune femme en ramassant son réticule.

— Perkins retient les chevaux de volée, milady.

— Je suis sûre que tout cela va s'arranger très vite, déclara-t-elle avec un sourire.

C'était un art dont elle avait appris à user dans toutes sortes de situations difficiles.

— John, votre passagère est indemne, lança-t-elle au cocher. Si nous sortions les musettes pendant que le valet va récupérer la roue ?

— Les musettes ? répéta-t-il en clignant des yeux, le visage aussi pâle que son acolyte. Ah, oui, bien sûr, pour les chevaux ! Dunston, occupe-toi de ça, ensuite tu iras ramasser cette fichue roue.

Gilly jaugea le ciel, constata que la pluie n'était pas une préoccupation immédiate. Récupérant son livre, elle le rangea dans son sac et réfléchit à la situation. Que pouvait-elle faire ? Pas grand-chose, sinon prier pour sa survie.

Elle se dirigea vers un échalier à proximité, s'y percha, sortit sa broderie et se concentra sur son ouvrage.

Elle eut le temps de coudre une dizaine de centimètres de l'ourlet du mouchoir qu'elle destinait à Lucy quand Dunston reparut, poussant la roue devant lui tel un cerceau brinquebalant. La roue était intacte, et Gilly en éprouva un vif soulagement car il n'y avait pas une seule ferme à l'horizon.

— Ça risque d'être un peu long, prévint le cocher, mais une fois qu'on l'aura remise, on pourra repartir. Depuis le temps du grand-père de Sa Grâce, on emporte toujours un lot de chevilles de secours dans le coffre. Pour éviter d'avoir à marcher jusqu'au prochain village.

— Il est loin ?

— Une bonne demi-lieue, et en plus, il risque de pleuvoir.

Trois centimètres d'ourlet plus tard, Gilly avait terminé son œuvre, la roue était réparée et les chevaux avançaient au petit trot. À l'extérieur, la conversation allait bon train, et lui parvenait par la trappe entrouverte.

— Je te le dis, c'est pas naturel, déclara Perkins. Une femme normale aurait eu des vapeurs, elle aurait braillé comme un veau.

— Une femme normale ?

John le cocher marqua une pause pour apaiser ses bêtes.

— Y a des femmes qui suivent le tambour à travers toute l'Espagne depuis des années, des femmes qui élèvent leurs gosses dans la misère à Seven Dials. Le courage, c'est pas limité aux hommes.

Perkins poussa un profond soupir.

— En tout cas, moi, quand j'ai vu cette roue se détacher, j'ai failli me faire dessus.

— Moi aussi, avoua Dunston.

Un silence suivit, indice qu'une bouteille extirpée du coffre bien rempli circulait entre eux.

— Si j'avais eu une main de libre, avoua John, je me serais signé, comme ma vieille grand-mère irlandaise.

— Alors que la comtesse se plonge dans sa broderie, dit Perkins. C'est pas normal, je te dis. Pas normal du tout.

Des discussions de cette nature, elle en avait entendu des dizaines, chuchotées par des domestiques qui lui reprochaient sa spontanéité – surtout au début de son mariage.

La vérité, c'était qu'elle avait manqué de discernement en choisissant son mari.

Les hommes finirent par se taire, et elle sortit son recueil de poésie car broder en voiture était impossible.

Christian se tenait, torse nu, devant un petit miroir perché sur le rebord de la fenêtre. Un bol d'eau fumante était posé à la hauteur de son coude, sa trousse de rasage déployée sur la table. La lumière éclatante de l'après-midi aurait dû lui faciliter la tâche. Hélas, rien n'était simple !

Les domestiques avaient reçu l'ordre de le laisser en paix jusqu'à l'heure du thé. En cas de visite impromptue, il était absent.

Il avait taillé sa barbe de près, ne se coupant qu'une fois, une minuscule entaille dont un filet de sang avait jailli, dégoulinant jusqu'à sa poitrine.

Il se rasait depuis bientôt la moitié de son existence. Racler la lame le long de sa gorge ne devrait présenter aucune difficulté, d'autant qu'elle était parfaitement aiguisée.

Mais de quelle main se servir ? La gauche, abîmée, ou la droite, si malhabile ? Du reste, quelle importance puisque toutes deux tremblaient ?

Combien de temps demeura-t-il ainsi, immobile ? Il n'en avait pas la moindre idée. Dès qu'il s'apprêtait à porter le rasoir à sa joue, son estomac se nouait, ses oreilles bourdonnaient et sa vision périphérique se brouillait.

Son cœur battait à toute allure, comme s'il voulait s'échapper de son thorax.

Si elles n'étaient pas rationnelles, ces réactions étaient prévisibles. Pourtant, elles le hérissaient, et plus il tergiversait, faisant passer son rasoir d'une main dans l'autre, plus il voyait devant lui cet étranger barbu aux yeux d'un bleu étincelant, et plus il avait du mal à respirer.

Pourquoi s'obstinait-il ?

Où était Girard ?

— Votre Grâce.

La comtesse referma doucement la porte derrière elle, mais Christian était tellement absorbé par ses souvenirs et ses angoisses qu'il se contenta de la fixer. Il savait qui elle était, il ne tenait pas à ce qu'elle le voie ainsi – une fois de plus –, mais il était incapable d'articuler les mots pour la chasser.

— Vous étiez perdu dans vos pensées, murmura-t-elle en traversant la pièce d'un pas tranquille. Vous ne m'avez pas entendue frapper.

Comme la fois précédente, plutôt que de s'intéresser à ses scarifications, elle accrocha son regard.

— J'aurais dû insister.

Elle se tint devant lui, un petit flacon vert dans une main et posa un doigt sur sa clavicule.

— Vous saignez, mon pauvre. Pourquoi… ?

Baissant la tête, elle découvrit la trousse ouverte.

— Vous faisiez votre toilette, souffla-t-elle, visiblement soulagée. Vous permettez que je vous aide ?

Sa voix chassa les ombres qui lui emplissaient l'esprit. Il lui tendit le rasoir.

— Si vous vous asseyiez, Mercie ? Vous êtes trop grand. Je ne pourrai pas vous assister tant que vous resterez debout.

Elle alla chercher un tabouret, le posa devant lui puis s'écarta, les bras croisés, comme si sa taille était une transgression mineure pour laquelle s'asseoir était la sanction prescrite.

— Fermez la porte à clé, grommela-t-il.

Elle s'exécuta, revint et le prit délicatement par les épaules pour le tourner face au soleil.

— Ce ne sera pas long.

Ce fut interminable, ce lent va-et-vient de la lame sur sa gorge, ses joues, son menton, autour de sa bouche et au-dessus de ses lèvres. Gillian était adroite et lui parlait en même temps.

— J'ai dû faire la tournée des boutiques pendant mon séjour en ville, bien que je n'aie jamais quitté mes vêtements de deuil. Par cette chaleur, sortir voilée n'est guère agréable mais je n'ai pas le choix si je ne veux pas que les commères s'en donnent à cœur joie. Levez le menton, Mercie. J'ai presque fini, et je vous ai rapporté un parfum qui m'a fait penser à vous.

Puis l'épreuve fut terminée, et Christian regretta de ne plus sentir sur son visage ces mains douces et assurées.

Elle versa dans sa main quelques gouttes d'une lotion qui sentait bon le citron et le vétiver.

— Vous êtes plutôt bel homme sous votre plumage, savez-vous ? Helene n'avait de cesse qu'elle ne me le répète, ce qui était son droit, bien sûr. Mais vos joues sont pâles, à cause de la barbe.

Elle lui tapota les joues, le cou, les épaules. Son toucher était léger mais en rien hésitant. Elle... elle le flattait, comme elle flatterait Chesterton, pour son plaisir et celui de son cheval.

— Regardez-vous, dit-elle en le faisant pivoter vers la glace. Vous avez fière allure.

Une paume fraîche s'attardait dans son dos et le duc frémit mentalement en pensant à la peau sous ces doigts, striée d'entailles aux formes bizarres. Une facétie de Girard, la création d'une broderie vivante sur son prisonnier, ourlant ses os et ses muscles de plis roses et boursouflés qui s'estomperaient avec le temps, sans jamais s'effacer du corps ni de l'esprit dudit prisonnier.

Cependant, la comtesse l'honorait de frôlements exquis, spontanés, ravie qu'elle était de sa prestation de barbier.

— Vous êtes encore un peu mince, mais cela va s'arranger. Pas étonnant qu'Helene ait tant fanfaronné sur son soupirant préféré.

La main de Gillian irradiait la chaleur, la bienveillance et la bonté. Elle se pencha soudain pour attraper la serviette humide sur le rebord de la fenêtre.

— Ma foi, j'ai oublié une tache de sang.

Elle s'empressa de la frotter. Les rayons du soleil allumaient toutes sortes de reflets dans ses cheveux, du roux au cuivré et...

Christian glissa l'index sous son menton et orienta son visage vers la lumière.

— Gillian, d'où vous vient cette affreuse ecchymose ?

Le duc était d'une beauté à couper le souffle, plus encore que dans sa jeunesse, plus encore que lorsqu'elle l'avait vu torse nu, à Londres, quelques semaines auparavant. Maintenant qu'il n'avait plus sa barbe, il lui paraissait moins émacié. Il avait repris du poids, et retrouvé... un peu de sa confiance en lui. Peut-être beaucoup de sa confiance en lui.

Toutefois, il la dévisageait d'un regard féroce, tout en suivant du doigt la naissance de ses cheveux.

— Je me suis cognée quand nous avons perdu une roue à deux heures d'ici.

Elle se tenait tout près de lui et le corps de Christian fleurait bon le savon, le citron et le vétiver, au point qu'elle en perdait la tête.

— Vous avez mis de la glace dessus ?

Il explora son front avec précaution, puis enfouit les doigts dans sa chevelure, tâtant le bleu du pouce.

Elle était incapable de bouger. Elle n'en avait aucune envie.

— Je n'en avais pas à ma disposition. Nous étions en pleine campagne, et j'ai préféré repartir au plus vite, plutôt que de déranger tous les aubergistes sur notre route, sans doute en vain.

Il effleura l'hématome de ses lèvres. Une délicieuse sensation submergea Gilly et elle poussa un soupir tandis qu'il l'enveloppait de ses bras. Jamais, *jamais* personne ne l'avait embrassée pour la soulager d'un bobo !

— John va regretter amèrement cette journée.

Le duc la serra contre lui si bien que sa joue se retrouva pressée contre son torse couturé. Ce n'était pas leur première étreinte, mais celle-ci était différente. Comme il lui massait la nuque, un mamelon viril en plein dans sa ligne de mire, elle éprouva un mélange de désarroi, de désir et de mortification.

Dieu qu'elle était bien, nichée dans la chaleur de son torse, l'odeur de son visage fraîchement rasé lui titillant les narines, les mouvements réguliers de sa respiration anesthésiant sa raison.

Elle entrouvrit les lèvres et tourna la tête vers sa poitrine. Elle n'osa pas l'embrasser, encore moins le mordiller. Elle inhala son odeur, s'en imprégna, ferma les yeux. Elle avait été terrifiée dans la berline, et elle l'était aussi, d'une manière différente, dans les bras de Christian Severn.

Plus tard, elle réfléchirait. Pour l'heure, tout ce qu'elle voulait, c'était se délecter du bonheur d'être avec lui, de sentir son corps ressusciter avec la détermination d'une âme venant au monde.

— Gillian ?

Elle comprit le sens de sa question. Avant de perdre son sang-froid, elle encadra des deux mains sa figure rasée de frais. Il aurait très bien pu détourner la tête, contrecarrer son initiative. Au lieu de quoi, il pressa sa bouche dans une paume, puis dans l'autre.

Encouragée, elle chercha ses lèvres. Elle se hissa sur la pointe des pieds et scella sa bouche de la sienne, sans se soucier de ce qui pourrait se passer ensuite.

Il l'étreignit, ses bras l'épousant telles les chaînes d'une ancre autour de leur cabestan, la maintenant en équilibre et, surtout, la soulageant de ses craintes.

Il lui caressa les cheveux, lentement, et le désespoir de Gillian reflua. Inutile de le dévorer, il lui permettrait de le savourer.

Suivant son exemple, elle plongea les doigts dans ses cheveux, s'émerveillant de leur luxuriance satinée, moulant la forme de son crâne, explorant sa nuque, le découvrant, centimètre par centimètre.

Toucher, caresser, s'abandonner à la tendresse, au désir, à une appétence trop longtemps enfouie...

Il écarta ses lèvres des siennes pour déposer une pluie de baisers légers depuis sa tempe jusqu'à son menton, et Gilly s'en réjouit. Lui aussi avait envie d'elle. Parfaitement immobile, elle le laissa inhaler son parfum, le souffle de son haleine lui chatouillant l'oreille. Il blottit la tête dans son cou et un frisson de plaisir la secoua.

S'il continuait à taquiner le coin de sa bouche en une sorte de demi-baiser, elle n'en sentit pas moins qu'il se rétractait. Seule consolation, il s'y résolvait malgré lui.

— Comtesse, pardonnez-moi.

Comtesse, pas Gillian. Il ne la lâcha pas pour autant, et elle pressa le visage contre son torse. À son grand dam, il semblait sincèrement contrit alors que c'était elle qui aurait dû exprimer ses remords.

— Nous n'avons commis aucune faute exigeant le pardon.

— Vous êtes veuve et seule, sous ma protection pour le moment, et j'ai profité de votre chagrin.

Il la berça contre lui comme pour souligner son rôle de protecteur, mais la simple protection justifiait-elle un tel déploiement de tendresse ?

— Je ne pleure pas, je célèbre ma liberté retrouvée.

Elle s'arracha à ses bras et fonça de l'autre côté de la pièce. Quand elle lui tendit une robe de chambre, il s'en empara.

— Pardonnez-moi, répéta-t-il. Aucune femme, encore moins une lady, encore moins *vous*, ne devrait me voir ainsi.

Au grand regret de Gilly, il enfila le vêtement, bien que celui-ci soit l'unique rempart entre sa propre dignité et son accès de pure lascivité.

— La pudeur vous sied, Mercie, mais si vous vous imaginez que je vous trouve repoussant, vous êtes un idiot.

Idiot ? Ce mot avait-il vraiment jailli de sa bouche, à l'adresse du duc ?

Il noua sa ceinture. Lentement, lentement, un coin de sa bouche remonta, puis l'autre. Oh, cela dura à peine une seconde !

— Vous avez été mariée à un vieillard, déclara-t-il, le visage de nouveau fermé. Il est possible que, comparé à lui, j'apparaisse à peu près supportable.

Il ramassa une brosse sur le rebord de la fenêtre et se planta devant la glace pour mettre un peu d'ordre dans ses cheveux, sans toutefois les attacher.

Gillian attrapa un ruban noir et se dirigea vers lui.

— Permettez-moi.

— Comtesse…

— Gillian. Je préfère. Je vous ai rasé et coiffé.

De nouveau, un sourire furtif.

— Et vous m'avez embrassé, ajouta-t-il.

— Je n'étais pas la seule, Votre Grâce.

Elle se raccrocha à cette pensée. À ses yeux, elle valait au moins un baiser ou deux.

— À ma surprise et à ma plus grande joie, il est vrai. Et je me suis délecté de ce moment. Néanmoins, milady... je ne puis me permettre de recommencer.

— Pourquoi ? Je suis une veuve bienheureuse et infortunée. J'ai enfin atteint ce moment de la vie où profiter devient possible.

— Certainement pas, trancha-t-il avec une autorité toute ducale. Vous pouvez accorder vos faveurs à qui vous voulez, en toute discrétion, bien sûr, mais en aucun cas vous ne devez accepter que l'on abuse de vous.

— Nous sommes dans une impasse, murmura-t-elle, s'efforçant de deviner ce qu'il ne disait pas. Je recommencerais volontiers, enchaîna-t-elle. Vous me dites vous-même que vous avez apprécié ce qui vient de se passer entre nous, pourtant vous voulez m'en priver à l'avenir ? Par égard pour quoi ou pour qui ? Pour moi ?

Elle se laissa tomber sur le canapé, plus que jamais convaincue que le Tout-Puissant avait créé les hommes pour rendre les femmes folles.

— Je peux vous assurer que je serais flattée que vous cédiez à mes impulsions imprudentes, Votre Grâce.

Cet aveu la fit rougir ; il fallait absolument qu'elle se taise ou elle risquait de perdre tout contrôle, et d'en venir à mendier des baisers et des caresses.

Il s'assit près d'elle et lui prit la main.

Partagée entre l'envie de la lui reprendre et celle de se jeter à son cou, elle opta pour l'immobilité. Il lui caressa les doigts et elle sentit qu'il rassemblait ses idées, se préparant à argumenter.

— J'ai un mal fou à m'attacher les cheveux, avoua-t-il à brûle-pourpoint. Après quelques tentatives, j'y arrive à peu près, mais c'est si fastidieux que cela m'incite à préférer afficher une allure de barbare peu soigné.

— La plupart des hommes célibataires, quel que soit leur rang, ont un valet.

Il secoua la tête.

— Je ne supporte pas d'être assisté par un autre homme.

Il n'en était pas fier. L'humiliation était perceptible dans sa voix.

— Vous m'y autorisez.

— Je pourrais vous envoyer valser à l'autre bout de la pièce d'un revers de ma main handicapée. Et vous n'êtes pas un homme.

En effet, il était nettement plus grand et, depuis peu, plus en forme que Greendale ne l'avait jamais été, ce qui n'avait jamais dérangé Gilly... Curieusement.

— Le fait que vous preniez en compte mon appartenance à la gent féminine m'encourage, Votre Grâce.

— Vous refusez d'entendre mes explications et mes excuses. Je ne peux que m'en vouloir, une fois de plus.

— Vos excuses.

— Vous me demandez, en substance, de vous compromettre...

Il semblait moins fâché qu'amusé – le filou !

— ... que ce soit par des baisers inopportuns ou des imprudences d'une nature plus passionnée. Vous le regretteriez, vous me haïriez et, si je ne nie pas que vous puissiez en tirer du plaisir – j'insisterais pour vous en donner –, votre éventuelle aversion me serait insupportable. Vous n'avez pas vu toutes mes cicatrices, milady.

Il regardait droit devant lui, comme s'il s'interrogeait sur son propre discours.

Songeuse, Gilly s'adonna de son côté à ses réflexions.

Il tenait à ce qu'elle ait une haute opinion de lui.

Il ne voulait sous aucun prétexte nuire à sa réputation.

Il craignait que son attirance pour lui ne soit que le fruit du chagrin ou de l'abstinence.

Et il la désirait. À travers ses caresses, ses paroles et ses non-dits, le duc de Mercie la désirait.

Par-dessus tout, et bien qu'intuitivement elle l'ait toujours su, il lui promettait, au cas où leur relation s'approfondirait, de lui donner du plaisir.

Elle le croyait volontiers.

— Oh, oui, on a passé un sale moment !

John abattit son bock sur la table, signalant qu'il voulait une deuxième tournée – que le gentleman en face de lui ne manquerait pas de lui offrir. Ce dernier l'avait accosté, prétendant que son oncle avait été cocher.

John avait une passion pour la bière anglaise et le *Lion and Cock* servait la meilleure de tout le Surrey. Consacrée en grande partie à charger les affaires que lady Greendale avait récupérées chez son défunt mari, la journée avait été longue et harassante. Il mourait de soif.

— On roulait bon train, reprit John. La comtesse était pressée de rentrer à Severn.

— Elle aime donc diriger la maisonnée du duc ?

John cilla, étonné de l'impertinence de la question, et songea que pour un neveu de cocher, ce type était bien arrogant. D'ailleurs, il avait un drôle d'accent. Français ? Américain ?

— Elle adore sa nièce. Elle se mettrait en quatre pour cette gosse. Elle rendait souvent visite à la duchesse, de son vivant. En plus, elle est veuve. Où se réfugier, sinon dans la famille ?

— Où, en effet ?

Le gentleman but une gorgée de sa bière et John le trouva incongru dans ce pub, avec ses vêtements de ville et ses grands airs. Le *Lion and Cock* était un relais de poste, certes, mais de l'espèce la plus modeste.

— Et voilà qu'on avançait tranquillement, quand tout à coup, je vois la roue avant droite trembler.

— Mais personne n'a été blessé. *Quel dommage*[1].

---

1. En français dans le texte. *(N.d.T.)*

John décela un soupçon d'impatience dans la voix de l'inconnu. Ah, ces gens de la ville, incapables d'apprécier une histoire bien racontée !

— Grâce à Dieu ! s'exclama John. La comtesse descend, calme comme l'eau qui dort. Elle me dit d'envoyer un valet chercher la roue et de donner à manger aux chevaux.

— Elle a beaucoup de sang-froid, pour une dame.

Ce constat ne semblait guère réjouir son interlocuteur, mais la bière n'était pas une boisson de gentlemen, aussi John lui pardonna-t-il sa mauvaise humeur.

— Pour ça, oui. Mais, sauf votre respect, monsieur, comment vous vous appelez, déjà ?

11

Cinq jours.

Cinq jours s'étaient écoulés depuis que Christian avait serré la comtesse contre son torse nu, goûté à ses baisers exquis, senti ses mains explorer son corps avec un désir non dissimulé.

Helene ne l'avait jamais touché ainsi, alors même qu'il était physiquement intact, l'esprit libre de ses démons et d'horribles souvenirs. Alors même que son corps répondait aux sollicitations érotiques avec l'exubérance de la jeunesse, et où, tout juste marié, il avait tenté de forger une sorte d'amitié avec la duchesse.

Avant son mariage, il avait connu des femmes, bien sûr. Il en avait profité et s'était efforcé de les satisfaire en retour. Mais il s'était contenté de prostituées ou d'épouses délaissées, des femmes du monde pleines d'expérience. Elles aimaient partager leur couche avec un jeune duc vigoureux, adoraient se pavaner à son bras, danser la valse avec lui.

Il était une sorte de... trophée sexuel, de même que pour Girard, il avait été un trophée de guerre. Cette seule idée lui donnait envie de vomir.

— Il y a une raison pour qu'on retourne si vite chez Timwood, Votre Grâce ? s'enquit Hancock, impassible.

Christian ne se rappelait pas qu'il ait jamais interrogé ses directives.

— Oui, répondit-il, chassant la comtesse de ses pensées. Timwood élève ces énormes chiens.

— Des mastiffs, précisa Hancock. Comme son père et son grand-père avant lui. Les meilleurs du comté pour pister, plutôt courageux au travail, en plus.

— Et aussi grands que des poneys. J'en veux un, voire deux.

— Deux, ça fait beaucoup.

— Severn est immense.

Et peuplée de femmes minuscules.

Mme Timwood fut si bouleversée par cette deuxième visite du duc en deux semaines qu'elle faillit tomber en pâmoison. Quand il comprit qu'il souhaitait acheter un chiot, M. Timwood se détendit visiblement.

— David, Jenny, filez nettoyer la boîte des chiots et prévenez Duchesse qu'elle a de la visite.

Christian allait être annoncé à un chien. L'idée ne lui déplaisait pas.

— Votre chienne s'appelle Duchesse ?

Timwood arbora un large sourire.

— C'est mon père qui lui a donné ce nom et, croyez-moi, elle est à la hauteur. Excellent pedigree et une bonne nature. Très protectrice de sa progéniture, huit en tout, quatre mâles, quatre femelles. Pas un défaut dans la portée.

— Qui est le géniteur ?

Christian avait posé la bonne question car M. Timwood se lança dans un discours ponctué de superlatifs. Le temps que les trois hommes soient assaillis par les premières odeurs âcres du chenil, Christian était convaincu que la filiation de la chienne remontait au chien de Guillaume le Conquérant, voire au chiot avec lequel Jésus avait joué enfant.

— Lui, c'est l'avorton, déclara Timwood, indiquant une bête apparemment de la même taille que sa fratrie. Il grandira bien, mais il reste en retrait, voyez-vous. Possible qu'il soit plus intelligent que les autres, il préfère patienter et observer plutôt que de se précipiter sur une mamelle. Il en reste toujours une, pas vrai, mon ami ?

Timwood lui gratta l'oreille avant de régaler Christian des vertus des sept autres chiots. À l'entendre, tous étaient des génies, prêts à apprendre à rapporter les pantoufles de Sa Grâce, à lui allumer sa pipe, à lui seller son cheval et à chasser pour son repas. Ils lui offriraient protection, affection et feraient sensation en ville...

Pendant ce temps, l'avorton s'était couché en rond dans un coin.

— Qui joue avec lui ? s'enquit Christian.

— Celui-là, répliqua Timwood en s'emparant d'une boule remuante. Le simplet. Trop bon enfant. Il se mettra en quatre pour vous, mais il faudra pas compter sur lui pour veiller sur vos poules.

L'animal en question pendouillait dans les mains de Timwood, haletant allègrement, l'air aussi stupide que le sous-entendait son éleveur.

— Je prends l'avorton et le simplet, décida Christian.

Hancock et Timwood échangèrent un regard atterré tandis que Mercie caressait le chiot.

— D'ici la fin de la semaine, celui-là aurait fini dans la citerne d'eau de pluie, commenta Timwood en ramassant l'avorton. Et voilà qu'il va atterrir chez un duc, ni plus ni moins. Dieu veille sur les sots, les ivrognes et les vagabonds, pas vrai ? Noyer cette pauvre bête m'aurait brisé le cœur – c'est ma femme qui s'en charge le plus souvent –, mais à l'âge adulte, ce sera une grosse bouche à nourrir. Remarquez, il est pas vilain. Il devrait faire l'affaire.

Christian le lui prit des mains, évitant de justesse des remerciements enthousiastes à grand renfort de coups de langue.

— Et celui-ci. Bête comme ses pattes, mais vous l'achetez pas pour sa cervelle.

Timwood remit le simplet à Hancock, qui eut droit en retour à un fervent léchage de menton.

— On les nourrit à la gamelle depuis une semaine. D'après ma femme, Duchesse est un peu dépitée. Lait et sauce au jus de viande pour commencer, quelques os pour les dents, et bientôt, tous les restes qui vous tomberont sous la main.

Chesterton renifla le chiot, puis détourna la tête comme pour signifier qu'il ne s'intéressait nullement à de telles créatures. Renonçant à son projet initial de transporter les chiots dans ses sacs de selle, le duc décida de tenir le premier au creux de son bras tout en conduisant sa monture de sa main libre et de confier l'autre à Hancock.

— C'est bien la première fois que je monte à cheval avec un chien, lui avoua tout bas le régisseur.

— Moi aussi. Donnez-lui plus qu'il n'en demande.

— Pardon ?

— Par principe, Timwood va chercher à nous escroquer, mais s'il empoche un bénéfice pour l'avorton et le simplet, il déploiera davantage d'efforts, la prochaine fois, pour vendre les suivants à un orgueilleux fils de comte. À cet effet, j'ai peut-être la possibilité de le mettre en contact avec une relation londonienne.

Hancock esquiva un coup de langue.

— Je peux vous demander à quoi vont vous servir ces monstres, monsieur ?

— À faire pencher la balance de mon côté.

Dieu merci, Hancock n'osa pas lui demander ce qu'il entendait par là.

— Viens, ma princesse.

Christian tendit la main à sa fille. Ils obéissaient désormais à un rituel. En fin de matinée, après sa chevauchée quotidienne et les quelques heures passées en compagnie de son régisseur et à répondre à son courrier, il montait à la nursery arracher Lucy à ses études.

Ils se promenaient dans les jardins pour admirer les fleurs, montaient à cheval, Lucy à la longe sur Damsel ou devant son papa sur Chesterton. Et à deux reprises, ils étaient allés taquiner le gardon dans l'étang.

Aujourd'hui, Christian avait d'autres plans.

Le plus réjouissant était que Lucy insistait toujours pour que Gillian se joigne à eux, évitant ainsi à Christian de partir à sa recherche.

Elle était devenue un véritable fantôme, s'excusant pour ne pas assister aux repas, se faufilant en douce la nuit dans la bibliothèque pour y choisir un livre, lui adressant à peine la parole lorsqu'ils se croisaient dans les couloirs.

La voir se replier ainsi sur elle-même le désolait. Elle mettait de la distance entre eux, ménageant sa dignité face à ce qu'elle ne pouvait considérer que comme un rejet de sa personne. Aussi s'était-il lancé dans une campagne pour préserver leur amitié, à l'aide des outils les plus efficaces qu'il puisse trouver.

— Venez, comtesse.

Il lui tendit la main gauche tandis que la fillette s'accrochait à la droite.

— Lucy et moi devons inspecter les écuries, au cas où les palefreniers s'imagineraient pouvoir se tourner les pouces par une belle journée d'été.

— Allez-y sans moi, répondit Gillian. J'ai des affaires à régler.

— Elles peuvent attendre, n'est-ce pas, Lucy ?

Complice malgré elle, sa fille lui lâcha la main pour se ruer vers la comtesse, qu'elle prit par le poignet pour l'entraîner vers son père.

— Ma princesse a parlé, si l'on peut dire, déclara ce dernier en s'emparant de la main de Gillian. Affrontez gracieusement votre destin.

Le regard bleu de Gillian trahit son exaspération ainsi que, de manière inattendue, de la douleur. Elle s'efforça de la masquer, mais le sourire de Christian s'estompa.

— Je vous en prie, comtesse. J'ai passé la matinée plongé dans mes livres de comptes, je mérite un moment de répit avec les dames qui vivent sous mon toit.

Elle mêla ses doigts aux siens.

— Entendu, mais ne nous attardons pas trop. Lucy n'a pas fini ses exercices de calcul. Quant à moi, je dois m'atteler à ma correspondance.

— Qui vous accapare ainsi ? voulut-il savoir, Lucy gambadant à leurs côtés.

— Marcus Easterbrook, marmonna-t-elle d'un air agacé. Je peux enfin lui annoncer que j'ai récupéré mes affaires.

Sa démarche, en général si assurée, connut une hésitation.

— Désormais, c'est lui, lord Greendale. Comme c'est... étrange.

— En effet, concéda Christian, résistant à son envie de soulever Lucy dans ses bras, ce qui l'obligerait à lâcher la main de Gillian. On s'adapte enfin à son titre, on est convaincu que son véritable détenteur vivra pour l'éternité et puis, hop ! il disparaît, on devient duc ou comte, tout le monde vous appelle par un nom auquel vous ne répondez pas et attend de vous que vous preniez des décisions que vous êtes incapable de prendre.

— Je doute qu'Easterbrook – Marcus – soit à ce point perdu, riposta-t-elle. Il attend depuis longtemps d'accéder à ce rang, bien que Greendale et lui n'aient jamais été proches.

— Ils étaient oncle et neveu ?

Le sujet n'intéressait guère Christian, mais il était ravi de discuter enfin avec Gillian – main dans la main.

— Petit-neveu, le titre n'étant préservé qu'au travers de la lignée féminine. Leurs entretiens étaient le plus souvent tendus, Marcus endurant difficilement la condescendance de feu mon mari. Marcus lui rendait visite dès qu'il avait une permission, mais il était toujours soulagé de pouvoir retourner à Severn, une fois ses obligations accomplies.

— Il venait ici en mon absence ?

— Il a toujours eu un sens aigu du devoir, et il était votre héritier.

— Pas après la naissance d'Evan.

Lucy le tira par le bras, l'entraînant vers un parterre de roses et le forçant à lâcher la main de la comtesse.

— Tu refuses de me parler, ma princesse, mais tu communiques avec moi par le toucher, tu me tires ici ou là, tu me touches le bras ou me tournes la tête... Au fond, je me demande si ces gestes ne me manqueraient pas encore plus que tes paroles.

Du coin de l'œil, il constata que Gillian l'écoutait. Tant mieux. Elle était persuadée qu'il refusait de la compromettre, mais le problème était qu'il ne pouvait s'y résoudre, bien qu'il en ait très envie.

D'un autre côté, il ne pouvait la laisser s'éloigner davantage alors qu'ils pourraient être amis – bons amis.

— Vous avez peut-être tort d'encourager le mutisme de Lucy, murmura-t-elle tandis qu'il s'agenouillait pour sentir une fleur. Je propose que nous cessions tous de parler jusqu'à ce qu'elle finisse par céder.

Il se releva, se félicitant d'y parvenir sans ressentir le moindre tiraillement dans les genoux ou les cuisses.

— Dans ce cas, peut-être devrais-je vous toucher plus souvent, comtesse, ce qui vous obligerait à en faire autant ?

De nouveau, il lui prit la main. Elle ne résista pas, et ils atteignirent les écuries sans plus d'éclats. Toutefois, Christian prenait un secret plaisir à se chamailler avec elle, et s'il se retenait, c'était essentiellement par respect pour sa fille.

— Ma princesse, reprit-il alors qu'ils remontaient l'allée centrale, hier, alors que j'étais sorti avec Hancock, je suis tombé sur un petit bonhomme qui a exigé de faire notre connaissance. Il ne parle guère, du moins pas de manière compréhensible pour un duc, pourtant il a réussi à me convaincre de l'adopter.

Lucy inclina la tête de côté, à la fois solennelle et perplexe. Gillian feignait de flatter Chesterton, mais elle était tout ouïe, à en juger par sa position et la légère tension dans ses épaules.

— Où est-il, ce coquin ? Viens par ici, que je te le présente.

Il entraîna Lucy dans son sillage, la comtesse les suivant d'un pas plus lent. Quand il ouvrit la porte d'une stalle vide, la fillette scruta la pénombre.

— Il se repose, expliqua Christian. Nul doute qu'il est épuisé à force d'avoir rongé de vieilles bottes, chapardé des friandises et fait trébucher les lads.

Lucy le contourna vivement pour découvrir les deux chiots endormis sur une vieille couverture. Ils clignèrent des yeux, bâillèrent, se laissèrent caresser. Se retournant, elle leva deux doigts en direction de son père.

— Oui, ils sont deux.

Surtout parce qu'il aurait été trop compliqué d'en transporter huit à cheval.

— Bonté divine, Christian, chuchota Gillian en se rapprochant. Qu'est-ce qui vous a pris ?

Elle s'accroupit près de la petite.

— Lucy, regarde-les, vois ces pattes, ces oreilles, si douces, et ces grands yeux attendrissants...

Lucy inclina la tête, exprimant la question que la comtesse se refusait à poser.

— Celui-ci, dit Christian en caressant l'avorton (qui semblait avoir déjà grandi en moins de vingt-quatre heures) est pour ma Lucy chérie.

Il lui tendit l'animal dont le frère bataillait pour se mettre debout.

— Et celui-là est pour ma très chère Gillian. On me dit qu'il est un peu sot, mais il a terriblement besoin d'une amie, sous peine d'être noyé dans un baril d'eau de pluie. Vous êtes douée pour amadouer les égarés. Je ne pouvais que vous le confier.

Elle porta le chiot à sa joue.

— Je suis douée pour... Espèce d'affreux, d'odieux, d'ignoble... Oh, Christian !

Sur ce, le chien se mit à lécher furieusement l'oreille de celui-ci, car Gillian s'était penchée pour l'étreindre. Mercie l'entoura du bras, la serra brièvement contre lui avant de se forcer à s'écarter.

— Si je ne me m'abuse, mesdames, vous êtes contentes de votre cadeau ?

Lucy opina vigoureusement.

— Quel nom vas-tu lui donner, mon ange ?

Sans hésiter, elle pointa le doigt. Christian en suivit la direction.

— Râteau ?

Elle acquiesça.

— Pourquoi pas ? Tu l'appelleras Râteau et moi, Avorton. Celui-ci a été baptisé « le simplet », mais je laisse à la comtesse toute liberté de le renommer... Si nous leur faisions visiter les jardins, à présent ?

Lucy posa son chiot sur le sol, mais Gillian garda le sien dans les bras jusqu'à ce qu'ils atteignent les jardins. Christian avançait d'un pas tranquille, savourant le bonheur d'avoir Gillian à ses côtés, promettant silencieusement au chiot de longues heures devant l'âtre s'il continuait à lui inspirer une humeur aussi sentimentale.

En captivité, Christian n'avait connu ni amitié, ni tendresse, ni bonté. Si on le forçait à accepter un bain, le service était rendu dans l'irrespect le plus total. Si un médecin le soignait, c'était dans la hâte, voire la brutalité.

Quant aux mains de Girard, elles avaient toujours été furtives et professionnelles – Dieu soit loué.

Lady Greendale avait réveillé en lui un certain appétit, dont il ignorait l'existence, pour les caresses, les attentions tactiles et affectueuses. C'était dans sa nature de se comporter ainsi et elle avait même fait en sorte qu'il croie qu'elle le désirait.

S'il ne pouvait se racheter, il ne pouvait pas non plus se priver de sa présence physique. S'il devait lui offrir des chiens ou des chevaux tout en domptant son propre instinct animal, qu'il en soit ainsi.

Les chiots se révélèrent une ouverture diplomatique efficace. Gilly accepta sans discuter le rameau d'olivier que lui tendait le duc. Elle ignorait quelles étaient les réelles motivations de Christian à l'endroit de sa fille, mais la petite adorait Râteau.

Pas Christian. *Mercie.*

— Nous allons avoir de la visite.

— Votre Grâce, vous m'avez fait peur.

Gilly posa son tambour à broder tandis qu'il prenait place à ses côtés sur un banc perdu au milieu de la roseraie de sa mère. À quelques mètres de là, Lucy jouait à la balle avec les chiots, qui semblaient grandir à vue d'œil.

— J'ignore qui se démène le plus, d'elle ou des bêtes, commenta le duc, mais cette scène est trop silencieuse. Elle devrait pousser des cris de joie, les appeler, leur donner des ordres. Chaque soir, je me couche en me disant qu'elle va bientôt retrouver l'usage de la parole mais, je l'avoue, je commence à perdre la foi.

Oh, mais qu'avait-il besoin de se confier ainsi à elle ! Lever le voile sur son insécurité paternelle le lui rendait plus cher que toutes ses parades ducales sur le domaine en compagnie de Hancock.

— J'ai l'impression, enchaîna-t-il, qu'elle se tait à dessein.

— Dans quel but ?

— Je l'ignore. Que brodez-vous ?

Elle lui montra un châle de soie, taille enfant, aux ourlets décorés de dragons et de licornes. Elle s'était appliquée à donner à ces créatures un aspect joufflu et à ce que chacune arbore un sourire.

— Pour Lucy ?

— Je peux vous en fabriquer un si vous le souhaitez, Votre Grâce.

— Quelle bonne idée ! Sa Grâce habillé en femme. On m'expédierait droit à l'asile de Bedlam.

— Vous êtes la dernière personne à mériter une place là-bas, rétorqua-t-elle d'un ton qu'elle espérait neutre. Qui est votre invité ?

— *Notre* invité, rectifia-t-il.

Elle ne releva pas, c'était là une flèche inoffensive dans leur lutte pour... pour quoi ? En ce qui la concernait, il s'agissait d'un combat sans merci pour éviter de tomber amoureuse d'un homme décidé à la respecter quand elle cherchait à satisfaire sa nature dévergondée.

Nature dévergondée découverte récemment et terriblement frustrée. Greendale devait rire dans sa tombe.

Chaque nuit, elle avait beau supplier Morphée de la prendre dans ses bras, elle se surprenait à rêver de ceux de Christian, de sa peau nue, du goût de ses lèvres sur les siennes, du satin de ses cheveux et du plaisir absolu que lui procuraient ses étreintes.

De son côté, Christian semblait déterminé à tisser entre eux une sorte d'amitié.

S'il se gardait de déployer ses charmes, il n'en était pas moins attentionné, la sollicitant plusieurs fois par jour. La lavande était-elle prête à être moissonnée ? Préférait-elle le fromage de chèvre ou le fromage de vache ? Lucy avait-elle assez de livres ?

Et voilà qu'*ils* allaient recevoir une visite.

— De qui s'agit-il ?

— Du colonel Devlin St. Just. Le fils aîné, bien qu'illégitime, du duc de Moreland. J'ai voyagé avec lui en France.

Avant ou après sa captivité ? Oserait-elle l'interroger ?

Il effleurait le bord de son châle en satin noir, celui qu'elle portait toujours quand elle se promenait dans la propriété, sauf lorsqu'il faisait vraiment très chaud.

— Vous vous réjouissez de le revoir ?

— Vous m'avez appelé Christian.

— Jamais de la vie.

— Si, murmura-t-il, quand vous avez découvert le simplet. Vous avez dit : « Oh, Christian ! »

Elle avait espéré que cela passerait inaperçu.

— Je vous prie d'excuser ma maladresse.

— Ce n'en est pas une. Moi aussi, je vous ai appelée par votre prénom.

« Ma très chère Gillian », avait-il dit et elle avait dû dissimuler son visage dans la fourrure du chiot. Où voulait-il en venir, exactement ? Sur un terrain dangereux, sans nul doute.

— Dans ce cas, monsieur, vous avez dépassé la mesure.

— C'est vous qui m'y avez invité, ma chère, insista-t-il avec un demi-sourire. Parce que vous m'avez rasé et coiffé.

Et embrassé. Sainte mère de Dieu !

— Comment vous débrouillez-vous ? lui demanda-t-elle à contrecœur bien qu'elle se posât sans cesse la question. Vous êtes toujours impeccable.

— Je craignais la proximité du rasoir avec ma gorge, admit-il, se renfrognant tout à coup. Si j'oublie la lame, si je me concentre sur l'objectif et non le geste, je m'en sors. Cela vous paraît-il sensé ?

— Vous prenez du recul, convint-elle, ne comprenant que trop bien ce qu'il voulait dire. Vous vous détachez de vous-même et vous vous regardez en train de vous raser, comme si vous étiez l'homme dans le miroir, pas celui qui tient le rasoir.

— C'est cela.

Il fronça les sourcils. Il paraissait perplexe et elle le soupçonna de l'être à cause d'elle. Elle enchaîna, histoire de le distraire :

— Parlez-moi de ce colonel St. Just.

Le duc poussa un profond soupir.

— Il est à la fois rusé et bon, un soldat qui cache sans doute une âme de poète derrière son charme irlandais et ses fanfaronnades ducales. Nous avons traversé la France ensemble quand j'ai quitté Toulouse. Il est l'aîné de dix enfants, d'où son penchant pour l'autorité.

— Intéressant. La plupart des officiers ne sont-ils pas les fils cadets ?

— Nombre d'entre eux le sont, en effet. Je pense que vous l'apprécierez. La réciproque ne fait pas l'ombre d'un doute.

— Qu'insinuez-vous ?

— Rien, marmonna-t-il en lui tapotant la main. Rien du tout.

Puis il se réfugia dans le silence, les yeux rivés sur sa fille, et Gilly ne put que l'imiter. Il se rappelait ses moindres paroles, mais se refusait à l'embrasser de nouveau. Comment expliquer un tel mystère ?

— Vous avez charmé la comtesse, commenta Christian en tendant un verre de cognac à St. Just.

En civil, le colonel était plus séduisant que jamais, et Christian était étrangement content de le voir.

— C'est elle qui m'a captivé, riposta St. Just, s'arrêtant devant un pistolet arbalète, le plus petit de la collection Severn. Ce petit bijou doit être d'âge vénérable.

Son verre à la main, il examina l'arme. St. Just savait savourer les bonnes choses. Un autre que lui aurait probablement bu son alcool d'un trait.

— Cette pièce a au moins deux cents ans, confirma Christian.

Et elle paraissait toujours aussi dangereuse.

— Lady Greendale a le don de séduire tous ceux qui l'entourent, ajouta-t-il, y compris ma fille.

Mais alors, qu'avait-il manqué à Greendale ?

Christian s'approcha du plateau qu'une certaine comtesse avait pensé à lui faire monter dans l'armurerie et se servit une minuscule dose de cognac.

St. Just se concentra sur un arc, presque aussi grand que les hommes qui l'avaient utilisé.

— Si c'est grâce à la comtesse que vos mains ne tremblent plus, que vous avez pris dix kilos de muscles et que vous n'avez plus le regard d'un homme ayant bu du thé dans l'antichambre de l'enfer, alors, je dois la considérer comme une amie.

— Elle n'y est pas étrangère.

Dix kilos ? Cinq, peut-être. Voire sept.

— Pas du tout, même, reprit Mercie. Elle est douée pour la vie de famille et sait créer une atmosphère réconfortante.

— Mes cinq sœurs s'en chargent pour moi. La duchesse n'est pas ma mère, encore que, pour des raisons que j'ignore, elle m'aime comme son propre fils. Les filles, en revanche... elles me tancent, m'étreignent, me taquinent, veillent sur moi et m'arrachent des confidences au moment où je m'y attends le moins.

— Et vous leur en êtes reconnaissant, devina Christian.

St. Just s'attarda sur un autre arc, celui-ci d'origine galloise et supposément rescapé de la bataille d'Azincourt. Le père de Christian l'avait autorisé à tirer avec une fois, pour son quinzième anniversaire. Il avait été récompensé par un énorme bleu à l'avant-bras.

— Comment ne pas aimer de telles sœurs ? Vous avez vu ce que j'ai vu dans la Péninsule. Les femmes des officiers, les blanchisseuses, les cuisinières. Elles enduraient les mêmes privations que les soldats et s'en plaignaient beaucoup moins.

Les deux hommes se réfugièrent dans le silence. St. Just feignit poliment de savourer sa boisson tandis que Christian se demandait pourquoi des générations de Severn avaient conservé ces armes comme si elles étaient des trésors plutôt que des instruments de mort.

— Cela dit, je redoute de rentrer à la maison, avoua soudain St. Just, peut-être inspiré par l'alcool, l'heure tardive ou l'armure cabossée trônant dans un coin.

— Parce que vous craignez de perdre la raison à force de chercher à garder la guerre en vous et vos proches hors de vous. En campagne, c'était tout le contraire. Vous portiez votre famille dans votre cœur et les combats se déroulaient autour de vous. Être soldat, c'est... difficile, de même qu'être un fils ou un frère.

Ou un père.

Les bénéfices récoltés par la vente de cet amas d'outils de destruction permettraient de nourrir une grande quantité de chiots.

Ou de vétérans.

— Ils ont beau nous enseigner à tirer, dit St. Just, avisant une arbalète de cavalerie, à prendre un soin méticuleux de nos montures, de nos équipements et de nos armes, ils ne nous apprennent pas comment surmonter cette difficulté, le fait d'avoir l'impression de se retrouver à deux dans un seul corps. Sans doute est-ce ce qui motive la plupart des actes héroïques dont nous avons été témoins à maintes reprises sur les champs de bataille.

— Souhaiteriez-vous mourir plutôt que de supporter ces deux hommes dans un seul corps ?

— En tout cas, je ressens une confusion morbide, une incapacité fatale à supporter à la fois la guerre et la paix en moi.

St. Just, lui, n'avait pas de cicatrices visibles, mais à le voir jouer avec une dague à manche d'ivoire, à la fois indifférent à la nature de l'arme et attentif à sa fabrication, Christian éprouva un besoin impératif d'entraîner son hôte ailleurs.

— Soyez heureux, St. Just, de ne pas avoir à ajouter à votre désarroi le fardeau d'une succession ducale.

St. Just posa la dague près des autres sur un coussin de velours bleu.

— En quoi cela serait-il un fardeau ? Les Français eux-mêmes ne peuvent certainement pas gâcher la reprise de ces activités.

Personne n'avait songé à allumer un feu dans la cheminée. On était en été et qui pouvait être assez fou pour musarder ici ?

St. Just leva son verre devant un chandelier comme s'il n'avait jamais rien vu d'aussi fascinant que le reflet d'une flamme à travers un doigt de cognac.

— Qu'êtes-vous en train de dire, Mercie ? Vous n'êtes pas un maudit eunuque.

Eunuque, non ; maudit, probablement.

— Je ne suis pas entier.

À peine ces mots échappés de sa bouche, la gorge de Christian se noua comme pour lui épargner toute possibilité de s'humilier davantage. Le petit pistolet arbalète était dans sa ligne de mire et il dut se retenir pour ne pas s'en emparer et le broyer entre ses mains.

— Vous n'êtes pas...

St. Just arbora une grimace de consternation.

— J'ai vu vos cicatrices, mais hormis...

Quitte ou double... St. Just ne feindrait pas de n'avoir pas bien entendu, pas plus qu'il n'accepterait d'éluder cette révélation. Peut-être Christian l'avait-il su.

— Girard prenait un malin plaisir à me décorer d'incisions, souffla-t-il. Vous aurez noté leur symétrie, devant, derrière et sur les côtés. Je suis fleuri de stigmates roses, tel un bouquet. Au début, cela a bien failli me coûter la raison, le fait de savoir qu'à chacune des visites de son supérieur Girard allait entailler ma chair tout en me murmurant des paroles de compassion...

St. Just lâcha entre ses dents un juron d'une intensité typiquement anglo-saxonne.

— Par la suite, c'est devenu presque un soulagement, une sorte de... consolation. Son couteau était toujours aiguisé et propre, et il me piquait, mais en même temps... je réussissais à endurer ces sévices, ces interminables séances de supplice, en silence. Les coupures n'étaient jamais profondes. Jamais. J'ai vite compris qu'il me les infligeait pour l'esbroufe, et Girard savait que j'en étais conscient.

Les paroles de Christian se perdaient dans le silence de la maison endormie ; du reste, comment un invité était-il censé réagir ?

— J'ai eu connaissance de cas similaires, déclara St. Just posément. L'une des blanchisseuses s'entaillait les chairs.

Christian n'en avait jamais entendu parler, bien que, selon certaines rumeurs, le Régent eût une fâcheuse tendance à s'ouvrir les veines, même après que ses médecins lui eurent assuré qu'il avait déjà assez saigné.

— Une femme ?

— Elle se mutilait les avant-bras, précisa St. Just en repositionnant les dagues pour qu'elles forment non plus un éventail mais un cercle sur le velours bleu. Elle ne cherchait pas à mettre fin à ses jours, et ses camarades affirmaient que c'était une habitude de longue date.

Christian n'avait pas bu une goutte de son alcool, St. Just non plus.

Il est vrai que le cognac était français.

Cependant, Christian voulait aller jusqu'au bout de cette conversation, quitte à ne plus jamais revoir St. Just.

— Girard avait senti que sa barbarie ne m'atteignait plus moralement, mais ce genre d'acte sadique et théâtral impressionne les observateurs. Anduvoir, en particulier, semblait apprécier grandement le spectacle.

— Alors, que Girard et Anduvoir souffrent une mort lente, pénible et sanguinaire.

St. Just fit mine de porter un toast à la fin éventuelle de ces deux Français qui n'étaient en rien un atout pour leur pays.

— Et qu'ils brûlent en enfer, ajouta Christian. Je sais que l'on torture les espions s'ils ne portent pas l'uniforme lors leur capture, mais l'intérêt d'Anduvoir à mon égard dépassait les perversions inhérentes à la guerre, si tant est que de telles choses existent.

— Je vois ce que vous voulez dire.

St. Just n'insisterait pas. Christian ne pouvait compter que sur sa force de caractère pour poursuivre.

— Girard se rendait de temps en temps à Toulouse pour rencontrer ses généraux. La première fois, mes geôliers ont eu l'idée de m'arracher un aveu de trahison et m'ont blessé à la main en son absence. Il était si furieux qu'ils aient enfreint les limites que je n'ai plus rien eu à craindre par la suite lorsqu'il n'était pas là.

— J'en doute, déclara St. Just en le regardant droit dans les yeux.

— Girard est reparti, j'ignore où, et son supérieur immédiat est venu au château. Si Girard était un malade, Anduvoir l'était encore plus. Il était jaloux des prisonniers confiés à Girard, mais incapable, comme Girard, de nous garder en vie tout en détruisant nos âmes. Beaucoup moins doué que Girard avec un couteau, Anduvoir a fait de moi... un Hébreu.

Un silence, puis St. Just prit une brève inspiration.

— Nom de nom ! Il vous a *circoncis* ?

Christian acquiesça, les souvenirs remontant brutalement à la surface, l'odeur de son propre sang, l'abominable sensation de brûlure, l'incertitude...

— Il m'a fallu des jours avant de trouver le courage d'évaluer les dégâts car Anduvoir a continué à m'infliger des sévices par petites doses pendant ce qui m'a paru des heures... La douleur était supportable, ce qui ne l'était pas, en revanche, c'était d'ignorer quand il s'arrêterait, s'il s'arrêterait, et comment je survivrais s'il me castrait. Girard a dû avoir vent de ce qui se passait – la garnison entière craignait Anduvoir –, parce qu'il est revenu, en rage, et est intervenu juste avant qu'Anduvoir parvienne à m'émasculer.

Le pire lui avait été épargné, pourtant Christian s'était interrogé sur ses capacités futures jusqu'à la fin de sa captivité. Girard n'avait rien dit, se contentant de lui envoyer un médecin pour nettoyer la plaie.

Il n'était plus reparti et, comble de l'ironie, Christian avait été soulagé de le savoir là, de l'autre côté des murs suintants d'humidité.

— Quand j'ai été guéri, Girard m'a annoncé que les séances au couteau étaient terminées. Il me l'a promis et, stupidement, cela m'a rassuré car on avait épargné mon visage. Je m'étais inquiété à ce sujet, ce qui, avec le recul, paraît hilarant. Les gardes mentaient, les caporaux mentaient, Anduvoir aussi, mais Girard était, à sa manière diabolique, honnête. Et Dieu seul sait pourquoi je vous raconte tout cela.

St. Just affichait une expression féroce mais dénuée d'effroi et de dégoût.

— Vous me le dites pour qu'une personne au moins sur cette terre sache ce que vous avez subi, pour vous sentir un peu moins seul lors de vos cauchemars nocturnes et éveillés. Je respecte vos confidences.

La main de St. Just se resserra autour de son verre et Christian crut qu'il allait quitter la pièce au pas de charge. Au lieu de quoi, il se répandit en un torrent marmonné de jurons où il était question de commandants français et d'un âne. Puis :

— Je *vous* respecte, Mercie. Vous n'imaginez pas à quel point.

Il avala son cognac d'un trait, jeta un coup d'œil à Christian, puis lança son verre contre le bouclier aux armoiries de la famille Severn accroché tout en haut du mur d'en face.

Un arôme de cognac parfuma l'atmosphère, les restes du liquide dégoulinant sur le sol rappelant à Christian les filets de sang ruisselant le long de ses jambes.

— Je vais vendre tout ceci, annonça-t-il en offrant son propre verre à St. Just. Jusqu'au dernier couteau, au dernier arc, à la dernière arbalète. Je n'en veux plus chez moi.

— Bien, approuva St. Just.

Il opina une fois en direction de Christian et propulsa le verre de ce dernier avec une telle force que l'armure cabossée s'effondra avec fracas.

12

— Je regrette que vous ne puissiez rester plus long-temps, dit Gilly.

Elle déambulait dans la roseraie en compagnie de St. Just tandis que Christian – *Sa Grâce* – et Lucy jouaient un peu plus loin avec les chiots.

— Si ma famille apprenait que je m'attarde dans le Surrey, elle ne comprendrait pas. Pourtant, j'aurais volontiers prolongé mon séjour tant votre accueil est agréable.

— De même que deux chiots sont plus actifs qu'un seul, avoir un compagnon avec qui discuter a revigoré le duc. Hier soir, j'ai cru qu'il ne cesserait jamais de vous harceler à propos de votre haras.

— Vu l'étendue de ses terres, il a raison de rassembler autant de renseignements et de soutien que possible.

St. Just avait insisté sur le mot « soutien », confirmant l'intuition de Gilly : cet homme ne manquait pas de subtilité.

— En quoi le duc de Mercie aurait-il besoin de soutien ?

Gilly marqua une pause pour cueillir une rose de Damas. Se piquant le doigt, elle se rappela que ses épines étaient aussi redoutables que son parfum était exquis.

— Permettez-moi.

St. Just sortit un couteau de poche, le déplia avec une aisance surprenante et lui coupa une demi-douzaine de fleurs avant de les envelopper dans un mouchoir de soie blanche brodé de son monogramme.

— Vous savez qu'il a besoin de soutien.

St. Just était un bel homme, à la carrure imposante et aux yeux verts pétillants que nombre de débutantes lui auraient enviés. Il était en outre doté d'un esprit particulièrement affûté. Gilly accepta le bouquet avec plaisir.

— Mercie va beaucoup mieux, assura-t-elle. Il a repris des forces, du poids, ses activités, il est...

— Seul, acheva St. Just. Mercie est un soldat revenu de la guerre, il souffre de son isolement et se demande s'il a enduré tant de supplices dans le but de se retrouver à équilibrer ses comptes, recenser ses moutons et boire du thé avec le pasteur. Je pense, comtesse, que vous aussi êtes seule.

Ces paroles étaient porteuses d'uns suggestion tacite, et Gilly ne regretta soudain plus qu'il parte. Oui, il avait distrait Christian de ses préoccupations, mais au prix de commentaires d'une sagacité lapidaire.

— Et Lucy ? riposta-t-elle d'un ton frisant l'impertinence. Se sent-elle seule, elle aussi ?

— J'ai cinq sœurs plus jeunes, je vous répondrai donc que oui, mais ni plus ni moins que vous, Mercie et ces petits chiens. Acceptez mes remerciements pour votre généreuse hospitalité, milady. Je souhaite sincèrement que la solitude cesse bientôt de vous peser, vous le méritez.

Il s'inclina sur sa main et s'éloigna, appelant Lucy pour lui réclamer une accolade. Il la souleva dans ses bras, lui chuchota quelques mots à l'oreille, fut récompensé d'un sourire à fossettes faussement effarouché.

Son statut d'aîné de dix enfants avait bel et bien préparé St. Just à l'art du commandement.

Comme il reposait la fillette à terre, un palefrenier s'approcha avec son cheval, un énorme hongre rouan à la tête rustique et aux yeux doux. St. Just et Christian firent quelques pas ensemble, bavardant à voix basse, tandis que Gilly s'efforçait d'empêcher les chiots de renifler les sabots du cheval.

Les hommes revinrent d'un pas tranquille, St. Just enfilant ses gants. Christian expédia les chiots en direction de la rotonde au milieu du parc. St. Just vérifia sa selle et sa bride, étreignit son hôte, le gratifia de deux tapes vigoureuses dans le dos.

D'abord perplexe, puis… embarrassé, Christian lui rendit la pareille, et St. Just le relâcha.

— Vous savez, Mercie, lança-t-il en enfourchant sa monture, le monde abonde d'enfants hébreux et ce, depuis des millénaires.

Ce commentaire étrange fit sourire le duc.

— Filez dans le Kent où vos sœurs pourront vous flanquer la fessée pour vous punir de votre insolence. Si vous retournez en France en passant par Portsmouth, n'hésitez pas à nous rendre visite et, je vous en prie, colonel, guettez mes lettres.

— Je resterai en contact, je vous le promets. Tâchez d'en faire autant.

Tandis que St. Just éperonnait sa monture, Christian glissa son bras sous celui de Gilly. Elle le laissa faire car se séparer d'un ami était toujours difficile.

— Nous sommes en paix, lui rappela-t-elle. Vous le reverrez bientôt.

— Vous devez avoir raison, murmura-t-il, son sourire s'estompant.

— Que signifiait ce commentaire à propos d'enfants hébreux ?

Le sourire reparut, aussi radieux que le soleil d'été.

— La vérité. Rien que la vérité, pure et simple.

La visite de St. Just avait été fructueuse, selon Christian.

Pour commencer, il prit conscience que sa perception intime de sa captivité évoluait. Jusque-là, il avait considéré la mutilation d'Anduvoir comme une ignominie à supporter en secret – la preuve de sa capture, d'un échec –, raison pour laquelle il refusait que quiconque voie ses cicatrices.

En France, St. Just s'était contenté de nettoyer ses armes et d'offrir sa protection à un camarade sans jamais le juger ou manifester le moindre dégoût.

En Angleterre... St. Just avait ouvertement montré sa répulsion à l'endroit des Français.

Les véritables coupables.

Quand il avait fracassé les verres en cristal dans l'armurerie, Christian avait à peine étouffé un cri approbateur. Cet accès de violence avait achevé de le convaincre du bien-fondé de son désespoir et ravivé son désir de vengeance.

Il n'aurait jamais dû en douter, mais le captif accepte d'être capturé après tout – et, inévitablement, le doute s'empare de lui en même temps que vacille sa confiance en lui.

Entre ces changements et ces prises de conscience pointa l'espoir – sentiment auquel Christian était devenu sourd et aveugle durant sa détention – que la comtesse ne lui ait pas été momentanément accessible uniquement à cause de son chagrin et de certains manques physiques.

Elle avait vu ses cicatrices, elle lui avait dit sans ambages qu'elle le trouvait attirant et s'était comportée comme une femme sensible aux avances d'un homme. Il pouvait en tirer parti. Encourager son intérêt exigerait du temps, de la volonté et plus de charme qu'il n'en avait jamais déployé, mais il pouvait en tirer parti.

La première occasion se présenta quelques jours après le départ de St. Just, des jours pluvieux ponctués de conversations banales avec la comtesse au petit déjeuner et au dîner, de rencontres insignifiantes dans la nursery et de longues soirées passées à l'attendre dans la bibliothèque – en vain.

Quand le soleil reparut enfin, Christian aborda sa proie alors qu'elle émergeait sur le perron à l'arrière de la demeure, une feuille à la main.

— Puis-je espérer que vous venez me consulter pour les menus ? s'enquit-il. Nous sommes lundi, et la dernière fois que nous avons eu cette discussion remonte à une semaine si je ne m'abuse.

Elle paraissait… guindée, tirée à quatre épingles et mécontente, mais l'obliger à partager avec lui les décisions concernant la maisonnée faisait partie de la stratégie de Christian.

— Il serait plus simple que je vous les laisse…

Il s'empara de la feuille.

— Pas question. Je refuse de vous pourchasser à travers le domaine pour vous suggérer de remplacer les haricots verts de mercredi par des carottes braisées. Venez.

Il la tira par le poignet – quel bonheur c'était de la toucher – et l'entraîna jusqu'à la bibliothèque.

— Vos faveurs vont aux légumes du jardin, constata-t-il en parcourant ses suggestions.

— Nous sommes en été, par conséquent, oui, d'autant que tout ce que prépare la cuisinière est aussi servi à la nursery.

— Je l'ignorais. Je croyais que les enfants ne mangeaient que des aliments fades tels que du pain, du pudding, de la soupe et encore du pudding.

— Ce sont des pratiques d'un autre temps, Mercie.

Elle déambula à travers la pièce, fit tourner le globe terrestre, feuilleta l'atlas, sélectionna un livre, le remit en place.

— Vous avez étudié l'art d'éduquer les enfants ? voulut-il savoir.

Helene ne s'y était jamais intéressée.

— C'est un sujet de plus en plus populaire chez des gens plus expérimentés et plus cultivés que moi.

Elle s'arrêta devant la fenêtre entrouverte, huma le parfum des roses juste en dessous.

— Vous êtes bien agitée, ma chère. Je vous propose de faire l'école buissonnière cet après-midi et de nous offrir une balade à cheval.

Au regard qu'elle lui jeta, il devina que l'invitation la tentait.

— Vous en avez envie, j'en ai envie, les chevaux aussi. Enfilez votre habit, je vous rejoins aux écuries.

— Lucy sera jalouse si elle nous voit.

— Lucy est une petite fille qui doit purger sa peine en salle de classe. Du reste, elle a requis votre attention exclusive une bonne partie de la matinée pendant que je me morfondais tout seul sur mes livres de comptes.

Oui, il se tenait au courant de son emploi du temps grâce à ses observations, mais aussi à celles des bonnes, des valets, et avait la nette impression que ces derniers l'y encourageaient. Comme la comtesse pinçait les lèvres d'un air entêté, il la prit par les épaules et la fit pivoter face à la porte.

— Allez, zou ! fit-il. La journée est magnifique et vous méritez une escapade.

Elle s'éclipsa, non sans lui avoir adressé un coup d'œil intrigué.

Qu'elle soit intriguée était une bonne chose. C'était un début.

Une trentaine de minutes plus tard, alors qu'ils trottaient côte à côte, Christian conclut qu'à une époque de sa vie Gillian avait été une cavalière émérite. Elle guidait sa jument avec subtilité et son assiette était irréprochable.

— Voulez-vous effectuer quelques sauts ou préférez-vous rester sur le plat aujourd'hui ?

Gillian tapota l'encolure de sa monture.

204

— Soyons fous, décida-t-elle. D'ordinaire, nous nous promenons avec Lucy, qui a une prédilection pour l'allure d'escargot, sauf si elle monte avec vous.

— J'étais dans les bras de mon père quand j'ai franchi pour la première fois un tronc d'arbre abattu. C'était merveilleux. Je me sentais en sécurité, mais j'ai eu l'impression de décoller. À mes yeux, nous survolions les haies de Newmarket alors que l'obstacle ne devait pas mesurer plus d'une cinquantaine de centimètres.

— Vous gardez de bons souvenirs de votre enfance ?

— Excellents, pour la plupart. Et vous ?

Il fit ralentir Chesterton, qui se fatiguait désormais plus vite que lui.

C'était un excellent cheval.

Et une belle journée.

— Ni bons ni mauvais. Ma mère ne manquait pas de fantaisie, mais papa était très austère. Il a décidé de mon mariage avec Greendale, ce qui en dit long.

— Cela vous a valu le titre de comtesse de Greendale. D'aucuns considéreraient une telle union comme un succès.

Ce n'était pas le cas de Christian, même dix ans auparavant.

Gillian fut incapable de masquer son courroux.

— Cela m'a valu des années de calvaire dans la demeure d'un vieillard méchant. Hormis avec ses amis de la Chambre des lords, il n'avait rien à offrir, ni joie ni passion. Mon père m'a condamnée aux ténèbres. Quand je me suis précipitée dans les bras de ma mère, en larmes, six semaines après les noces, papa ne m'a accordé qu'une tasse de thé avant de me faire remonter dans ma voiture, les bagages encore dans le coffre.

Sa voix était empreinte d'amertume et Christian regretta d'avoir abordé le sujet.

— Quand viendra le moment de vous remarier, vous aurez tout loisir de choisir un époux plus jeune et plus joyeux.

— Pourquoi me soumettrais-je à un nouveau geô-lier ? rétorqua-t-elle. J'ai mon petit héritage, un toit sous lequel m'abriter pour l'instant et ma liberté. Vous n'imaginez pas à quel point elle m'est précieuse.

Un toit sous lequel s'abriter « pour l'instant » ? Il « n'imaginait pas » à quel point sa liberté lui était précieuse ?

Christian immobilisa son cheval, croisa les poignets sur le pommeau et la dévisagea.

— Pardonnez-moi, souffla-t-elle en tripotant ses rênes. Vous savez ce que c'est que d'être privé de liberté, je ne voulais pas dire que vous... mais c'était la guerre alors que le mariage est un sacrement et... oh flûte ! Je me suis très mal exprimée.

— Aucune importance. Tous les hommes ne sont pas comme votre défunt mari.

Ils poursuivirent leur promenade. Un changement de sujet s'imposait, mais c'était au tour de Gillian d'en prendre l'initiative.

— Vous retrouvez votre passion, déclara-t-elle subitement.

Il sursauta.

— Vous n'êtes pas là simplement pour vous rétablir ou pour jauger l'état de votre domaine. Vous êtes là parce que vous vouliez enfourcher ce cheval.

— En quoi est-ce une passion ?

— Vous étiez féru d'équitation avant de rejoindre l'armée. D'après Helene, vous étiez naturellement destiné à la cavalerie bien qu'elle vous en ait voulu d'avoir acheté vos couleurs.

— Elle ne m'en a rien dit.

Pourtant, elle n'était pas femme à garder ses opinions pour elle.

Contrairement à lady Greendale. Pire, la comtesse montait en amazone. Chesterton se trouvait à la droite de Damsel si bien que Christian ne la voyait que de profil.

— Helene voulait que vous renonciez à votre engagement, mais elle savait que vous refuseriez d'obtempérer si elle vous le demandait.

— Vraiment ? murmura-t-il, dubitatif.

Et si elle le lui avait demandé ? Serait-il rentré à la maison, aurait-il tenté de repartir à zéro, ravalé sa fierté ? Seraient-ils devenus de véritables amis, auraient-ils réussi à établir une sorte de trêve significative ? L'idée que cela ait été possible le rassurait. Peut-être auraient-ils tous deux mûri et seraient-ils parvenus à former une famille unie.

Sauf qu'aujourd'hui Helene n'était plus là. Et Evan non plus.

— Dois-je vous présenter mes excuses, une fois de plus ? s'enquit-elle. Mon intention n'était pas de vous inspirer tant de mélancolie.

— Je ne suis pas mélancolique, je suis songeur.

Elle opina, acceptant son absolution. Puis afficha soudain un sourire malicieux.

— On fait la course jusqu'au pont ?

Consentir à un tel défi était-il digne d'un gentleman ? Avant que Christian puisse en décider, Damsel bondit en avant. Considérant de son devoir de rattraper sa compagne, Chesterton s'élança à ses trousses. Il rejoignit bientôt la jument et Christian surprit la comtesse à sourire, penchée en avant pour encourager sa monture.

Sourire qui s'effaça brusquement.

— Christian !

Par-dessus le martèlement des sabots, Christian perçut une note de terreur dans le cri de Gillian. Sa selle avait glissé d'un cheveu vers la gauche et il vit la sangle avant battre le flanc de la jument.

Il se pencha et il enroula un bras autour de la taille de Gilly et l'arracha à sa selle à l'instant précis où celle-ci basculait sous le ventre de l'animal. Gênée, affolée, Damsel s'enfuit au grand galop.

— Vous ne craignez rien, je vous tiens, la rassura-t-il en arrêtant sa monture. Doux Jésus, Gilly !

Il lâcha les rênes et resserra son étreinte.

— Morbleu ! s'exclama-t-il. Vous auriez pu y rester...

Elle se laissa aller contre lui, s'accrochant à son cou.

— Ce n'est pas le cas. Je vais bien, je suis simplement...

Un frisson la secoua et elle laissa échapper un profond soupir.

— Je peux marcher, murmura-t-elle après un instant.

— Ne dites pas de bêtises.

Il glissa à terre.

— Votre jument s'est arrêtée près du pont. Attendez-moi ici, je vais la chercher.

Ils regagnèrent les écuries, Christian montant Damsel à cru. Les palefreniers iraient récupérer la selle plus tard. Gillian, elle, était perchée sur Chesterton, mal à l'aise. En l'aidant à descendre, Christian marqua une pause, l'enveloppant de ses bras, cette fois au vu et au su de tous.

— Christian ? souffla-t-elle d'une voix hésitante. Votre Grâce ?

— Chut ! Vous avez eu très peur. Je vous rassure.

— Absolument, murmura-t-elle avec une pointe d'humour, suggérant que la méthode était efficace.

— Un petit verre s'impose.

Loin de s'écarter, il la fit tourner sous son bras et la poussa en direction de la maison.

— Pour mes nerfs ?

Si ses cheveux étaient légèrement décoiffés, elle paraissait parfaitement calme.

— Bon sang, oui, pour vos nerfs.

— Voilà ce que j'entends quand je vous dis que vous retrouvez votre passion.

— Je vous demande pardon ?

Elle revenait là-dessus alors qu'une demi-heure auparavant, quand cette fichue selle...

— Lorsque nous nous sommes rencontrés à Londres, au début de l'été, vous n'auriez pas juré devant moi. Vous vous contrôliez trop.

Il ne voyait pas où elle voulait en venir.

— Ce n'est pas contre vous que je m'énervais, mais contre la situation.

— Toujours est-il que vous vous seriez retenu. Pourrions-nous adopter un rythme plus bienséant, Votre Grâce ? Je m'essouffle.

Il ralentit. Il ne s'était pas rendu compte qu'il avait accéléré l'allure.

— Vous considérez mon langage coloré comme une évolution positive ?

— Oui. Peut-être est-ce parce que vous êtes reposé et bien nourri. Ou bien, il s'agit d'améliorations plus subtiles. Quoi qu'il en soit, vous marchez à plus grands pas.

Ils avaient atteint la terrasse à l'arrière de la maison et quand elle tenta de se libérer, il la laissa s'éloigner un peu.

— Je veux tuer Girard, dit-il, ignorant d'où venaient ces mots. Je pourrais montrer de la passion pour ce projet, la perspective d'étrangler cet homme de mes propres mains. Lentement. Avec ardeur.

L'expression de Gillian ne changea pas, sinon qu'elle haussa légèrement les sourcils.

— Il est tout à fait concevable que vous entreteniez de telles pensées.

Il se rapprocha d'elle, drapa un bras sur ses épaules.

— La nuit, je reste éveillé pendant des heures, mais loin de revivre ces mois de torture, je ne songe qu'à mettre Girard à la place où j'étais et à le regarder, impassible, pendant qu'on le martyrise comme on m'a martyrisé. Quant à Anduvoir, je devrais avoir honte de ce que je rêve de lui infliger. Mais ce n'est pas un sujet pour une lady, encore moins une lady qui a failli se blesser gravement sous ma responsabilité. J'aimerais avoir votre opinion sur les roses.

Elle se dégagea de son étreinte et s'arrêta net.

— Peu importent les roses. Selon toute probabilité, j'aurais souffert tout au plus de quelques hématomes. J'ai eu mon lot de chutes de cheval et j'ai tendance à guérir rapidement. Vous vous apprêtiez à me servir un cognac.

Le saisissant par le poignet, elle le guida vers l'une des portes-fenêtres de la bibliothèque.

— Seigneur, oui, un verre !

Elle le tirait à sa suite, les mains dégantées, elle l'avait appelé par son prénom, elle n'avait pas cillé quand il lui avait avoué sa plus récente et sanguinaire version d'une berceuse.

Bien sûr qu'il avait besoin d'un verre, de plusieurs, même.

Sa Grâce avala un doigt de cognac d'un trait. Gilly, au contraire, sirota le sien, savourant la brûlure dans sa gorge. Pourquoi, alors qu'un flot de chaleur fusait dans ses veines, s'imbibait-elle d'alcool ?

Sa Grâce recouvrait son aplomb et pas seulement à propos de l'incident de la selle.

Gilly, elle, perdait le sien.

— Si vous le buvez d'un coup, les bénéfices surviennent plus vite, bien que la sensation du verre dans la main puisse être aussi très réconfortante, fit-il remarquer.

Sa voix était plus forte, son pas, plus alerte. À l'occasion du départ de St. Just, Sa Grâce avait souri. D'ici la fin de la semaine, sinon de la journée, il serait moins l'homme qui avait survécu à la captivité et à la torture, et davantage l'homme...

L'homme qu'Helene avait qualifié d'« odieusement viril ».

Oh, Helene !

On frappa à la porte. Gilly fut ravie d'échapper au regard scrutateur du duc, encore qu'elle ne s'attendît pas que ce soit le valet, déjà de retour avec sa selle.

Mercie la lui prit des mains et le congédia avant de la poser sur une table de lecture.

— Quel âge a cette selle, milady ?

— Moins de dix ans. Je l'avais apportéc avec moi lors de mon mariage et je l'ai remportée quand j'ai quitté Greendale Hall.

— Lucy s'en sert-elle ?

— Non, Votre Grâce. Les selles amazone sont confectionnées sur mesure. La fourche ne serait pas placée correctement pour Lucy.

Il la gratifia d'un coup d'œil lourd de sous-entendus, à savoir que lui, un officier décoré de la cavalerie, mettait en doute cette information sous le seul prétexte qu'il ne s'en était pas rendu compte auparavant.

Odieusement viril.

Il examina la sangle et invita Gillian à le rejoindre d'un geste.

— Venez ici.

— Vous pourriez au moins accompagner vos ordres d'une question, rétorqua-t-elle.

Toutefois, elle obtempéra.

— Regardez.

Il indiqua les contre-sanglons.

— Les coutures, ici et là, sont en parfait état mais la lanière s'est déchirée ici – à moins qu'elle n'ait été sectionnée.

— Sectionnée ?

— Le cuir n'est pas usé, on n'y relève aucune usure inhabituelle. Croyez-moi, milady, la veille d'une bataille, un cavalier inspecte son matériel de fond en comble et remédie aux moindres défauts. Votre selle a été sabotée.

Un étrange sentiment submergea la jeune femme, une espèce particulière de choc, qui la surprit et lui serra l'estomac. Elle avait ressenti la même chose lors de sa nuit de noces, un condensé de désarroi et d'un zeste de panique.

— Je n'en crois rien, riposta-t-elle.

— Qui connaissait votre destination quand vous avez quitté Londres ?

— Vous insinuez que quelqu'un aurait pu desserrer la roue de la berline ?

Elle avala une gorgée de cognac, s'étrangla, posa précipitamment le verre. Le duc s'empressa de lui tapoter le dos.

— Il vous faut de l'eau, décréta-t-il en la guidant vers la crédence.

— Je vais très bien, protesta Gilly, qui traîna les pieds par principe. Cessez de me haler partout comme une cargaison. Personne n'a touché à cette roue et ma sangle a... Elle s'est cassée, voilà tout.

— Vous essayez de vous montrer brave.

Gilly l'aurait volontiers frappé, mais il lui tendait un verre d'eau. Elle s'obligea à reprendre son souffle, exhala lentement de crainte de s'emparer dudit verre et de lui en jeter le contenu à la figure.

Cependant, il paraissait terriblement inquiet, et elle dut admettre qu'il avait raison : elle s'efforçait de se montrer brave. De lutter contre l'évidence, persuadée que le temps des combats futiles était derrière elle.

— Allez, quelques gouttes seulement, insista-t-il, comme s'il s'attendait qu'elle lui obéisse alors qu'elle ne toussait plus.

Elle s'exécuta, posa le verre, s'avança de deux pas vers le duc, se hissa sur la pointe des pieds et l'embrassa.

Ce geste n'était pas le résultat d'un processus mental engendrant une décision, son esprit en fut donc déconcerté ; son corps, en revanche... Oh, son corps !... En présence de Christian Severn, un baiser était la réaction logique, quelles que soient les circonstances, et encore plus dans une situation suscitant le trouble et l'effroi.

C'était pour elle une façon de le gifler, de commettre un écart de conduite abrupt et cinglant. Une manière de déstabiliser un homme qui menaçait de prendre les rênes sans son consentement.

Mais les bras de Christian l'entourèrent avec précaution, et il traça de la langue le contour de ses lèvres en émettant une sorte de soupir. Grisée malgré elle, elle se pressa contre lui, savourant la chaleur de leurs corps réunis.

— Embrassez-moi, chuchota-t-il.

Sa bouche, quand il l'entrouvrit, avait un goût de cognac. Comme il entreprenait d'explorer celle de Gillian, elle eut l'impression de se démanteler de l'intérieur, tel un château de cartes balayé par une bourrasque de vent. Si elle ne s'était pas cramponnée à son cou, ses genoux se seraient dérobés sous elle.

Et soudain il la souleva dans ses bras et la transporta jusqu'au canapé où il l'allongea délicatement, la tête bien calée sur un coussin de brocart.

Il s'assit au bord du divan, à la hauteur de sa hanche, et se pencha sur elle. Cette position lui convenait nettement mieux, elle n'avait plus à se concentrer pour rester debout. Elle pouvait se consacrer entièrement à lui, l'attirer à elle, lui détacher les cheveux et plaquer ses lèvres sur les siennes.

— Gilly, nous devons nous arrêter.

Elle cligna des yeux.

— Pourquoi ?

— La porte n'est pas verrouillée.

Au moins, c'était clair. Gilly envisagea de s'asseoir, mais elle ne tenait pas à précipiter une conversation malaisée, encore moins à mettre un terme à cet instant magique. Humant sa lotion après-rasage au citron et au vétiver, elle plongea les doigts dans sa chevelure soyeuse, le cœur battant une chamade effrénée.

Il l'abandonna un instant pour aller fermer la porte à clé, revint s'asseoir auprès d'elle.

— C'est vous qui avez commencé, milady.

Était-il obligé d'arborer cet air satisfait ?

— Je ne le nie pas, convint-elle.

Elle avait les joues en feu. Pourvu qu'il mette cela sur le compte du cognac – pas du baiser. D'ailleurs, elle ne rougissait pas. Jamais de la vie.

— Vous tergiversiez, ajouta-t-elle.

— Je tergiverserai plus souvent.

— Je vous demande pardon.

— C'est inutile.

Elle crut déceler une lueur amusée dans son regard, mais il refusa de sourire.

— Pouvez-vous au moins m'expliquer… ?

— Je voulais que vous cessiez de tergiverser, coupa-t-elle.

— Une stratégie intéressante. A-t-elle fonctionné ?

— Eh bien… non. Vous voilà de retour.

— Laissez-moi vous proposer une hypothèse pour expliquer vos impulsions.

Du bout de l'index, il suivit la ligne de ses sourcils, avec une douceur qui émut Gillian.

— Je vous plais.

— Vous me plai… ?

Elle souffla comme pour chasser la main de Christian de son front. Il réitéra sa caresse.

— Sornettes ! se défendit-elle.

Il lui plaisait comme une paire de chaussures, un chapeau, une boîte de chocolats pouvaient plaire à une femme. Elle l'appréciait comme elle appréciait le soleil, l'eau, l'air et…

Elle s'égarait.

— Je vous plais, insista-t-il, et vous étiez boule-versée par notre conversation et les événements de la journée. Alors vous avez cherché refuge dans mes bras.

— Ce ne sont pas vos bras que j'ai embrassés, marmonna-t-elle.

Elle se redressa avec peine en position assise, le dos calé contre l'accoudoir. Elle était consternée. Il était beaucoup trop calme étant donné la teneur de ses propos.

Et l'idée qu'il ait pu mettre un doigt ducal sur une petite vérité...

Oh, flûte ! Une *vraie* vérité.

— Il ne s'agit pas du tout de cela, argua-t-elle en repoussant une boucle qui s'obstinait à lui tomber sur le front. Vous êtes plutôt beau et en état de faiblesse. Je suis veuve. Les veuves ont droit à des remarques insolites. Ne vous sentez surtout pas obligé de vous lancer dans d'interminables discours sur l'honneur et les relations médiocres.

Il lui adressa un sourire d'une douceur infinie. Il n'était pas dupe. Il se rapprocha, la prit dans ses bras.

— Calmez-vous, Gilly. Vous me plaisez aussi.

Gilly. Dieu qu'elle aimait l'entendre l'appeler par son diminutif, une caresse verbale que Greendale avait jugée plébéienne et vulgaire.

Elle lui plaisait. Elle succomba au plaisir de savourer cet aveu, de même qu'elle se plongeait avec délectation dans un bain chaud avant de procéder à ses ablutions.

— Vous apprêtez-vous à m'asséner un sermon sur le thème « vous me détesterez pour vous avoir compromise » et autres bêtises de ce genre ?

— Non.

Il s'écarta de quelques centimètres pour la dévisager.

— Je le devrais mais, depuis peu, mes perspectives concernant certains sujets ont évolué, à moins que ce ne soit moi. Du reste, quelques baisers innocents n'ont jamais compromis une lady.

Innocents, leurs baisers ?

— Je sais être discrète, souffla-t-elle. Et je suis sensible à mon devoir envers Lucy.

Il fronça les sourcils comme si ces paroles cachaient un sous-entendu alors qu'il n'en était rien.

— Je ne suis pas sûr d'être capable d'être discret, admit-il, l'air renfrogné. Pas en ce qui vous concerne.

Et si vous cherchez à me faire oublier que quelqu'un a tenté à deux reprises de vous causer du mal, il vous faudra déployer bien davantage que vos charmes considérables, milady.

— Je vous plais.

Elle n'en revenait pas de l'avoir dit à voix haute, mais cela lui valut un autre sourire.

— Vous me plaisez, ma chère, confirma-t-il. Et de préférence, vivante et en pleine forme. Vous me feriez plaisir d'accepter que je prenne certaines mesures afin d'assurer votre sécurité.

— Je ne retournerai pas à Greendale Hall.

Plus les jours passaient, plus sa détermination grandissait.

— Je n'en conserve que de mauvais souvenirs et je ne voudrais pas gêner Easterbrook – Marcus – qui s'efforce de reprendre la maisonnée en main.

— Non, vous n'y retournerez pas. Vous resterez ici, où je peux vous protéger de tout sauf de moi-même.

Voilà qui la réjouissait alors qu'elle n'aurait pas dû. Une femme plus prudente – une veuve plus prudente – aurait été horrifiée, elle l'aurait sermonné, lui reprochant de dramatiser des incidents mineurs. Elle n'en fit rien.

Elle s'abandonna à son étreinte, sans mot dire.

13

La torture suppose une intimité semblable à celle d'un mariage malheureux. Seuls le tortionnaire et sa victime connaissent le cours exact, abominable, des souffrances endurées. Ces deux-là s'adonnent au sombre duo de la douleur et de la manipulation, à l'exclusion de tout spectateur ou témoin.

Toutefois, pour être honnête, Girard avait fini par éliminer de sa panoplie les brutalités physiques pour arracher des informations à Christian. Avec une précision quasi scientifique, il avait tenté d'amadouer son prisonnier en alternant sévices et récompenses, insultes et compliments, se présentant tour à tour comme le dieu des ténèbres et de la lumière.

Plus que tout, Christian avait craint de s'éprendre de son bourreau. Par un étrange processus connu seulement des prisonniers, c'était possible, voire inévitable. Les liens formés au-dehors s'effacent pour devenir des souvenirs improbables. Ne reste plus que cette relation fondée sur les privations et les tourments, compensés par une insidieuse apparence de pitié et de générosité.

Dans son effort surhumain pour conserver sa santé mentale, le captif perd tout contact avec un univers créé par un Dieu juste et aimant, où les questions engendrent des réponses rationnelles, où la fin doit justifier les moyens. Il survit, privé de toute lumière, de toute raison à l'exception de ce qui permet à son corps mutilé de continuer à respirer.

Girard lui avait offert des femmes de temps en temps, et Christian avait été soulagé de constater qu'il ne ressentait rien. Ni à l'endroit des souillons recrutées dans le campement de l'armée française, ni à celui des filles de laiterie aux joues roses et rebondies, et encore moins – Dieu merci – à celui des rares femmes capturées et jetées dans le donjon pour partager son triste sort.

Au début, il s'était souvent réveillé en proie à une érection matinale. Au fil des jours, même ces réflexes s'étaient atténués, et l'indifférence à tout, y compris les fonctions sexuelles, était devenue une nécessité.

Puis était venue la circoncision, terme employé à juste titre par St. Just, acte que Christian considérait comme une mutilation intime.

Tandis qu'Anduvoir maniait son couteau, il avait eu l'impression qu'il l'amputait de son âme, et pourtant, curieusement, il en était ressorti plus fort. Après cela, il s'était complètement détaché de sa propre personne, il n'avait plus du tout eu envie de parler, de hurler, de se rebeller. L'absence de tout désir hormis celui de survivre lui avait permis de tenir.

Dans ses bras, la comtesse s'agita et poussa un petit soupir signalant qu'elle s'assoupissait.

Il ne chercha pas à l'en empêcher.

Multiplier les siestes était un moyen de surmonter les nuits trop agitées, et à cet instant précis, il éprouvait le besoin de la serrer contre lui. Jusqu'à récemment, il s'était convaincu qu'il ne pourrait être un bon mari pour elle. Si ses cicatrices ne semblaient pas effrayer la jeune femme, restait le problème de ses propres instincts qui demeuraient enfouis.

Jusqu'à récemment.

Le déclic s'était produit quand St. Just lui avait fait remarquer que des milliers d'enfants hébreux avaient vécu au fil des siècles.

Il avait raison. Circoncision ne rimait pas forcément avec impuissance.

Et ce dernier baiser lui avait prouvé de manière indéniable que son cœur n'était pas la seule partie de son corps à reprendre goût à la vie.

Gillian souleva les paupières, savourant la sensation exquise de se trouver dans les bras d'un homme. Christian l'avait installée sur ses genoux alors qu'elle sommeillait, il l'entourait de ses bras, le menton appuyé sur sa tempe.

— La Belle au bois dormant se réveille.

Le ton était à la fois perplexe et taquin, les mots troublants. Une femme plus prudente – une veuve plus prudente – se serait levée précipitamment.

Au lieu de quoi, elle se blottit davantage contre lui.

— Je dois avoir l'air d'un épouvantail.

Les paroles les plus stupides jamais dites par une femme, bien qu'en général elle les prononçât en tapotant une coiffure impeccable. Soufflant sur une boucle égarée sur sa joue, elle s'efforça de se ressaisir.

— Vous êtes ravissante, quoique un tantinet ébouriffée. Nous devons parler, je vous conseille donc de vous installer confortablement.

— Bien, Votre Grâce, répondit-elle de ce ton railleur qui ne manquait jamais de faire enrager Greendale.

Non. Elle ne penserait pas à lui.

Paupières closes, elle se pelotonna contre Christian.

— Continuerez-vous à m'affubler de mon titre quand je serai en vous, Gilly ? M'appellerez-vous Mercie quand la passion l'emportera sur la raison et que vous crierez de plaisir ?

Elle ouvrit les yeux, et ce qu'elle lut dans le regard de Christian l'incita à se lever vivement. Il ne plaisantait pas ; il était sincèrement curieux de connaître la réponse à ces questions.

Elle récupéra son verre d'eau, soulagée qu'il n'ait pas essayé de la retenir. Une lueur vacillait dans ses yeux bleus, et il semblait la contempler comme une proie particulièrement savoureuse – et condamnée. Elle but, reposa son verre et s'assit sur le bord de la cheminée, tandis que le duc continuait de se prélasser sur le canapé.

Depuis quand était-il devenu un spécimen aussi tonique et musclé ? Comment pouvait-elle affronter son regard après l'avoir attaqué non pas une, mais deux fois ?

— Vous conviendrez avec moi que deux incidents en vingt-quatre heures constituent pour le moins une coïncidence préoccupante, observa Christian.

Il s'empara du verre qu'elle avait abandonné sur le guéridon et en avala une gorgée en la fixant par-dessus le rebord, buvant à l'endroit même où elle venait de poser les lèvres. Ce que ce simple geste impliquait provoqua chez Gilly un sursaut de panique.

Que d'histoires pour deux malheureux baisers.

Sauf que Christian – elle le comprit soudain – ne faisait pas allusion à leurs baisers, mais aux accidents dont elle avait été victime. Quelque chose avait changé dans l'attitude du duc à son égard, et pas uniquement parce que la sangle de sa selle avait cédé.

— Ce sont des incidents, rien de plus. Les voitures perdent leurs roues, les cavaliers tombent de cheval. Cela arrive tous les jours.

— Au cours de vos huit années de mariage avec Greendale, avez-vous jamais été victime de l'une ou l'autre de ces mésaventures ? Ne serait-ce qu'une fois ?

— Non, répondit-elle, s'efforçant de se concentrer sur le sujet, ce qui n'était pas facile car elle percevait avec acuité la proximité physique du duc.

Quand je serai en vous…

— Alors faites-moi plaisir, milady, et ne quittez plus cette demeure sans moi ou au moins deux valets.

— Je me retrouverais prisonnière dans cette maison, s'indigna-t-elle. J'ai passé huit ans à ramper devant Greendale, privée de toute liberté. Je refuse d'échanger sa possessivité dominatrice contre celle d'un autre.

Voilà qui apparaissait lucide et convaincant, et en plus, c'était la vérité.

— Mon but est de vous garder en vie, répliqua-t-il en laissant courir un doigt sur le pourtour du verre.

Elle détourna la tête.

— Vous avez accepté de vous installer ici, vous devriez donc accepter mes ordres. Je ne propose pas de vous enfermer dans une tour jusqu'à la fin de vos jours, je vous demande juste de prendre temporairement un minimum de précautions.

Hélas, la raison n'était pas son amie, et ne l'avait jamais été. *Rendez-vous compte, vous serez comtesse !*

— À vous entendre, c'est tellement simple d'accepter d'être escortée en permanence comme si j'avais l'âge de Lucy.

— À *vous* entendre, c'est horrible d'avoir à subir la compagnie de jeunes gens musclés – ou de moi – entièrement dévoués à votre bien-être quand vous sortez. Vous me détestez donc à ce point ?

Les coins de sa bouche tressautèrent comme s'il plaisantait, mais son regard était attentif et sérieux, et Gilly prit conscience qu'elle avait plongé dans des eaux encore plus profondes qu'elle ne le craignait.

— Vous êtes beau, riposta-t-elle, agacée. Trop beau, trop élégant et trop gentil pour votre propre bien, et en plus, vous êtes de nouveau musclé, vous aussi. J'ai du mal à réfléchir quand vous me donnez des ordres ou que vous prenez vos grands airs, et lorsque vous vous montrez charmant et raisonnable, j'ai l'esprit encore plus embrouillé.

— Parce que je prends des grands airs, à présent ?

— N'essayez pas de me distraire. Et la réponse est oui, lorsque vous êtes de mauvaise humeur.

— Vous ne vous privez pas d'afficher de grands airs, vous aussi, rétorqua-t-il. Pour les jours à venir, Gilly, je vous en prie, soyez raisonnable. Acceptez de prendre mon bras lorsque nous sortons, laissez aux valets le soin de porter votre panier quand vous allez au jardin. Je vous attribuerai les plus beaux du lot dans le seul but de vous protéger de tout danger.

Elle se mordilla la lèvre, le détestant de se montrer aussi convaincant.

— Je vous en supplie, mon ange… Je n'étais pas là pour veiller sur Helene. Je n'étais pas là pour m'occuper de mon fils quand il est tombé malade. Permettez-moi de vous protéger.

À écouter ses paroles murmurées d'un ton si grave et si pressant, il était facile d'oublier combien son attitude ressemblait à un excès de possessivité. Il croyait à ce qu'il disait, et il avait raison sur un point : elle vivait sous son toit. Elle avait le choix entre s'en aller et lui obéir.

Elle pourrait toujours partir plus tard, dès que Lucy irait mieux, dès que le duc aurait surmonté ses démons.

Pour l'heure, elle l'autoriserait à l'escorter lors de ses sorties.

Pour l'heure.

La comtesse n'était pas une détenue sédentaire, non pas que Christian s'y soit attendu. Chaque jour, en revenant de sa chevauchée matinale, il la voyait traîner deux valets encore à demi endormis dans les jardins, alors que le soleil pointait à peine à l'horizon. Quelques heures plus tard, bras dessus dessous, ils effectuaient leur promenade quotidienne avec Lucy. Gillian passait ensuite ses après-midi sur la terrasse ou de nouveau dans le parc, à broder, à lire ou à répondre à la montagne de correspondance mondaine qu'il lui déléguait.

Un matin, il eut pitié des valets et décida de se joindre à elle tandis qu'elle émergeait de la maison.

Elle posa son panier à ses pieds et croisa les bras.

— Je croyais que George et John avaient été désignés pour m'assister.

— Hélas pour vous, vous devrez vous contenter d'un pauvre duc ! riposta-t-il en ramassant le panier. Qu'allons-nous faire aujourd'hui, Gilly ? Une séance de jardinage, j'imagine ?

— J'avais prévu d'entretenir les tombes.

Elle lui prit le bras, enchantée par son stratagème.

— Encore des transplantations ?

— Oui, bien qu'il soit trop tard pour le muguet.

— Ce sera pour l'année prochaine, je suppose.

Ses tactiques ne le dissuaderaient en rien. Après tout, les tombes faisaient partie de la vie d'un soldat.

Elle ne dit plus un mot, mais il faisait un temps superbe et la simple compagnie de la comtesse suffisait à réjouir Christian. Il s'était habitué à regarder par la fenêtre et à la voir se promener dans le jardin, à guetter le bruit de ses pas lorsqu'elle venait le chercher pour se rendre à la nursery, à la contempler chaque soir, à table, à la lueur des bougies.

— Quelqu'un entretient-il la sépulture de Greendale ? s'enquit-il soudain.

— Je l'ignore et cela m'est égal. Il m'a toujours interdit de jardiner du temps de notre mariage. Je ne vois pas en quel honneur il bénéficierait de mes talents après sa mort.

Gillian n'était pas méchante – loin de là –, mais l'intensité de son antipathie à l'encontre de son défunt mari intriguait Christian.

— Honnêtement, vous auriez dû détester Helene, déclara-t-il pour réorienter la conversation. Elle jouissait de tout ce que vous auriez pu posséder.

— Un diadème, par exemple ?

Gillian s'immobilisa le temps que Christian pousse le portail du cimetière familial.

— J'avais un titre. À quoi cela m'a-t-il avancée ?

— Helene avait un époux jeune qui, au début du moins, a cherché par tous les moyens à lui faire plaisir, puis l'a laissée tranquille quand leur union a commencé à battre de l'aile. Elle avait des enfants, une fille et un garçon – le choix du roi –, des amis et des galants, une fortune, des domestiques prêts à se mettre en quatre pour elle... Elle avait toutes les raisons de vouloir vivre.

La comtesse le précéda dans l'enclos, et il fut soulagé qu'elle ne relève pas cet ultime commentaire ni ne s'étonne de sa perplexité.

Elle lui tendit la main.

— Donnez-moi la couverture.

Il s'exécuta et la regarda l'étaler non pas près des sépultures mais le long du mur où une plate-bande d'iris était entrée en sommeil après avoir fleuri abondamment un peu plus tôt dans l'année. Leur parfum avait réconforté Christian plus d'une fois.

— Devons-nous les diviser ?

— Il est encore un peu tôt mais, oui. S'ils prennent racine avant l'hiver, ils n'en pousseront que mieux, et à l'automne, il faudra s'occuper des bulbes de tulipes. Je n'ai pas besoin de votre aide.

— J'ai apporté mes gants d'équitation.

Il s'agenouilla à ses côtés, lui en tendit un, leva la main gauche. Elle le lui enfila docilement alors que depuis quelques semaines, il y parvenait fort bien tout seul.

— L'état de votre main s'est amélioré, constata-t-elle. Les ongles repoussent, les doigts sont moins déformés.

— Elle manque d'exercice. J'ai mal quand je m'en sers, j'ai mal quand je ne m'en sers pas, mais au moins, elle a gagné en force et en souplesse.

Il mit son gant droit lui-même car elle l'observait d'un air beaucoup trop songeur.

— Commencez par cette extrémité, ordonna-t-elle en indiquant l'endroit avec son déplantoir. Moi, j'attaque de ce côté-là. Ils sont sans doute serrés contre le muret.

Christian eut la vision fugitive de corps ensanglantés, jetés pêle-mêle au pied des remparts d'un village espagnol tandis qu'un vent brûlant balayait la plaine aride et que les mouches bourdonnaient en un nuage maléfique.

On les avait surnommés les Désespérés, ces hommes qui menaient la charge quand les armes à feu avaient ébréché les murs. Pour les survivants, c'était une chance de promotion sur le terrain, et donc d'une solde plus élevée, mais aussi une mort quasi certaine.

Néanmoins, les volontaires n'avaient jamais manqué, et ils avaient brisé tous les sièges menés par Wellington.

— Christian ?

Il fixa le déplantoir qu'elle lui tendait.

— Je rêvassais.

— Allez-y en douceur. Les racines sont fragiles.

Il s'attela à la tâche. Les rhizomes qu'il extirpait formaient un magma de terre et de tiges qui, selon lui, réclamaient quelques bons coups de déplantoir.

— Vous devez vous montrer patient, lui recommanda Gilly. Considérez-les comme des êtres souffrants qui ont besoin de soins bienveillants.

Il s'assit sur ses talons, l'esprit soudain hanté par des rangées et des rangées de brancards, les gémissements des mourants lui résonnant aux oreilles. Et la puanteur...

Pourquoi maintenant ? Pourquoi diable ces fantômes devaient-ils le harceler maintenant ?

— Helene était-elle vraiment accablée de chagrin ?

La question lui avait échappé, une manière comme une autre d'empêcher son imagination morbide de ruminer sur les horreurs de la guerre.

— J'étais ici, répondit la comtesse sans s'interrompre. Elle était épuisée tant elle se tracassait pour Evan. Easterbrook s'inquiétait beaucoup pour elle.

— Elle a veillé elle-même sur Evan ?

— Elle n'en avait pas la patience, mais elle n'en était pas moins tourmentée. Elle n'avait de cesse qu'elle n'allât le voir, passait un temps fou à essayer de vous écrire pour vous supplier de rentrer.

— Je serais venu.

S'il n'avait été déjà prisonnier. La vie avait vraiment le don d'ajouter le chagrin au chagrin, par moments.

— Je n'en doute pas. Greendale lui-même s'est gardé de ronchonner quand je lui ai annoncé que je me rendais auprès d'Helene. Elle ne savait plus quoi faire, elle était perdue.

— La vie l'avait plutôt gâtée jusque-là, murmura-t-il.

Pour la première fois, il se rendait compte que c'était davantage une enfant qu'une adulte quand il l'avait épousée. Dépourvue de force de caractère, elle n'était absolument pas préparée à son rôle de duchesse.

Elle n'y était pour rien, pas plus qu'il n'était responsable de sa captivité.

— Helene excellait dans l'art de se laisser dorloter, un défaut assez commun aux femmes de grande beauté, observa la comtesse, penchée sur la plate-bande. Cependant, quand l'état d'Evan a empiré, elle se l'est reproché. Elle s'est dit que si elle ne vous avait pas chassé, Dieu ne l'aurait pas punie en lui prenant son enfant.

— N'est-ce pas remarquable, cette façon que nous avons de transformer notre culpabilité en fonction des circonstances ? Tout le monde meurt.

Gillian lui jeta un coup d'œil.

— Vous vous faites des reproches, devina-t-elle.

Se redressant, elle ôta ses gants.

— Oh, Christian...

Le regard dans le vide, il vit les murs sombres et humides du donjon où il avait été retenu de si longs mois.

— Girard me soutenait que j'avais le choix, commença-t-il d'une voix lointaine, détachée. Je pouvais épargner les vies d'un nombre incalculable d'hommes en gardant le silence, mais dans ce cas, me promettait-il, des assassins veilleraient à éliminer mon épouse et mon héritier. Il était capable de me décrire la campagne anglaise comme s'il l'avait parcourue lui-même, comme si...

Christian fixa son déplantoir en fronçant les sourcils. Qu'était-il censé en faire ?

— Et si vous lui révéliez ce qu'il voulait savoir ?

— Mes hommes périraient, et beaucoup d'autres avec eux. Des milliers.

Étouffant un cri, elle enroula un bras autour de sa taille.

— Ma famille était innocente, reprit-il. Je n'ai pas tué mes proches. Les menaces de Girard n'étaient qu'une coïncidence obscène. D'ailleurs, il a cessé assez vite de les brandir, comme si elles n'étaient qu'une provocation parmi son arsenal de tourments. J'en suis conscient, mais j'aurais dû être là. Si j'avais été présent, Evan n'aurait pas pris froid, il ne serait pas tombé malade et Helene n'aurait pas mis fin à ses jours.

Il exposa cette conclusion d'un ton neutre. Il y était parvenu des semaines auparavant, quand Easterbrook lui avait annoncé que sa femme et son fils étaient morts. Ce *mea culpa* mental l'avait rasséréné. Prononcé à voix haute par cette magnifique journée d'été, il perdait tout son sens.

— Helene avait tendance à abuser du laudanum, murmura Gilly. Vous le savez. Rappelez-vous, Votre Grâce. Elle avait menacé d'en prendre le soir de son mariage.

Il contempla la pile d'iris déterrés sur la couverture. Helene en avait *bel et bien* avalé quelques gouttes, ce qui l'avait aidée à se détendre. Sur le moment, il s'était demandé pourquoi toutes les jeunes mariées nerveuses n'avaient pas recours à ce subterfuge.

— Si j'avais été là, j'aurais pu veiller sur le petit.

C'était ce qui le taraudait le plus.

— Vous m'avez dit vous-même que l'on vous avait banni de la nursery, argua Gillian.

Elle lui frotta le dos dans un geste de réconfort.

— Le temps n'était pas froid ni particulièrement humide. Evan était un enfant en bonne santé. Sa maladie a commencé par un simple rhume.

— L'a-t-on saigné ?

— Non. Helene a dit que vous désapprouviez cette pratique.

C'était déjà cela. Helene avait respecté ses vœux et épargné cette épreuve au petit.

— Il est parti en une semaine, m'avez-vous dit ?

— Une semaine, confirma-t-elle. Helene était folle de chagrin, à moins que ce ne soit la culpabilité. C'est alors qu'elle a appris votre disparition.

— Ma disparition, pas que j'étais mort ?

Pour lui, cette distinction était importante. Quoique, dans l'état où elle était, elle ait dû échapper à Helene.

— Votre disparition, oui. Marcus avait obtenu une permission pour le lui annoncer en personne, et il lui a affirmé que l'on faisait tout ce qui était possible pour vous retrouver.

— Alors pourquoi diable a-t-elle abusé des somnifères ? Pourquoi avoir fait si peu cas de sa vie ?

— Vous n'y êtes pas indifférent.

Le ton de Gillian était si solennel qu'il se risqua à la regarder.

— Évidemment que non ! Helene était ma femme, je l'aimais à ma façon, et si son décès a été jugé accidentel, elle a commis elle-même l'acte accidentel d'avaler le poison qui l'a tuée. Cela ressemble fort à un suicide, Gilly, enregistré comme un accident par égard pour son titre, ou peut-être pour sa fille. Si j'avais été là, *cela ne serait jamais arrivé*.

— Taisez-vous, chuchota-t-elle. Helene se reprochait le décès de son enfant, elle s'en voulait de vous avoir chassé de la nursery. Elle a hurlé sa douleur tel un animal blessé et elle n'était pas plus fautive que vous. Vous l'avez dit vous-même : tout le monde meurt. Tout le monde. Au lieu de vous morfondre d'avoir été fait prisonnier, vous devriez célébrer le fait d'être encore en vie.

Elle lui secoua le bras puis, se redressant à genoux, lui posa les mains sur les épaules.

— Helene avait le choix. Et si elle a choisi de mettre fin à ses jours, personne n'y peut rien. Vous avez une fille, vous aurez d'autres enfants un jour, vous allez recommencer à rire, à aimer, à profiter de l'existence. Croyez-moi.

— Vous pensez qu'elle s'est suicidée ?

Gillian le lâcha et s'écarta ; il en fut à la fois soulagé et décontenancé.

— Seule Helene sait quelles étaient ses intentions, mais elle ne m'a jamais confié qu'elle souhaitait mourir. C'est plus facile qu'on ne le croit, vous savez. On avale une première dose, on perd le fil, on ne sait plus très bien ce que l'on a consommé ni quand. Dans la pénombre, on peut verser davantage de gouttes qu'on ne l'imagine, les journées se mélangent, les souvenirs aussi.

— Si elle s'est... tuée volontairement, murmura Christian. J'avais disparu, son fils était mort... Si c'est le cas, je ne peux guère le lui reprocher.

Il avait lâché son déplantoir, et il y avait de la terre partout – sur ses gants, sur son pantalon, sur la couverture –, cette terre dans laquelle poussent les fleurs et qui offre un ultime lieu de repos aux dépouilles des êtres aimés.

— Vous n'êtes en rien coupable, Christian. Jamais Helene n'a laissé entendre qu'elle vous reprochait d'avoir été capturé. Jamais.

Ils demeurèrent silencieux un long moment, puis la comtesse arracha soudain un dernier bulbe qu'elle jeta sur la couverture.

— Je vous dois des excuses.

— Pour ?

— Pour vous avoir cru indifférent au décès de vos proches.

— Vous avez vos propres culpabilités à affronter en ce domaine, répliqua-t-il, mais il n'eut pas le courage de lui expliquer ce qu'il entendait par là. Chacun porte son deuil à sa manière.

Elle opina et lui remit le déplantoir entre les mains.

L'esprit en ébullition, Gilly s'efforça de se concentrer sur sa tâche.

Quel monstre fallait-il être pour obliger un individu à choisir entre sa famille et ses compagnons d'armes ? Entre son foyer et les hommes sous ses ordres ?

Ce Girard avait eu beau mettre relativement rapidement un terme à ses provocations, il avait semé la graine de l'autoflagellation en terre fertile, la laissant s'épanouir aux dépens de la santé mentale de Christian.

Le regardant arracher les iris avec une ardeur renouvelée, Gilly songea que le duc avait peut-être tenté de mettre fin à ses propres jours ou, du moins, l'avait envisagé. Elle s'en était inquiétée, notamment l'après-midi où elle l'avait surpris dans sa chambre, un rasoir à la main et une lueur de folie dans les yeux.

Seigneur.

Seigneur !

Elle avait depuis longtemps renoncé à comprendre comment le Tout-Puissant pouvait exiger la loyauté quand tant de Ses créatures étaient abandonnées à une misère abjecte. Seul un Dieu cruel pouvait frapper des enfants d'une maladie mortelle ou imposer aux plus âgés des années de solitude en attendant de rejoindre leur conjoint.

Elle remercia le ciel – une fois de plus – d'être veuve.

— Avez-vous quelque chose à boire dans votre panier, lady Greendale ?

Elle faillit lui ordonner de l'appeler Gilly, jamais plus lady Greendale.

— Du thé froid, répondit-elle. Servez-vous. Vous avez bien avancé.

230

Il s'assit sur ses talons et s'essuya le front d'un revers du bras. À un moment, il avait roulé ses manches de chemise et déboutonné son col.

— Ce ne sont pas des coupures, constata-t-elle en laissant courir son index sur des cicatrices rondes au creux de son coude.

— Des brûlures de cigare. Ça fait un mal de chien, mais ça guérit assez vite.

— Ce... ce... Girard est un monstre. Vous avez raison de souhaiter sa mort, mais le mieux serait de le laisser vivre avec le souvenir des crimes qu'il a perpétrés.

— La théorie est intéressante, bien que ces marques-là m'aient été infligées par son supérieur. Girard n'avait jamais recours à ce genre de supplice qu'il jugeait malpropre, grossier et sujet à infection – la plus odieuse des nuisances, selon lui.

— Espérons qu'il en est arrivé à cette conclusion sur la base d'une expérience personnelle. Il mérite de souffrir.

Christian la dévisagea, l'air bizarre, comme s'il avait envie de sourire mais n'osait pas.

— Vous êtes bien féroce, comtesse. Avez-vous soif ?

— Non, merci. Comment pouvez-vous me parler de torture une seconde et m'offrir une boisson celle d'après ?

— Vous pourriez avoir soif. Quant à ces cicatrices, je leur en serais presque reconnaissant.

Gilly se tamponna le front, répandant de la terre sur son corsage.

— Vous dites des bêtises, Votre Grâce.

— Me voilà redevenu Votre Grâce, marmonna-t-il.

Il allongea une jambe devant lui et replia l'autre.

— Elles sont la preuve que j'ai vraiment été prisonnier. Ce n'est pas une invention de ma part. Quand on est seul à pouvoir se porter garant de ses souvenirs, ils deviennent... suspects.

Christian était d'une humeur étrange, et Gilly était tellement furieuse contre ce Girard qu'elle avait du mal à se contenir. Pour un peu, elle se serait emportée, le voyant aux tourments de l'enfer. Par bonheur, le duc avait su surmonter ce genre de réaction mesquine.

— Enlevez votre chemise, Mercie.

— Je vous demande pardon ? C'est une belle journée, pourquoi voudriez-vous voir mon corps ?

Comme si le temps méritait d'être pris en considération.

— À vous de me le dire, répondit-elle tandis qu'il s'allongeait sur le dos et fermait les yeux. Vous allez tout me raconter, à propos de chacune de ces cicatrices.

— Non.

Elle se pencha et entreprit de déboutonner sa chemise.

— Si.

— Gilly... murmura-t-il en lui immobilisant la main. Chacun porte sa croix.

— Et vous continuerez de porter la vôtre, que vous me parliez ou non. Je vous ai vu. Ce n'est que de la chair.

Elle poursuivit sa tâche, s'attendant plus ou moins qu'il se lève d'un bond et s'enfuie. Repoussant les pans du vêtement, elle scruta son torse mutilé. Jusqu'ici, un examen franc lui avait semblé maladroit et indélicat. À présent, c'était une nécessité.

— Ici, chuchota-t-elle en laissant courir l'index sur son sternum, barré d'une zébrure épaisse.

Christian poussa un profond soupir, mais ne bougea pas.

— Girard m'a dit qu'il allait m'arracher le cœur. Ce jour-là, il perdait patience. On a tendance à oublier que la guerre a mal tourné pour les Français aussi.

— Mais encore ?

— Il a dit... qu'il allait le donner à manger à mes geôliers, mon cœur étant aussi coriace que les maigres rations auxquelles ils avaient droit. Ils ont tous éclaté de rire. Quant à moi, je me suis réjoui secrètement car

Girard avait laissé entendre malgré lui que ses hommes étaient affamés.

Gilly ne rit pas, Christian non plus. Il fit une pause, la main de la jeune femme s'attardant sur sa poitrine, puis reprit son récit. Les ombres s'allongeaient, Christian avait bu presque tout le thé quand Gilly l'aida à reboutonner sa chemise. Ils plièrent la couverture, laissèrent le panier sur place – un valet viendrait le chercher – et regagnèrent la maison main dans la main.

14

Le sommeil de Christian était si souvent agité qu'il lui fallut un moment avant de se rendre compte qu'il n'était pas la proie d'un cauchemar.

Il était *malade*. Terrassé par un mal de tête atroce, le cœur au bord des lèvres, le corps perclus de courbatures.

Et il était coincé derrière au moins une porte verrouillée.

Sa première réaction fut de vomir dans le pot de chambre qui, par bonheur, était vide.

Ce fut aussi la deuxième, puis la troisième, le corps secoué de spasmes.

Il tenta de se mettre debout, mais le sol tanguait sous ses pieds. La pendule sur la cheminée indiquait que la nuit tomberait d'ici une heure. Il se rappela être monté dans sa chambre pour se changer avant le dîner et s'être assoupi.

Pendant combien de temps ?

De nouveau, il essaya de se lever. Il ne parvint qu'à se mettre à genoux.

Il se déplaça donc à quatre pattes.

C'était ainsi que, dans un effort désespéré pour retrouver sa liberté, il avait émergé du château, ses membres affaiblis refusant de lui obéir. Il ne s'attarda pas sur ce souvenir.

La porte semblait reculer, mais petit à petit, il finit par l'atteindre. Le mécanisme du loquet se révéla d'autant plus difficile à manipuler qu'il comptait respectivement huit et dix doigts sur ses mains. Il s'affaissa sur le sol de son petit salon, ravalant des haut-le-cœur.

Quand il rouvrit les yeux, il constata que la porte menant au couloir était entrouverte. Il décida d'appeler au secours.

Un croassement lui échappa, et il en éprouva un mélange de panique et de perplexité. Affligé, il eut l'impression que sa voix le trahissait au moment où il en avait le plus besoin sous prétexte qu'il avait choisi de se taire pendant des mois.

La peur et l'absurdité de cette réflexion le poussèrent à réagir. Il se redressa tant bien que mal.

— Gillian ! brailla-t-il.

Elle occupait la chambre d'en face, l'une des plus belles. Ils s'étaient chamaillés à ce sujet, lui insistant pour qu'elle loge dans l'aile réservée à la famille plutôt que dans celle destinée aux invités.

— Gillian !

Il traverserait la pièce en rampant, franchirait le corridor...

La porte s'ouvrit à la volée et Gilly se rua vers lui, vêtue d'une robe de chambre noire dont l'ourlet brodé semblait danser à chacun de ses pas.

— Votre Grâce ? *Christian ?*

Elle s'accroupit près de lui, son parfum soulageant comme par miracle les souffrances de Christian.

— Que se passe-t-il ?

Elle lui tâta le front.

— Vous êtes fiévreux. Je vais aller chercher les valets pour qu'ils vous...

— Pas de valets.

— Mais je n'aurai pas la force de vous soulever.

— Aidez-moi.

Il tendit le bras vers elle et faillit tomber en avant.

— Fermez les yeux, ordonna-t-elle. Vous avez des vertiges. Ce pourrait être vos oreilles.

S'appuyant sur Gilly, il se hissa sur ses pieds et regagna sa chambre en titubant.

— Attention aux marches pour atteindre le lit, le prévint-elle.

Il dut s'y reprendre à deux fois avant de s'écrouler à plat ventre sur le matelas.

— Vous avez régurgité tout votre thé. Ce doit être une espèce de grippe d'été.

— Gillian, fermez la porte à clé.

Il avait réussi à se retourner sur le dos et elle s'était assise au bord du lit.

— Verrouillez cette fichue porte.

L'odeur âcre de son propre vomi lui soulevait le cœur et il était mortifié de lui offrir un tel spectacle.

— Vous y tenez vraiment ? demanda-t-elle.

— Personne d'autre...

Il déglutit tandis que la pièce tournoyait autour de lui.

— Poison, acheva-t-il.

Le visage en trois exemplaires de Gilly afficha une expression horrifiée et il sut qu'elle avait entendu ce dernier mot avant de sombrer dans l'inconscience.

Gilly refusa de laisser mourir le duc. Des heures durant, elle épongea son corps brûlant avec des linges humides, lui tint la bassine tandis qu'il crachait des filets de bile, lui permit quasiment de lui broyer la main tant il la serrait à grand renfort de râles et de jurons.

Dans les intervalles où il retrouvait un soupçon de lucidité, il la suppliait de n'ouvrir à personne. Sous aucun prétexte il ne voulait être vu dans cet état. Elle prévint en cuisine qu'ils ne dîneraient pas, verrouilla la porte et se prépara à tenir le siège.

— Je ne suis pas malade, murmura-t-il d'une voix rauque aux alentours de minuit. J'ai été empoisonné, croyez-moi.

— Vous n'avez plus de fièvre, constata-t-elle, la paume sur son front. Vous ne vomissez plus depuis une heure. J'ignore de quoi vous souffrez, mais le mal reflue.

— Je prie le ciel pour que ce soit vrai. Et je vous interdis de boire cette eau.

— J'ai soif ! protesta-t-elle.

Toutefois, elle posa le verre sans y avoir touché.

— Si j'allais chercher la carafe dans ma chambre ?

— Vous avez déjà bu l'eau qu'elle contient ?

Elle réfléchit quelques secondes.

— Oui. Juste avant que vous m'appeliez. Je n'ai ressenti aucun symptôme.

— Alors allez-y, mais hâtez-vous et soyez discrète.

— L'aube ne se lèvera pas avant plusieurs heures, Christian. Qui pourrait me surprendre ?

Elle resserra la ceinture de sa robe de chambre et quitta la pièce en prenant soin de verrouiller la porte derrière elle.

Et si Christian avait raison ? Si on l'avait empoisonné ? Était-il possible que quelqu'un lui en veuille d'être réapparu – et que le quelqu'un en question ait pris des mesures pour le renvoyer au pays des morts ?

Et s'il avait attrapé une maladie redoutable en captivité, qui ne se manifestait qu'aujourd'hui ?

Gilly se faufila dans sa chambre sur la pointe des pieds pour ne pas risquer de réveiller le valet assoupi au bout du couloir. Lorsqu'elle regagna la suite ducale, Christian était assis au bord du lit, torse nu.

— Soit vous vous sentez mieux, soit vous cherchez à provoquer mon courroux.

— Peut-être un peu des deux.

Il se leva, se cramponna au montant du lit. En silence, Gillian le laissa se diriger d'un pas hésitant vers le coin toilette.

— J'ai la bouche complètement sèche.

— Voici de l'eau.

Posant le pichet sur la table où étaient disposés sa trousse de rasage, sa brosse, son peigne et un miroir à main, elle le laissa se débrouiller.

— Je vais avoir besoin de ma poudre dentifrice.

Il disparut derrière le paravent.

— Je change vos draps, annonça-t-elle.

Elle perçut une sorte de gargouillis, signe d'assentiment, et s'en réjouit. Les draps étaient humides de sueur. Gillian ouvrit la porte-fenêtre donnant sur le balcon pour aérer la pièce et alla déposer le pot de chambre recouvert dans la pièce voisine.

Christian réapparut, le visage pâle mais propre, les cheveux attachés. Il s'approcha pour aider Gilly à ôter les draps ; une compétence que tout garçon éduqué dans des écoles privées – et tout soldat – possédait.

— Vous ne croyez pas qu'il s'agissait de poison, dit-il.

— Je ne sais pas quoi penser. On a tenté de m'accuser d'avoir empoisonné mon défunt mari. Cela m'ennuierait beaucoup que l'on me soupçonne d'avoir tenté de vous éliminer.

Il rassembla les draps froissés et les jeta derrière le paravent tandis que Gilly en sortait d'autres du coffre sculpté au pied du lit.

— Nous prenons pratiquement tous nos repas ensemble, argua-t-elle. Vous êtes le seul à manifester ces symptômes.

— Le seul de toute la maisonnée ? insista-t-il, chacun s'affairant de part et d'autre du matelas.

— De toute la maisonnée, et de toute la région, pour autant que George le sache.

— Vous avez confiance en lui ?

— Oui, dans la mesure où c'est l'un des valets à qui vous avez confié la tâche de veiller sur moi. En outre, il est jeune et il espère que vous le considérerez d'un œil favorable quand votre majordome prendra sa retraite, à l'automne. Je doute fort que George cherche à vous éliminer.

Le duc s'immobilisa, fixant le lit à moitié fait tel un joueur d'échecs absorbé par une partie bien avancée.

— Ce n'est pas moi qui étais visé. C'est vous.

— Ah, non, vous n'allez pas recommencer ! Je suis en pleine forme.

Et trop fatiguée pour supporter les lubies du duc.

— Avons-nous partagé des oranges aujourd'hui ? s'enquit-il.

Il s'assit et tapota la place à côté de lui, mais il n'était pas question de deviser tranquillement.

— Non.

Elle s'installa à ses côtés, s'efforçant de se rappeler tout ce qu'elle avait bu et mangé, tout ce que lui avait bu et mangé.

— Le thé glacé ! s'exclamèrent-ils à l'unisson.

— Le thé était pour vous, dit-il. J'ai congédié les valets à la dernière minute sur une impulsion, parce que j'en avais par-dessus la tête de mes livres de comptes et que vous me manquiez.

Elle se détourna. Un tel aveu était-il bienvenu en ces circonstances ?

Quelles que soient les circonstances.

— J'ai avalé pratiquement tout votre thé glacé. Avez-vous coutume d'en consommer autant lorsque vous jardinez ?

— Oui, quand il fait très chaud.

Un frisson la parcourut. Et si le raisonnement de Christian était plausible ?

— Vous n'avez pas tout bu, ajouta-t-elle.

— Mais vous n'en avez pas pris du tout, et moi, j'en ai avalé une bonne moitié. Je fais deux fois votre poids, Gilly. Quelqu'un souhaite votre mort.

Il l'entoura de son bras et elle se blottit contre lui.

Savoir qu'un ennemi rôdait sous son propre toit galvanisa l'officier en lui, et il s'en réjouit. Trop longtemps, il n'avait été qu'un prisonnier, mais, nom de nom, il était de nouveau prêt à en découdre.

La vengeance était une puissante motivation pour reprendre des forces, mais se lancer dans la bataille était le signe d'un rétablissement complet.

— J'ignore qui vous veut du mal, Gilly, mais cet individu devra passer par moi pour vous atteindre, et vous n'imaginez pas quel adversaire redoutable je peux être.

— Qui pourrait vouloir se débarrasser de moi ? Je ne suis rien. Une petite veuve sans le sou dont les meilleures années sont derrière elle.

Elle paraissait totalement déroutée, comme si elle croyait en toute sincérité à cette affirmation.

— Vous avez un titre, vous gérez cette maisonnée et vous êtes celle qui m'a sauvé la vie il y a quelques heures. Vous devez être, de surcroît, complètement épuisée.

— Comment voulez-vous que je dorme quand vous me dites que quelqu'un veut me supprimer ?

Elle appuya le front contre son épaule et la rage de Christian s'accrut. Gilly avait eu son lot de malheurs et de chagrins. Seule une ordure pouvait la viser.

Et si Girard était une ordure, il avait toujours fait preuve de galanterie lorsqu'il s'agissait des femmes. Il n'avait jamais toléré que ses soldats abusent des catins et des blanchisseuses.

— Vous resterez ici, près de moi, madame. Nous avons tous deux besoin de repos et je serai incapable de dormir si je vous sais ailleurs que dans mon lit.

Le désarroi de Gillian était tel qu'elle ne protesta pas ni ne le traita d'arrogant ou de fou. Il souffrait de la voir aussi bouleversée.

— Vous aviez raison, murmura-t-elle, atterrée. Vous aviez raison, pour la roue de la voiture et la sangle de Damsel. Et pour le thé.

Il aurait préféré se tromper.

— Nous ne pouvons rien faire avant le matin.

— Et ensuite ?

— Nous échafauderons un plan quand nous aurons recouvré nos forces.

Et il découvrirait où se terrait Girard, car en dépit de son attitude pseudo-chevalresque envers les femmes au château, qui d'autre que lui serait capable d'inventer un stratagème aussi diabolique pour l'atteindre lui, le duc de Mercie ?

Gillian fixait sans mot dire ses mains croisées sur ses genoux et il eut envie de hurler. Sa détresse le bouleversait. Si le vieux Greendale n'avait pas réussi à l'anéantir, quelqu'un d'autre s'y efforçait visiblement.

Mais il échouerait lamentablement. Christian s'en assurerait.

— Venez vous coucher.

— Je ne peux pas, chuchota-t-elle en se redressant. Les ragots vont aller bon train parmi les domestiques.

— C'est leur occupation favorite. Vous êtes veuve. Si vous cherchez consolation auprès de moi, cela ne regarde que vous, comme vous me l'avez rappelé vous-même.

— Vous avez changé de refrain, Votre Grâce.

— Vous aussi. Si vous voulez partager mon lit, vous devrez m'appeler par mon prénom.

Elle carra les épaules, un geste de mauvais augure pour un homme qui ne rêvait que de quelques heures de sommeil avant de passer à l'attaque.

Des mesures draconiennes s'imposaient, sans quoi l'un d'eux sombrerait bientôt dans l'hystérie.

— À votre guise, grommela-t-il. Faites-vous tuer et laissez-moi me morfondre alors que je me remets à peine de mes épreuves.

Il s'adossa à la tête de lit.

— Laissez mon unique fille survivante panser seule ses plaies, rejetée par une cousine trop fière pour accepter la protection qu'on lui offre.

Il leva les yeux vers le plafond moucheté d'ombres dansantes.

— Allez-y, contrecarrez mon autorité de chef de famille, de maître des lieux *et* de magistrat local.

Après s'être débarrassée de sa robe de chambre, Gilly se déplaça sur le matelas dont la taille équivalait plus ou moins à celle d'une poulinière.

— Laissez-moi me noyer dans la culpabilité et la rage, poursuivit-il. Gaspiller le restant de ma vie en ferventes prières pour le salut de votre âme immortelle, malavisée et beaucoup trop têtue. Je me réfugierai probablement dans l'alcool, et vu les sévices corporels auxquels j'ai été soumis...

— Chut, fit-elle en se lovant contre lui. Je reste, mais taisez-vous.

Il roula sur le flanc, remonta le drap sur eux, déposa un baiser sur son épaule, enroula un bras autour de sa taille et l'attira contre lui.

Et fit ce qu'elle lui demandait.

Au réveil, Gilly éprouva deux sensations ; la première était facile à identifier : une chaleur délicieuse. Christian était plaqué contre son dos, la jambe passée sur ses cuisses, le talon glissé entre ses mollets.

La seconde impression était plus difficile à classer, moins strictement physique : elle était en sécurité. Christian la tenait fermement par la taille et s'était placé entre la porte et elle. Elle était face aux fenêtres, à cette obscurité caractéristique d'avant l'aube, et elle éprouvait un sentiment de sérénité comme jamais depuis son mariage.

Puis la main de Christian – sa main gauche – se déplaça pour envelopper son sein avec douceur. Gilly le sentit, et l'entendit, pousser un soupir. Son souffle lui caressait la nuque et elle espéra qu'il n'avait fait que bouger dans son sommeil, qu'il revivait un plaisir conjugal mineur.

Sauf que pour elle, il n'avait rien de mineur.

D'ailleurs, ils n'étaient pas mariés.

La paume poursuivit son exploration avec plus de détermination, et un flot de chaleur se déploya dans son ventre et ses cuisses. Elle posa la main sur la sienne dans l'espoir de l'arrêter.

— Je vous croyais réveillée, chuchota-t-il. Je cesserai si vous le souhaitez, Gilly, mais uniquement si vous le souhaitez. Voilà où peut mener l'attirance physique quand on est une veuve avide de satisfaire ses envies, et je suis presque sûr que je vous plais.

Il entrouvrit les lèvres, effleura le creux entre son épaule et son cou tandis qu'elle s'efforçait de recouvrer ses esprits.

En vain. Elle avait envie de lui, et réciproquement. Ils étaient adultes, ni l'un ni l'autre n'était marié, et Christian ne débitait plus ses grands discours à propos d'honneur ni de...

Il fit courir doucement ses dents sur son épaule. Paupières closes, elle savoura cette étreinte, sa chaleur, les émotions contradictoires qui l'envahissaient, probablement inséparables du désir sexuel.

Elle s'attarderait sur ce point plus tard. Pour l'heure, elle préférait s'abandonner à l'euphorie de la revanche.

Greendale aurait pu être un mari convenable. Elle n'était pas sa première épouse, il avait de l'expérience et aurait pu lui montrer un minimum de considération.

Loin de la respecter, il l'avait humiliée, rabaissée, maltraitée, et à présent – enfin ! –, elle était dans le lit d'un homme qui savait la chérir, prendre son temps, lui donner du *plaisir*. Elle imagina Greendale se retournant dans sa tombe pour tenter d'échapper à l'enfer et s'en amusa.

Christian s'écarta et une sensation de manque à la fois physique et émotionnel l'envahit. Puis il la fit délicatement rouler sur le dos et se hissa sur elle.

— Écartez les jambes, mon ange. Faites-moi une petite place, ou dites-moi d'aller dormir sur le balcon.

— Ne partez pas.

Elle était au moins sûre de cela : elle ne voulait pas rester seule dans ce grand lit. Quant au reste... désirer cela, le désirer, était à la fois blâmable et... juste. S'unir semblait juste, bien qu'il ne parlât pas de mariage.

Non pas qu'elle soit prête à aborder ce sujet avec lui.

— Arrêtez de cogiter, ma chère.

Il s'appuya sur les coudes, son corps emprisonnant le sien, la preuve de son désir, dure et chaude contre son ventre.

— Je ne peux pas...

Dans l'obscurité, elle ne voyait pas son expression.

— Ne me bousculez pas.

L'abdomen de Christian tressauta contre le sien. Un rire silencieux ?

— Ce n'est pas du tout mon intention, assura-t-il.

Ses lèvres se promenèrent sur sa tempe, ses paupières, ses sourcils, son menton.

— Vous aimez l'obscurité. Vous aimez me découvrir par le toucher.

Elle savait aussi qu'il était soulagé que ses cicatrices demeurent invisibles, ce qu'elle comprenait mieux qu'il ne l'imaginait. En proie à une soudaine hardiesse, elle chercha sa bouche.

— J'aime aussi cela, souffla-t-elle.

Elle devinait chez lui une patience infinie, et c'est ainsi qu'à l'âge de vingt-six ans elle apprenait enfin à embrasser un homme. De tels baisers impliquaient lèvres, langue, goût, sensations et gémissements qui l'incitèrent à se cambrer vers lui, consumée par le besoin de le dévorer.

— Qui bouscule qui, à présent ? murmura-t-il.

Se moquait-il d'elle ?

— Si je comprends bien, je m'y prends mal. J'en étais sûre. Dites-moi ce que je dois faire. Je me plierai à vos exigences.

Surtout, ne me quittez pas.

Elle avait redouté les caresses, les rares visites nocturnes de son mari et n'avait jamais pu se libérer assez vite de ses attentions. Avec Christian, elle se sentait capable de s'abandonner à une nuit éternelle.

— Une comtesse docile, voilà une perspective alarmante, chuchota-t-il avant de lui mordiller le lobe de l'oreille. Cela dit, je suis aussi votre esclave comme il se doit quand on partage la même couche. Vous, par exemple, pourriez me demander de m'occuper de vos seins si sensibles.

Penchant la tête, il frotta le bout du nez sur son mamelon. Elle crispa les doigts dans ses cheveux – il avait depuis longtemps perdu le ruban qui les retenait.

— Vous avez envie d'enlever votre chemise de nuit, n'est-ce pas, Gilly ?

Oh, oui ! Terriblement, impérieusement, immédiatement. Il se redressa et, à eux deux, ils la débarrassèrent de ladite chemise de nuit, qui finit sur le parquet.

— C'est mieux ainsi, non ?

Il se plaça un peu plus bas, la joue reposant sur sa poitrine nue.

— Pour moi aussi, avoua-t-il.

Puis il happa la pointe d'un sein.

— Mercie… Christian.

Elle creusa les reins.

— S'il vous plaît…

— Je ne vis que pour vous donner du plaisir.

Si étrange que cela puisse paraître, cette déclaration n'avait rien d'ironique, rien d'une promesse faite par un homme habitué aux ébats érotiques. Il continua de titiller son mamelon, le suça longuement, langoureusement. Elle tressaillit, retint son souffle.

— Vous aimez cela ou je me trompe ? s'enquit-il, l'air ravi.

— C'est… presque trop.

— Trop bon ou trop intime ?

— Quelle drôle de question.

Elle tenta de réfléchir à une réponse, mais déjà, il s'attaquait à l'autre sein.

Gilly eut l'impression qu'il aspirait des profondeurs de son corps le flot de son désir. Trop bon *et* trop intime, décida-t-elle. Car il était parfaitement conscient du chaos qu'il provoquait en elle.

— Si vous vous ennuyez ou si vous souhaitez vous distraire, vous pourriez me caresser à votre tour.

Ses mains. Où étaient-elles passées ? Ah, oui ! Elles étaient posées sur les épaules de Christian. Elle les fit remonter vers ses tempes, plongea les doigts dans ses cheveux. Elle huma un vague parfum de rose, mais ce n'était pas celui du savon qu'elle préférait.

— Vous sentez la rose, murmura-t-elle.

— Pour ne pas vous oublier.

Délaissant sa poitrine, il changea de position tandis que sa langue s'aventurait plus bas.

— Où allez-vous ? s'affola-t-elle.

Lui empoignant les cheveux, elle l'immobilisa.

— Je ne peux pas vous embrasser si vous disparaissez sous les draps.

Il s'arrêta et il y eut un bref silence avant qu'il ne remonte.

— Vos désirs sont des ordres.

Bonté divine ! Voilà qu'il se déchaînait, l'assaillait de baisers aussi adroits que délicieux. Sa langue badinait, taquinait, s'apaisait, badinait de nouveau. Il s'imprégnait de son goût, l'encourageait à explorer sa bouche. Plus elle se prêtait au jeu, plus elle était tendue et plus son désir s'intensifiait.

— Votre... Christian...

Elle noua les jambes autour de ses hanches. Il laissa échapper un grognement teinté d'humour et de quelque chose d'autre suggérant que sa patience s'étiolait.

Il cala le bras sous la nuque de Gilly, libérant sa main gauche pour lui tourmenter les seins. Si sa bouche était habile, la dextérité de ses doigts mériterait une sanction du Parlement.

— Vous devez me dire ce que vous voulez, lui chuchota-t-il à l'oreille. Dites-le-moi, Gilly.

Elle opina, se cambra vers lui, puis comprit qu'il lui demandait d'exprimer ses désirs par des mots.

— J'ai envie...

— Vous avez envie de moi ? Vous voulez tout ce que ceci entraînera inévitablement ?

Il ondula, laissa glisser sa virilité glisser sur le sexe de Gilly, puis sur son ventre.

— J'ai envie de vous, articula-t-elle, encadrant son visage de ses mains pour retrouver sa bouche.

— Alors, vous m'aurez.

Gilly se rappela qu'il était officier de cavalerie. La stratégie n'avait aucun secret pour lui et il appliquait son savoir à la lettre. Il referma la main sur son sein, d'un geste un peu moins doux qu'auparavant, et elle s'embrasa. Ses baisers se firent aussi plus ardents, et Gilly se sentit perdre pied.

— Christian... Christian... je vous en prie. Je ne sais pas comment...

— Je sais. Faites-moi confiance. Me faites-vous confiance ?

De nouveau, il fit aller et venir son érection sur elle.

— Répondez-moi, Gilly. Dites-moi oui.

— O-oui, bredouilla-t-elle.

Il ralentit le rythme de ses va-et-vient qui se firent plus langoureux. Gilly dut se retenir pour ne pas crier et lui frapper le dos avec ses poings.

— Vous avez dit oui. Oui, Christian.

— Oui, Christian, mais je vous en supplie, *maintenant* !

Elle se cambra afin qu'il mette un terme à ces *frottements* si frustrants et la pénètre enfin. Du moins était-ce ce qu'elle cherchait, mais comment en être sûre, elle avait l'esprit tellement embrouillé.

— Oh ! Miséricorde !... *Christian*.

Il entra en elle doucement, et elle lui fut reconnaissante d'avoir pris son temps car elle était suffisamment

humide pour faciliter la pénétration, et qu'il était...
imposant.

— Détendez-vous, mon ange. Respirez lentement. Je
ne bougerai pas tant que vous ne serez pas détendue.

Elle n'attendait que cela. Elle suivit son conseil,
s'efforça d'inspirer et d'expirer calmement.

— Encore.

Il demeura immobile, lui caressa le front avant de
glisser la main derrière sa nuque pour amener sa tête
contre son épaule. Il recommença, plus lentement,
et Gilly émit un soupir, sidérée par la tendresse avec
laquelle il la prenait.

Il s'enfonça davantage, et elle soupira de nouveau
jusqu'à ce qu'il installe un rythme tranquille.

— Vous pouvez bouger avec moi, ou pas. Je tiendrai plus longtemps si vous ne bougez pas, mais pas
beaucoup.

Elle faillit lui demander ce qu'il entendait par là,
mais il réclama sa bouche, et ses baisers, d'abord paresseux, se firent... plus fougueux.

Une vague brûlante jaillit du creux du ventre de
Gilly, se répandit dans ses membres et dans sa tête.
Elle ondula pour accueillir les coups de reins de
Christian, se cramponnant à lui dès qu'il essayait
de se retirer.

— Doux Jésus, chuchota-t-il. Bonté div... Oh, Gilly !

Il accéléra la cadence, se montrant moins délicat, et
le corps de Gilly commença à vibrer.

— Plus vite.

Elle avait eu l'intention de lui murmurer cette sup-
plique à l'oreille, mais ce simple mot dut exprimer
un certain désespoir, car, abandonnant tout semblant
de prévenance, Christian la posséda avec une ferveur
presque féroce.

Elle lâcha prise. Totalement, entièrement, de façon
inattendue. Entre deux exclamations, le corps de
Gillian se transforma en celui d'une créature assoiffée

de plaisir. Chavirée, elle s'agrippa à lui, le secoua, le griffa, jusqu'à l'explosion finale.

Une fois la tempête apaisée, il lui caressa les cheveux, et pour la première fois de sa vie, elle connut cette intimité d'après l'amour où son souffle haletant répond à celui de son amant.

— Je n'imaginais pas, commença-t-elle. Je ne m'étais jamais doutée...

— Seigneur, Gilly, vous m'avez épuisé...

Basculant sur le côté, il l'attira dans ses bras.

— Vous voulez pleurer, à présent ?

Il l'étreignait, le menton sur sa tempe, et cela aurait été une raison suffisante pour verser des larmes.

— C'est prévu ?

— Comment un homme pourrait-il répondre ? D'après ce que je me rappelle de ma folle et lointaine jeunesse – vous noterez mon tact –, certaines femmes pleurent parfois. Je le comprends mieux aujourd'hui qu'autrefois.

— Vous avez envie de pleurer ?

Elle se pelotonna contre lui, écoutant les battements de son cœur. Impossible de voir son visage, mais elle le connaissait maintenant suffisamment pour entendre ce qu'il ne formulait pas.

— Peut-être un peu, répondit-il. De joie.

Il s'écarta, se pencha sur le côté.

— Écartez les cuisses.

Elle souleva une jambe, maladroitement, et il posa un linge sur son sexe.

— Au cas où ma semence aurait l'impertinence de s'échapper et de salir ces draps propres, plutôt que de s'affairer à mettre mon bébé dans votre ventre.

— Vous pourriez pleurer de joie, releva-t-elle. Cela se comprend.

— Vraiment ? s'enquit-il, à la fois pince-sans-rire et indulgent. C'est impossible. Donnez-moi votre main.

Il la saisit et la posa sur sa verge ramollie.

— Sentez-vous quelque chose de différent, Gilly ?

— Bien sûr. Les hommes ne restent en érection que quelques minutes puis… C'est censé être normal, n'est-ce pas ?

Greendale lui aurait-il menti ? Il lui avait farci la tête de toutes sortes de commentaires cruels, mais elle les avait considérés comme des opinions personnelles. Il avait aussi un avis sur les relations conjugales, dans ce domaine, hélas, elle était complètement à sa merci.

— Oui, c'est normal car mon désir a été assouvi, mais là…

Il guida les doigts de Gilly vers l'extrémité de son pénis.

— Je n'ai pas de prépuce.

Apparemment, cela lui posait un problème, elle le sentit. Toutefois, elle ignorait ce qu'elle était supposée dire. Elle ne savait même pas ce qu'était un prépuce.

— Vos capacités ne sont en rien diminuées. Vous avez été…

— Oui ?

— Une révélation, Christian. Vous avez été pour moi une merveilleuse révélation.

Il demeura silencieux tandis qu'elle le découvrait dans l'obscurité, palpant, explorant, plongeant les doigts dans sa toison pubienne. Immobile, il la laissa faire jusqu'à ce que son sexe durcisse de nouveau.

— C'est l'œuvre des Français ?

Elle devait lui poser la question maintenant, pendant qu'il était encore temps, dans l'obscurité.

— Oui.

Elle se hissa sur lui, le chevaucha et se blottit contre sa poitrine comme pour le protéger de ses souvenirs. Il prit son visage entre ses mains et s'empara de ses lèvres, puis il taquina son sexe avec le sien.

— Je peux vous toucher comme ceci, chuchota-t-elle en lui pinçant les mamelons.

Il prit une brève inspiration, referma les mains sur ses seins.

— Et moi, comme ceci.

Ils se taquinèrent paresseusement l'un l'autre, émerveillés.

— Gilly ? murmura Christian.

— Mmmm ?

Elle l'accueillit en elle avec bonheur.

— Vous aussi, vous avez été une révélation pour moi.

15

Si Gilly était capable de se laisser aller à la passion, elle n'en était pas moins pudique. Elle s'était rhabillée avant que Christian ait fini de se brosser les dents. À l'horizon, les premières lueurs de l'aube teintaient le ciel.

— Je ferais mieux de regagner mes appartements, dit-elle en enfilant sa robe de chambre ornée de broderies comme il n'en avait jamais vu.

Il lui souleva le bras pour examiner les motifs verts, or et violets brodés sur le poignet.

— Cette tenue est-elle convenable en période de grand deuil ?

Elle noua la ceinture.

— Elle est noire. Et qui me verra ?

Il posa les mains sur ses épaules et elle le laissa lui soulever les cheveux pour les dégager de son encolure.

— J'ai massacré votre tresse, comtesse.

— Et vous en êtes fier, répliqua-t-elle d'un ton indiquant qu'elle l'était tout autant.

— Asseyez-vous.

Il la poussa doucement vers la malle au pied du lit.

— Nous devons parler.

Elle affichait une expression soigneusement neutre, et il ne put s'empêcher de se demander quelles pensées lui traversaient l'esprit.

— Nous ferons publier les premiers bans dès dimanche, déclara-t-il dans l'espoir de dissiper les doutes ridicules qui devaient la ronger.

Elle se leva d'un bond si vif qu'elle faillit le faire tomber.

— *Nous* ne ferons rien de tel.

Pivotant face à lui, elle croisa les bras et le fusilla du regard. Avec sa chevelure qui cascadait dans son dos, elle ressemblait à une walkyrie, que sa petite taille ne rendait pas moins impressionnante.

— Selon vous, que vous ai-je demandé, il n'y a pas deux heures sous ces couvertures, Gilly ?

— J'ai cru que vous m'invitiez dans votre lit, bien sûr.

Elle pinça les lèvres et il comprit qu'il venait de commettre une bévue. Elle n'était pas fâchée, elle était *blessée*. L'idée de l'avoir blessée à propos de quelque chose d'aussi important pour une femme lui fut insupportable.

Il mit un genou à terre et emprisonna sa main entre les siennes.

— Gillian, lady Greendale, ma comtesse, mon amie, me ferez-vous l'honneur de devenir ma duchesse ?

Voilà qui devrait l'apaiser. Il demeura dans cette position, attendant un sourire.

Elle se renfrogna, réaction qui le déstabilisa comme jamais il ne l'avait été depuis qu'Anduvoir était entré dans sa cellule, précédé de l'odeur de son cigare.

— Pour qui me prenez-vous, Mercie ? Levez-vous et nous aurons une discussion rationnelle, mais je vous préviens, vous perdrez la bataille.

Il s'exécuta en prenant soin de dissimuler sa perplexité.

— Au moins, asseyez-vous le temps de notre dispute, lui proposa-t-il.

Se drapant dans sa dignité, elle prit place sur le coffre sculpté.

— Vous croyez me protéger en m'offrant le mariage. C'est tout à fait inutile, bien que galant de votre part.

Elle brandissait l'arme de la logique, ce qui ne laissait présager rien de bon venant d'une femme qui sortait à peine du lit de son nouvel amant.

— Il me sera plus facile de veiller sur vous si nous sommes mariés. Ce qui a motivé mon offre.

C'était là une découverte déconcertante.

— Donc, c'est la mauvaise conscience, le désespoir ou encore, un besoin viril irrépressible. Je vous remercie, mais ma réponse est non. Se marier pour cette raison ne fonctionnera pas.

— Pour moi ?

Il farfouilla dans son armoire façon de se cacher. Il aurait pu se cacher dans son dressing, mais il ne voulait pas lui fournir une occasion de s'enfuir.

— Bien sûr que non. J'ai été mariée huit ans avec Greendale, Votre Grâce, et je n'ai pas pu lui donner d'enfant. Vous avez besoin d'héritiers et je ne suis pas en mesure de vous les offrir. Je suis navrée d'avoir à soulever un sujet aussi délicat.

C'était un prétexte – et pas vraiment convaincant. Christian jeta de côté une paire de bas de soie qu'il portait avec son habit de cour, à la recherche de ces chaussettes en laine qu'il s'était félicité d'avoir emportées en quantité en Espagne.

— J'ai fouiné un peu, avoua-t-il, trouvant enfin son bonheur. Greendale comptait déjà quatre comtesses à son actif, toutes jeunes et fougueuses. Aucune d'entre elles n'est parvenue à concevoir. Je n'ai aucun doute quant au responsable de cette absence de descendants directs.

Il s'agenouilla devant elle et se saisit d'un de ses pieds nus si fins et élégants.

— L'actuel lord Greendale est mon héritier, expliqua Christian. Suivi de quelques cousins lointains dans le Dorset ou le Hampshire, des propriétaires terriens enjoués, devenus obèses à force de manger leurs moutons. Nous correspondons deux fois par an. Rien ne m'oblige à en produire un de plus.

— Ce serait dommage, protesta-t-elle à mi-voix. Vous êtes le duc de Mercie, votre successeur devrait être élevé par vous. Où avez-vous appris cela ?

— À me chamailler avec vous ? C'est un talent inné, je suppose.

Réprimant un sourire, elle le fixa d'un air sévère.

— Où avez-vous appris à enfiler des chaussettes aux dames ?

— Dès le début de notre union, j'ai pris cette habitude avec Helene de peur qu'elle ne prenne froid. Elle avait toujours les mains et les pieds glacés.

Le nez aussi. Ce souvenir le réconforta car seul un mari attentionné pouvait être sensible à ce détail.

— Je ne peux pas vous épouser maintenant. Je suis en deuil.

Elle se raccrochait aux branches, mais le mot *maintenant* le rasséréna.

— Vous détestiez ce vieux débris.

— Il n'empêche que je dois à ma réputation de respecter un minimum de convenances.

— Alors épousez-moi l'année prochaine à la même époque. Nous prendrons de l'avance côté intimité, et nous perfectionnons notre capacité à nous chicaner en toute cordialité.

Il lui enfila la deuxième chaussette et resta agenouillé devant elle, au cas où l'idée la prendrait soudain de détaler jusqu'à Greendale Hall.

Elle rajusta le col de la robe de chambre de Christian, le lissa soigneusement.

— Ce que nous avons fait était malavisé, bien que je ne le regrette en rien.

— Malavisé ? répéta-t-il.

Le terme lui déplaisait. En revanche, son absence de regrets le satisfaisait au plus haut point.

— Imprudent. Les langues vont se délier dans les sous-sols.

— J'étais souffrant. Deviez-vous me laisser mourir alors qu'il semblait tout naturel que vous preniez soin de moi ?

— Pourquoi moi ?

— Vous êtes veuve, vous avez veillé sur votre mari agonisant pendant des semaines. Vous étiez ici quand Evan est tombé malade. Qui mieux que vous sait soigner un invalide ?

Elle ferma les yeux comme pour se calmer.

— Je dois retourner dans ma chambre.

Elle battait en retraite, preuve qu'elle était vaincue, en tout cas provisoirement.

— Dans un instant.

Il l'embrassa, détectant dans sa réponse un mélange de surprise, de curiosité et de capitulation. Le moment était venu pour lui de déposer les armes ou, du moins, de marquer une pause pour les recharger.

— Ma proposition vous a décontenancée, convint-il. Je suis navré que vous vous soyez sentie piégée. J'ai été maladroit. Je veux vous épouser, Gilly, mais vous avez raison : nous avons des problèmes à régler avant de fixer la date de nos noces.

— Je n'ai pas dit que…

Il l'enlaça et réclama de nouveau ses lèvres, mais elle n'était pas dupe et, cette fois, se contenta de subir son assaut.

— Vous n'avez pas besoin de dire quoi que ce soit. Greendale était un horrible grincheux, je le comprends. Prenez tout votre temps, examinez-moi sous toutes les coutures, comptez mes dents et mettez-moi à l'épreuve. Je me suis comporté comme un balourd. On vous a mariée de force une première fois et cela s'est mal terminé. Je me trompe ?

Elle appuya le front sur son épaule, et il resserra son étreinte.

— Non. Un jour, j'apprenais mes déclinaisons latines, et le lendemain, ma mère m'emmenait acheter mon trousseau. Quand j'ai rencontré Greendale, j'ai prétexté une migraine pour aller me réfugier dans la voiture et j'ai pleuré durant tout le chemin du retour. Tant qu'il me courtisait, il s'est montré aimable et jovial. Il a vite changé et ne s'est pas amélioré avec le temps.

— En ce qui me concerne, vous n'avez rien à craindre. Je vous apporterai d'autres chiots. Je vous lirai de la poésie, même celle de cet imbécile de Blake et je...

— Ramper ne vous sied guère, Mercie, coupa-t-elle en se redressant, mais elle n'était visiblement plus d'humeur querelleuse.

— Je vous ai amusée. Votre sourire vaut cet affront à ma dignité.

Le peu qu'il lui en restait.

— Vous n'allez pas vous enfuir ? reprit-il en repoussant une mèche de son visage. Quelqu'un vous veut du mal. Je préférerais que vous restiez ici, à me fustiger pour mes ardeurs. Si vous vous en allez...

Il irait la chercher et la ramènerait ici. Il se garda toutefois de le lui dire, car cela équivalait à en faire sa captive, ce dont il était incapable.

— Je tiens à vous, admit-elle à contrecœur. Je n'ai pas choisi mon premier mari, et les choses se sont mal passées, vous avez raison. Je ne veux donc rien précipiter.

Il patienta parce qu'elle n'en avait pas fini, et parce que, avec Helene, il avait été privé de telles discussions, une révélation qui ranima ses regrets... et ses espoirs.

— Je suis désolé. Loin de moi l'idée de vous presser.

— En outre...

Elle resserra le col sa robe de chambre et jeta un coup d'œil vers la fenêtre. Une magnifique journée d'été s'annonçait.

— ... je ne voudrais pas abuser de vous.

— De *moi* ? Je suis duc, je suis riche, je suis vingt-septième dans l'ordre de la succession au trône, je...

Esquissant un sourire, elle posa l'index sur ses lèvres pour lui intimer le silence.

— Que de modestie, Mercie.

Son sourire s'estompa et elle glissa la main sur sa joue.

— Vous avez subi de terribles épreuves, vous êtes en voie de guérison et doté d'un puissant instinct protecteur qui l'emporte sur votre bon sens. Je resterai à Severn et nous reparlerons de mariage plus tard.

Elle l'incita à poser la tête sur ses cuisses. Oui, l'instinct protecteur l'avait emporté sur le bon sens, et cela durerait tant qu'il n'aurait pas identifié celui qui lui voulait du mal.

Tandis qu'elle lui caressait les cheveux, il eut une autre révélation. Gilly aussi s'était laisser submerger par son instinct protecteur. Dès qu'il serait parvenu à le calmer, il ferait d'elle sa prochaine duchesse.

Gilly avait passé la nuit dans le lit de Christian et dormi merveilleusement en dépit des événements de la veille. À présent, elle se sentait...

Elle caressa l'abondante chevelure de Christian.

À présent, elle oscillait entre passion, fatigue et peur. Christian était toujours agenouillé à ses pieds, tel un enfant épuisé. Mais s'il était exténué, il était aussi rusé qu'un renard.

— Vous devriez peut-être m'envoyer ailleurs, suggéra-t-elle.

Il leva la tête.

— Je devrais peut-être vous emmener loin d'ici.

— Où irions-nous ?

Elle n'aurait pas dû lui poser cette question. Si elle partait avec lui, elle n'aurait d'autre solution que de l'épouser.

— J'ai des propriétés dans une douzaine de comtés. À vous de choisir.

Il se mit debout, l'aida à se lever, puis la dévisagea, sourcils froncés.

— Après notre première nuit d'amour, je n'ai aucune envie de me séparer de vous.

La première, car il avait la quasi-certitude qu'ils en partageraient d'autres. Et que Dieu lui vienne en aide, à elle aussi !

— Je m'apprête à franchir ce couloir, Votre Grâce.

Un sourire retroussa le coin de sa bouche et il la saisit par les épaules.

— Pour cette nuit exceptionnelle, je vous remercie. Je n'étais pas...

Il la pressa contre lui.

— Vous n'étiez pas sûr d'être à la hauteur, devina-t-elle. Vous doutiez de votre virilité à cause de ces maudits Français et de leurs fichus couteaux. Qu'ils pourrissent en enfer !

Aux côtés de Greendale. Car après ces ébats passionnés, sa rage envers son défunt mari n'était en rien atténuée, au contraire.

— Je manquais de confiance en moi, en effet. Et ce, depuis des mois. Ce n'est pas facile pour un homme de surmonter ses problèmes dans la solitude.

— L'affaire est réglée. De mon côté, j'ai aussi l'impression d'avoir franchi un pas.

Elle n'était pas complètement guérie, bien sûr, elle ne le serait jamais. Son mariage avec Greendale avait duré trois mille cent quarante-sept jours (elle avait fait le calcul le jour de sa mort), chacun plus horrible que le précédent.

Comment s'étonner qu'elle hésite à accepter la proposition de Christian ?

Durant les jours qui suivirent, Gilly eut l'impression de faire enfin son deuil. Christian la rejoignait dans sa chambre chaque soir, la soulevait dans ses bras et la transportait jusqu'au lit. Au début, il se montra tendre et attentionné, se limitant à une relation charnelle par nuit. Mais, peu à peu, il gagna en audace.

Gilly ne put s'empêcher de penser que c'était elle qui gagnait en assurance plus que lui.

D'où une partie de sa détresse. En tant qu'épouse de Greendale, elle avait vite compris que son mariage n'était qu'une triste caricature de ce qu'il aurait dû être.

Maintenant qu'elle avait un point de comparaison, elle se rendait compte de l'étendue du désastre.

Son union avec Greendale n'avait été ni plus ni moins qu'une tragédie, un assassinat de cette noble institution. Dieu merci, Christian comprenait la futilité de la violence, sous quelque forme que ce soit.

Les mariages de ce genre étaient chose commune, notamment parmi les hommes auxquels leur fortune et leur position permettaient de faire leur choix au sein des débutantes lancées chaque année sur le marché. Gilly avait connu plusieurs de ces couples parmi les amis de Greendale, et leur relation lui avait paru fondée sur l'affection et le respect.

Elle avait été infiniment soulagée le jour où Theo Martin lui avait annoncé la fin imminente de Greendale. Son mari lui avait appris la haine de son prochain, et comment endurer un cauchemar avec le sourire.

Auprès de Christian, elle découvrait le bonheur de chérir et d'apprécier l'autre. Elle avait beau le tancer chaque matin parce qu'il se montrait si présomptueux, elle se cramponnait à lui chaque nuit, lui offrant son corps et un morceau de son cœur.

— Vous êtes bien silencieuse, murmura-t-il.

Depuis combien de temps se tenait-il sur le seuil de son boudoir ? Elle n'en avait aucune idée.

— Vous avez su faire de cet appartement un nid à votre image, reprit-il. Cela m'enchante.

Gilly avait récupéré des taies d'oreiller et des housses de son trousseau, de sorte que les fleurs et motifs brodés issus de son imagination recouvraient divans et fauteuils.

— Bientôt, vous allez vous attaquer à mes rideaux, la taquina-t-il. Vous avez déjà transmis à Lucy la manie d'enjoliver le moindre tissu qui lui tombe sous la main.

— Greendale m'y autorisait. Selon lui, une femme penchée sur son ouvrage était un spectacle réjouissant.

En faire sa marotte avait été pour elle une forme de vengeance.

S'abandonner dans les bras de Christian en était une autre, du moins en partie, et elle se le reprochait volontiers.

Christian croisa les bras.

Elle se leva, le rejoignit, lui saisit le poignet.

— Quoi que vous ayez à me dire, dites-le.

— Je préférerais vous avoir ployée sur mon corps rassasié et prostré.

Il ferma la porte derrière lui et se laissa entraîner dans la pièce

— Il est hors de question de commettre la moindre imprudence ici, en plein jour.

Hélas, ses paroles sonnaient comme une interrogation alors que son intention était de prononcer un avertissement sévère !

Il lui sourit.

— Un de ces jours, Gillian, c'est en pleine lumière que vous vous tortillerez en gémissant sous moi. Voire en plein air.

— Les feuilles s'accrocheraient à mes cheveux, riposta-t-elle avec un zeste d'humour.

— Entre autres, convint-il, mais je vous aiderais à vous en débarrasser.

— Vous êtes un chenapan.

— Cela vous ennuie ?

Il la prit aux épaules et lui embrassa l'oreille.

— Vous ne pouvez pas passer vos journées à veiller à ma sécurité. Je devrais m'en aller, dit-elle, sincèrement désolée d'aborder ce sujet alors qu'il était d'humeur si avenante.

— Pas sans moi. Nous n'avons aucune nouvelle de la servante qui a préparé votre panier à pique-nique contenant le thé empoisonné, et d'après les renseignements glanés au *Lion and Cock*, on sait juste qu'elle a commencé à y travailler l'hiver dernier et qu'elle est originaire du Yorkshire.

— Si elle a pu accéder à mes victuailles, n'importe qui d'autre aurait pu le faire.

De même qu'à celles de Christian.

— Non, rétorqua-t-il, le regard sombre. J'ai envoyé tous les domestiques dont je ne peux pas me porter personnellement garant rendre visite à leurs proches, ce qui est assez courant à cette saison, entre la fenaison et la moisson. Les valets ou moi-même vous accompagnons partout, et tout le monde a reçu l'ordre de se méfier des étrangers.

— Ils sont très... protecteurs, admit-elle. Discrets, mais protecteurs.

— Cela vous surprend ?

— La première nuit, j'ai oublié mes mules dans votre chambre.

— Et alors ?

Le sacripant ! Il paraissait sincèrement perplexe.

— Dans les sous-sols, ils sont tous au courant.

— Que nous partageons le même lit ? Si vous le dites.

— Cela ne me plaît pas.

Elle détestait l'idée que son secret n'en soit plus un. Qu'on la croie coupable de tous les vices dont l'avait accusée Greendale lui était insupportable.

Christian étrécit les yeux, arborant cet air de sphinx qu'il avait eu le jour où elle avait déboulé chez lui à Londres.

— Allez-vous prétendre que vous n'aimez pas ce que nous faisons ?

Elle se serait volontiers libérée de son étreinte, mais il ne consentit qu'à la laisser pivoter avant d'enrouler les bras autour de sa taille.

— Je ne plaisante pas, madame. Sous aucun prétexte je ne voudrais m'imposer à vous.

— J'aime ce que nous faisons.

— Alors, c'est moi ? Peut-être souhaiteriez-vous batifoler avec un autre partenaire ?

Derrière ce sursaut d'arrogance, Gilly détecta un soupçon de vulnérabilité. Se retournant, elle appuya la joue contre le torse de Christian, ce torse qu'elle avait léché, embrassé, exploré avec délices.

— Je ne batifolerai jamais avec un autre homme. Chaque matin, je me promets de ne plus batifoler avec *vous*, du moins pas tant que les choses ne seront pas réglées entre nous.

Il desserra son étreinte.

— Je ne comprends pas votre dilemme. J'ai convenu que vous aviez besoin de temps pour y voir plus clair ; cela me coûte, mais par égard pour vous, je n'insiste pas.

— Non, vous vous contentez de…

— Oui ?

Il pressa les paumes sur ses fesses et elle constata que son désir s'était réveillé.

— Même nos disputes vous excitent.

— Tout, chez vous, m'excite, déclara-t-il d'un ton suffisant.

— Il s'agit simplement de luxure, résultat de tous ces mois passés dans l'armée.

— Vous êtes une femme intelligente, riposta-t-il, sa suffisance cédant la place à la perplexité. D'une intelligence effrayante, même. Comment pouvez-vous croire à de telles bêtises ?

— Arrêtez.

Il allait se lancer dans son « Je tiens à vous/ Greendale tient votre avenir en otage », un sermon auquel elle avait eu droit au cours de leur deuxième nuit ensemble.

— Épargnez-moi vos remontrances. Il est tout à fait possible que j'aie apporté avec moi le danger dans cette maison. M'épouser serait de la folie.

Il l'enveloppa de ses bras, usant de sa tactique la plus dévastatrice, répondant à ses protestations et à son bon sens par des manifestations d'affection illimitées et *silencieuses*. Il faisait montre d'une tendresse infinie, du matin au soir, comme si, durant tous ces mois de captivité en France, il avait emmagasiné son besoin de toucher, de cajoler, et qu'à présent il le déversait sur elle dès qu'il la voyait. Ses attentions lui donnaient le tournis, lui brisaient le cœur et l'empêchaient d'y voir clair.

— Seule, vous n'êtes pas en sécurité, rétorqua-t-il. Lucy a besoin de vous, et moi aussi. Dressez la liste de vos raisons et de vos arguments, Gilly, mais je vous en prie, ne partez pas. Plutôt que de vous laisser me quitter, je vais m'absenter, bien que cela me pèse. Les domestiques surveilleront vos moindres gestes et goûteront tout ce que vous mangerez ou boirez avant que vous n'y touchiez.

— Je refuse de bannir le duc de Mercie de son fief familial.

— Ce n'est pas pour tout de suite, précisa-t-il d'un ton suggérant qu'il n'hésiterait pas à lui obéir si tel était son désir. À présent, oublions ces chamailleries dont vous êtes si friande. La matinée est déjà bien avancée et Lucy risque de nous en vouloir de l'avoir délaissée.

Gilly s'avoua vaincue car, en effet, elle avait un fâcheux penchant pour les disputes, et parce que ce différend en particulier la rassurait pour la forme quant à sa position, sans pour autant l'obliger à agir en conséquence.

Chaque soir, elle se rapprochait de Christian. Chaque soir, il demandait et obtenait un peu plus de sa confiance, au point qu'elle en venait à admettre l'inévitable : son destin était à portée de main, à condition qu'elle ait le courage de s'en saisir.

Ils en avaient terminé avec leur querelle matinale, la deuxième de la journée car ils se disputaient souvent au réveil, parfois même pendant que Christian lui faisait l'amour.

Se disputer avec une femme tout en pillant ses trésors intimes était une opération aussi délicate qu'émoustillante. Christian en restait déboussolé, pourtant Gilly était toujours la passion faite femme entre ses bras.

Une autre altercation éclaterait à l'heure du thé, et à la fin de la journée, ils échangeraient des mots ensommeillés. Et pendant tout ce temps, Gilly le ferait fondre, l'exaspérerait et repousserait ses manifestations de tendresse sous prétexte de chercher son tambour à broder.

Curieusement, cette alternance de bagarres et d'ébats fougueux aiguisait l'appétit de vengeance de Christian, dont la santé s'améliorait de jour en jour. Comment pouvait-il aimer cette femme et espérer partager un avenir avec elle tout en poursuivant sa quête de vengeance ?

— Votre sangle est réparée, annonça-t-il tandis qu'ils atteignaient le palier du premier étage. Nous pourrions faire une promenade à cheval un de ces jours.

— L'automne approche. Allez-vous vous rendre à Londres pour la session parlementaire ?

Une perspective effrayante, bien que ses courriers aient enfin rapporté quelques rumeurs intéressantes concernant l'endroit où se trouvait un certain Robert Girard, fouine en liberté.

Une fouine à moitié anglaise, pour couronner le tout, futur héritier d'un titre de baron condamné, hélas, à mourir avec lui. Prinny ne manquerait pas de verser une larme ou deux avant de se saisir de ses biens.

Girard avait-il encore quelques vestiges de son ascendance anglaise qui pourraient regretter l'expiration d'un titre ? Christian préférait ne pas y songer. Il ne voulait partager aucun point commun avec son tortionnaire.

— Voulez-vous que je vous emmène en ville, Lucy et vous ? s'enquit-il.

Bien entendu, sous aucun prétexte il ne les laisserait s'approcher de Girard.

Gilly gravit l'escalier menant au deuxième étage.

— Lucy en serait sans doute ravie car elle a besoin de son papa, mais vous n'êtes pas obligé de m'y traîner avec vous.

— Vous trouvez mon personnel londonien moins loyal que celui de Severn ? voulu savoir Christian.

Vous ne pensez pas que j'aurai besoin d'une hôtesse là-bas ? Sachez que si l'un de mes employés ose vous dénigrer, je le renverrai sur-le-champ.

Elle marqua une pause, ses jupes bruissant autour de ses bottines.

— Colporter une vérité ne signifie pas que l'on me calomnie.

— Gilly, j'en ai assez de tout cela. Soit vous faites de moi un duc honnête et acceptez ma requête, soit vous vous contentez de mes attentions selon les termes qui vous conviennent. À vous d'en décider.

Elle demeura silencieuse, le regard douloureux en dépit de son expression en apparence sereine. Pourquoi, précisément, refusait-elle de l'épouser ?

Il la retint au beau milieu du couloir.

— Craignez-vous que je vous maltraite comme Greendale ? Que je vous interdise l'accès aux jardins ? Que je vous demande de repriser mes bas du matin au soir ?

— Vous en avez assez de tout cela, si je ne m'abuse ? riposta-t-elle.

Il ne s'offusqua pas de son éclat car il était conscient d'avoir fait mouche. L'expérience conjugale de Gilly l'avait marquée, mais de qui – ou de quoi – avait-elle peur, au juste ?

Il répugnait à admettre que ses dons lorsqu'il s'agissait d'interroger quelqu'un étaient inspirés par l'exemple de Girard.

Gilly fit six pas en direction de la nursery, puis s'immobilisa.

— Quoi ?

Elle posa un doigt sur ses lèvres et Christian se tut. Un son leur parvenait du bout du corridor, un son qu'il n'avait pas entendu depuis longtemps. Le chant d'un enfant.

— C'est Lucy, murmura Gilly en se remettant à marcher. Dieu soit loué, c'est notre Lucy, et si elle peut chanter, elle...

Notre Lucy. De même qu'elle était *sa* Gilly, qu'elle en ait conscience ou pas. Christian la retint doucement par le poignet.

— Elle s'arrêtera dès qu'elle sentira notre présence.

— Vous ne pouvez pas en être sûr, répliqua Gilly en se dégageant vivement.

— Elle parle dans son sommeil.

— Comment le savez-vous ?

Tous deux s'exprimaient en chuchotements rapides.

Avant qu'elle puisse reprendre la parole, Christian déclara d'une voix forte :

— Je vous interdis de broder des fleurs sur mes mouchoirs, comtesse. Tout motif autre que les armoiries familiales ou mes initiales serait indigne de mon statut.

Le chant cessa et les yeux de Gilly s'emplirent de larmes.

— Chut ! Elle ne peut pas savoir que nous écoutons aux portes. Disputez-vous avec moi, Gilly. Vous excellez dans cet art.

Elle cilla pour ravaler ses larmes et se redressa de toute sa hauteur.

— Je décorerai vos mouchoirs comme il me plaît, Votre Grâce. Mon propre père nous autorisait à orner les siens, et il était aussi imbu de sa personne que vous.

— Je ne suis pas imbu de ma personne, je suis duc. Vous noterez la différence.

— Parce que être un duc vous rend meilleur que lui ?

Il lui adressa un clin d'œil sans lui répondre car ils avaient atteint la porte de la nursery.

— Bonjour, Harris. Lucy est-elle libre de recevoir des visiteurs ?

— Elle a fini ses exercices de calcul plus tôt que d'habitude aujourd'hui, Votre Grâce. Vous auriez dû la croiser. Elle est dans la petite salle de jeu au bout du couloir, avec les chiots.

— Comtesse, voulez-vous vous joindre à moi ?

Il glissa le bras sous le sien, et elle ne se déroba pas. Quand ils étaient seuls, elle avait beau siffler, se hérisser, cracher, ergoter, jamais, quelles que soient les circonstances, elle ne lui interdisait de la toucher et pour cela – entre autres – il la chérissait.

— Bonjour, Lucy.

Christian s'inclina solennellement devant sa fille et vit la comtesse prendre une brève inspiration.

— Veux-tu venir te promener avec nous dans le parc ? Tu peux emmener ces deux réprouvés que tu as ensorcelés dans ta tour d'ivoire.

Elle fronça les sourcils.

Gilly la prit par la main.

— Ce qu'il veut dire, c'est que tu as su charmer ces chiens au point qu'ils t'obéissent au doigt et à l'œil.

Lucy ébaucha un sourire.

— Je sais, renchérit Christian en saisissant sa main libre. Tu joues avec eux et par conséquent, ils t'aiment. J'ai beau leur faire don de mes pantoufles préférées pour qu'ils les déchiquettent à loisir, ils m'ignorent, à moins que je ne les menace avec un journal enroulé.

Il continua sur sa lancée, plaisantant (pour charmer sa fille), ronchonnant (pour empêcher Gilly de parler), se comportant davantage en papa qu'en duc.

Toutes deux, Gilly comme Lucy, avaient pris une place prépondérante dans son existence. La perspective de devoir les quitter le temps d'éliminer Girard ne le réjouissait guère, surtout depuis qu'il savait Gilly menacée.

Et pourtant, Girard – cette ordure si futée – était vraisemblablement l'auteur desdites menaces, ce qui l'incitait à vouloir précipiter les règlements de comptes.

Christian, Gilly et Lucy jouèrent avec les chiens, firent un tour dans les écuries, puis regagnèrent la nursery. L'après-midi s'étirait devant eux, long et paisible, et Christian inventa mille et un stratagèmes pour utiliser au mieux ces quelques heures en compagnie de la comtesse.

— Je suis un tantinet fatiguée, avoua-t-elle, pour son plus grand plaisir.

— Vous ne dormez pas bien ces temps-ci. Vous réconforter dans votre sommeil agité me ravit.

— Peut-être êtes-vous la cause de mon agitation.

— Vous n'aimez pas que je vous masse le dos, comtesse ? Que je dessine des cercles sur votre nuque, de plus en plus lentement jusqu'à ce que Morphée vous accueille dans ses bras ?

Lui prenait un plaisir fou à ce rituel, qui le détendait aussi.

Elle garda son calme jusqu'à ce qu'ils atteignent la maison.

— J'ai vraiment besoin de me reposer, Christian.

Christian. Sa façon à elle de le cajoler, et d'une efficacité redoutable.

— Moi aussi.

— Faux. Vous vous privez de votre chevauchée quotidienne pour veiller sur moi, et Chesterton se languit de vous.

— Comme il se languissait de moi quand j'étais entre les mains des Français ? Cet ingrat n'en avait plus que pour Easterbrook quand j'ai ressurgi dans sa vie.

Cette déclaration était empreinte d'une colère sincère car un doute familier revenait le ronger. Un détail concernant son cheval.

— Je suis certaine qu'à sa façon Chesterton priait pour que vous rentriez à la maison. Allez, ouste !

— Je vous escorte jusqu'à votre chambre.

Elle soupira.

— Christian...

— Vous pouvez choisir entre George, John ou moi.

Elle prit le bras qu'il lui offrait et ils traversèrent la maison sans mot dire. Une fois qu'elle eut pénétré dans sa chambre, elle tenta de lui claquer la porte au nez, mais il parvint à s'immiscer dans l'entrebâillement et l'attrapa par les épaules.

— Pas de cela, dit-elle.

— Vous êtes toujours impatiente de me débarrasser de mes vêtements, Gilly, mais vous ne m'avez pas encore accordé ce privilège en retour.

— Et ce n'est pas maintenant que je vous l'accorderai.

— Que vous êtes pudique.

Se plaçant derrière elle, il l'entoura de ses bras. Quand ils seraient mariés, elle n'aurait plus peur de se montrer nue devant lui.

— Allez-vous rêver de moi ?

— Comment le saurais-je ?

— Je *sais* que vous faites des cauchemars.

Elle s'arracha à son étreinte et alla s'asseoir devant sa coiffeuse, ôtant les épingles de ses cheveux d'un geste irrité.

— Je le sais, répéta-t-il sans s'approcher. J'en fais aussi, et chaque fois, vous me réconfortez, Gilly. Je vous en suis reconnaissant.

— Vous dites que je fais des cauchemars ?

Il l'observa, remarqua que ses doigts étaient pris de tressaillements nerveux, et comprit qu'il risquait de la braquer.

— Ils ne durent jamais longtemps. Je vous serre contre moi, je vous chuchote quelques mots, et vous vous apaisez.

— Je ne...

Elle fixa son reflet dans la glace, sur ses gardes, tandis qu'une épaisse tresse blonde cascadait dans son dos.

— Je ne parle pas dans mon sommeil, tout de même ?

— Non.

Si ç'avait été le cas, cela l'aurait visiblement énormément ennuyée.

— Croyez bien que si vous me révéliez un terrible secret, je saurais le garder. Si vous mettiez une bonne fois pour toutes une croix sur votre existence avec Greendale, celui-ci vous remercierait sans doute s'il en avait la possibilité. D'après ce que j'ai compris, à la fin, il était incapable de mâcher et ne maîtrisait plus ses fonctions corporelles. Un homme comme lui préférerait sûrement être mort que de se retrouver dans un tel état de dépendance.

Le regard rivé sur elle, il guettait un signe d'assentiment.

Sa Gilly, mettre fin aux jours d'autrui ? Il ne l'imaginait pas une seconde, pas même par bonté, pas même si Greendale l'en avait suppliée. Elle s'opposerait probablement à ce qu'il extermine un monstre tel que Girard.

À cette pensée, il se figea, soudain mal à l'aise.

Gilly ôta encore deux ou trois épingles de ses cheveux.

— Vous n'auriez pas peur à la pensée que j'aie pu tuer mon mari ? Vous ne reviendriez pas sur votre proposition par crainte de finir dans le cimetière familial ? Vous endosseriez un tel acte alors qu'il va à l'encontre de toutes les admonestations bibliques ?

— Gilly...

Il s'approcha, posa les mains sur ses épaules. Elle était tendue comme un arc. Il lui parla doucement à l'oreille.

— En France, je suis devenu un peu fou, parfois plus qu'un peu. J'ai tenu grâce au chaos que je comptais bien provoquer à ma libération, le sang que je ferais couler, les supplices que j'infligerais à Girard, à ses caporaux, à ses lieutenants et à ses supérieurs.

— Leur but était de vous faire perdre la raison.

Elle tourna la tête, déposa un baiser sur sa main.

— Ils n'y sont pas parvenus, acheva-t-elle.

— Bien sûr que si. J'ai vu des choses qui n'existaient pas, Gilly. La plupart du temps, j'ignorais si je rêvais ou si j'étais éveillé. J'ai prié tous les dieux susceptibles de m'entendre.

Il ajouta à voix encore plus basse :

— J'ai apprivoisé des souris pour ne pas être seul. J'imaginais qu'elles m'apportaient des nouvelles fraîches du front. J'ai attribué un prénom à chacune. Nous entretenions de longues conversations, elles et moi.

Des lèvres, il frôla la nuque de Gilly, cette nuque qu'il trouvait si émouvante.

— Vous vous êtes lié d'amitié avec des souris, donc vous me pardonneriez le meurtre de mon mari ?

— Il ne me revient pas de juger ou de pardonner quoi que ce soit, répondit-il, soulagé qu'elle ne l'interroge pas davantage à propos des souris. Mon devoir est de vous protéger, de vous chérir et de préserver vos confidences.

Comme elle le protégeait, le chérissait et préservait les siennes.

Elle demeura muette, aussi l'étreignit-il, le corps penché sur le sien. Dehors, le soleil brillait et une brise agréable gonflait les rideaux.

— Tâchez de découvrir qui possède ce château, désormais, lui conseilla-t-elle.

— Pourquoi donc ?

— Pour le faire sauter et ériger sur ses ruines un monument en hommage à ce vieux Wellington, ou au roi, ou encore, *aux souris*.

— Et vous vous demandez pourquoi je tiens tant à faire de vous ma duchesse ?

16

Gilly cédait quotidiennement du terrain à Christian. Elle avait beau lui chercher querelle, discuter, résister, sortir de la pièce dans un mouvement d'humeur, il se montrait avec elle d'une tolérance qu'elle ne méritait pas. Il faisait preuve de cette patience infinie qu'il avait acquise en France – grâce à ce monstre de Girard – alors que ses tergiversations auraient pu le transformer en fou furieux.

Par bonheur, cela ne se produisait pas. Elle n'aurait pas pu tomber amoureuse d'un homme enclin à la violence.

La venue de ses menstrues lui fut un soulagement bien que son incapacité à concevoir n'ait rien de réjouissant. Elle avait espéré qu'une femme dans son état le rebuterait. Pas du tout. Christian la porta dans son lit comme chaque soir.

— Laissez-moi, marmonna-t-elle alors qu'il la soulevait avant de quitter sa chambre. Je suis indisposée.

— Vous êtes de mauvaise humeur ? Ce n'est pas un obstacle à ce que j'avais prévu pour vous. Pour nous.

— Christian, non.

Il la contempla l'air à la fois si tendre, si désemparé et ducal qu'elle eut pitié de lui.

— Je... je subis... un trouble féminin.

— Pour l'amour du ciel ! s'exclama-t-il en s'asseyant sur le lit sans la lâcher. Je comprends mieux pourquoi vous vous comportez comme une harpie depuis quelques jours. Mon pauvre agneau.

Il l'embrassa sur la tempe et elle dut se retenir pour ne pas le gifler.

— Je ne me suis pas comportée comme une harpie.

— Mais non, ma chérie, assura-t-il en dissimulant un sourire. Bien sûr que non.

Elle enfouit le visage au creux de son épaule.

— Je ne suis pas votre chérie.

— C'est plutôt à moi d'en décider. Êtes-vous mal à l'aise ?

— Vous êtes incorrigible.

— Et sensible à vos tourments, répliqua-t-il.

Sur ce, il se releva et se dirigea vers la porte.

— Avez-vous besoin de quelque chose ? Quelques gouttes de laudanum ?

— Je refuse de vous répondre, riposta-t-elle, écarlate.

Elle aurait dû se douter qu'il réagirait ainsi, sans tourner autour du pot, attentif, prêt à anéantir allègrement tout ce qui pouvait s'ériger entre eux, y compris son intimité ou sa dignité.

Avec son mari, elle avait pris l'habitude de guetter avec impatience ses menstruations parce qu'elles étaient synonymes d'une semaine de tranquillité. Aux yeux de Greendale, c'était une condition répugnante, un infâme fléau résultant de l'incapacité d'une femme à concevoir et, donc, à accomplir son devoir.

Huit années durant, elle avait chéri la condition répugnante et l'infâme fléau.

— Sérieusement, mon ange, insista Christian en fermant la porte de sa suite d'un coup de hanche. Si vous n'êtes pas bien, dites-le-moi.

Il la déposa sur le lit, l'abandonna le temps de verrouiller les portes. De retour près du lit, il plaqua les mains sur ses hanches et l'examina.

— Vous craignez de salir les draps ducaux ?

— Je vous en prie !

— Mon père m'avait mis en garde. Il assurait qu'en ces périodes les femmes avaient particulièrement besoin d'attentions car elles devenaient la proie d'obsessions bizarres.

— Vous plaisantez ? Vous venez me chercher chaque soir, vous me poussez à faire des cauchemars et vous dites que *les femmes* sont la proie d'obsessions bizarres ?

— Je vous ramène là où vous devriez être, argua-t-il en grimpant sur le lit. Là où vous voulez être et, oui, je persiste et signe : les femmes sont la proie d'obsessions bizarres. En ce moment, par exemple, vous craignez d'être disgracieuse.

Elle détourna les yeux. Il répétait sans doute l'aveu d'une femme inconséquente ; elle ne voyait pas comment il aurait pu obtenir l'information autrement. Helene n'aurait jamais eu le courage de se révéler aussi vulnérable.

— Vous avez horreur du désordre et auriez préféré être enceinte, continua-t-il d'un ton empli de compassion. Si porter un enfant transforme votre silhouette et vous met en danger, la grossesse sied aux femmes. Nombre de mes camarades l'ont remarqué.

— Vous discutiez gestation tout en combattant ?

Refusant de se laisser distraire, il dénoua les rubans qui fermaient sa robe de chambre.

— Poussez-vous de votre côté, ordonna-t-il en la délestant du vêtement. Quand vous êtes indisposée, vous réconforter est mon privilège.

Il se débarrassa de sa propre robe de chambre, car il n'était pas question de la réconforter autrement que nu, sa tenue préférée pour dormir. Qu'il ait suffisamment confiance pour se montrer ainsi devant elle la bouleversait toujours autant, et elle lui enviait son assurance.

— Allez !

Dès qu'elle se fut déplacée, il s'allongea derrière elle et plaqua son corps contre le sien, la tête en appui sur son épaule.

— Voulez-vous que j'aille vous chercher une bouillotte ?

Encore un peu, et elle allait fondre en larmes.

— Au risque de révéler vos frasques aux domestiques ?

Mais si elle le lui demandait, il se plierait sans protester à sa requête, contrairement à la plupart des hommes.

— Vous ne voudriez pas que je vous abandonne ici toute seule. Pas avant que les draps ne soient réchauffés.

Il posa la main sur son ventre, lui communiquant sa chaleur.

— Helene disait que vous étiez un mari attentionné. Si votre main pouvait descendre un peu plus bas...

Elle le guida.

— Je n'en crois rien.

— Elle vous traitait de grande brute imbue de lui-même, mais elle reconnaissait votre propension à vous comporter en époux obligeant. Néanmoins, elle avait très peur de concevoir.

— De crainte de mettre au monde de grandes brutes ?

Il l'embrassa sur la nuque.

— Helene n'était pas aussi menue que vous – et, si cela vous ennuie, nous ne sommes pas obligés de parler d'elle.

Peut-être était-ce lui que cela ennuyait. Gilly entrelaça ses doigts aux siens, navrée pour lui qu'Helene ne lui ait jamais dit sa gratitude.

— Elle avait peur parce que sa mère avait vécu des accouchements difficiles et avait succombé à la naissance de son plus jeune frère, expliqua-t-elle.

Christian se figea.

— Elle ne m'en a jamais parlé. En presque une décennie de mariage, pas une fois elle ne l'a évoqué. Ma propre épouse ! Et, sacrebleu, elle craignait pour sa vie.

Gilly repoussa sa main, se retourna et se hissa sur le coude pour le dévisager. La nuit était fraîche, on avait donc allumé un feu et ce dernier diffusait assez de lumière pour qu'elle distingue ses traits.

— Elle savait quel était son devoir. Nous en avons discuté. À l'origine, c'est moi que la famille vous destinait, rappelez-vous. J'étais plus jeune qu'Helene, et le fait que je sois mariée leur aurait épargné les dépenses liées à mes débuts dans le monde. J'étais d'accord, avant que Greendale ne soumette à ses avocats ses projets me concernant, mais Helene voulait à tout prix être votre duchesse.

— Seul le titre l'intéressait. Elle aurait accepté d'être la duchesse de n'importe qui. Toutes les petites filles en rêvent, marmonna-t-il, irrité. Helene a accouché sans problème. Le médecin et la sage-femme me l'ont assuré, les deux fois.

Gilly le poussa jusqu'à ce qu'il devine ses intentions et lui tourne le dos. Elle se cala sur les oreillers, glissa une jambe par-dessus sa cuisse et noua le bras autour de sa taille.

Il s'empara de sa main, la porta à ses lèvres, avant de la presser contre son cœur.

— Aviez-vous envie d'être ma duchesse, mon ange ?

Le ton était mélancolique, le terme, débordant d'affection.

— Dormez, Christian. Vous avez rendez-vous avec Chesterton au lever du soleil.

Il roula sur le dos, le visage grave.

— Épousez-moi, Gillian. S'il vous plaît.

Il lui caressa la joue.

— Je parle avec vous. Si vous étiez ma duchesse, vous ne vous morfondriez pas en silence sur les dangers des suites de couches. Je suis moins… jeune que je ne l'étais quand Helene m'a séduit. Je suis aussi moins stupide.

Jeune. Un euphémisme pour sain de corps et d'esprit, ignorant du mal que les hommes pouvaient s'infliger les uns aux autres, de la guerre, de la torture.

Je parle avec vous...

— Auriez-vous la gentillesse de me masser le dos ?

— Si vous me réclamez des gestes de réconfort, c'est que vous êtes très mal, ma pauvre chérie.

Il bascula sur le flanc, la serra de près et entreprit de lui masser doucement le dos.

En dépit de ses caresses, qui la détendaient vraiment, Gilly se sentait bel et bien très mal. Certes, il lui parlait, mais quant à elle, elle ne lui disait pas tout.

La comtesse sombra dans un profond sommeil, ce qui rassura Christian. Elle acceptait leurs retrouvailles nocturnes, mais résistait le jour à ce qu'il jugeait de plus en plus comme la seule voie possible : le mariage.

Il l'aimait. Comment en était-il arrivé là ? Mystère. Un panachage d'oranges pelées, de doux baisers, de satin noir et d'une approche plutôt impitoyable du jardinage. Cependant, il sentait que lui révéler ses sentiments ne ferait que l'inciter à la fuite, la blesser ou l'effrayer.

Il se confiait à elle et elle l'écoutait. La réciproque n'était pas vraie, Gilly ne partageait pas ses secrets avec lui.

Les affres subies au cours de son mariage.

Son désespoir de ne pas avoir d'enfants.

Ses sentiments à son endroit.

Quelque chose hantait ses magnifiques yeux bleus. Quelque chose l'empêchait de s'abandonner à ses émotions, contrariant tous les efforts de Christian pour la courtiser.

278

Il lui prouverait donc son amour avec son corps et son esprit, à travers sa patience et ses attentions.

Lorsqu'elle se réveilla juste avant l'aube, il la laissa descendre du lit. Au lieu de quitter la chambre, elle disparut derrière le paravent, emprunta sa poudre dentifrice, puis le rejoignit sous les couvertures.

— Je sais que vous ne dormez pas, Mercie. Vous arborez une expression bien trop angélique.

— Je suis votre ange, murmura-t-il, paupières closes. Rapprochez-vous, que je vous réchauffe.

— Où avez-vous acquis une nature aussi affectueuse ?

Il réfléchit.

— En France, peut-être. Mais elle a toujours été latente et n'attendait que la comtesse idéale pour s'épanouir.

— Vous montrez aussi de la tendresse envers Lucy, envers votre cheval et les chiots.

— Ils ne resteront pas des chiots très longtemps. Je suis heureux que vous acceptiez mes marques d'affection, comtesse. Vous l'ai-je dit ?

— Vous me l'avez dit, mais pas avec des mots.

Cette réponse lui plut. Elle ne mettait pas un point d'honneur à le réprimander ni à feindre de tolérer ses attentions. Elle se lova contre lui.

— Comment vous sentez-vous ce matin ? s'enquit-il en glissant la main sur son ventre.

— Plutôt reposée. Quels sont vos projets pour la journée ?

— J'avais envie de me rendre à Greendale Hall. Marcus y habite depuis plusieurs semaines et je ne lui ai pas encore rendu visite.

— Il est votre héritier, n'est-ce pas à lui de venir à vous ?

Craignait-elle son absence, ne serait-ce que l'espace d'une journée ?

— Nous correspondons. Votre défunt mari a laissé la propriété dans un état pitoyable tant il était réticent à mettre la main à la poche pour l'entretenir.

— C'était un maniaque des économies de bouts de chandelles, un vieux grippe-sou, un rat.

Pourquoi se contenter d'une insulte quand elle pouvait en cracher trois dès qu'elle évoquait son défunt époux ? Décidément, sa Gilly avait une âme de sergent d'artillerie.

— Marcus est donc accaparé par les métayers mécontents, les barrières écroulées et les champs envahis de mauvaises herbes. On se demande pourquoi il n'a pas tapé du poing sur la table du vivant du vieux comte.

— Parce que le vieux comte avait un sale caractère, répliqua Gilly.

Elle bâilla ostensiblement.

— Si Marcus avait eu l'audace de le défier, de l'énerver ou de lui manquer de respect, il n'aurait pas hésité à léguer tous ses biens à une œuvre de charité.

— Auquel cas, Marcus n'aurait pas pu démissionner de l'armée et serait devenu le propriétaire absent d'un domaine négligé, ce qui aurait rendu tout le monde malheureux. Redites-moi que vous n'avez pas empoisonné votre mari.

— Je n'ai pas empoisonné mon mari.

Il posa la tête sur sa poitrine.

— Vous y avez songé.

— Très, très souvent.

— Je comprends, vous savez.

— C'est impossible.

Elle plongea les doigts dans ses cheveux et il ferma les yeux, tout à son plaisir. Gilly avait le don de deviner ses envies.

— Épousez-moi, Gillian. S'il vous plaît.

— Arrêtez.

Elle se dégagea et glissa vers le bord du lit.

— Votre ténacité m'agace, Votre Grâce, d'autant que je réfléchis aussi sérieusement que possible à votre offre.

— Votre obstination à m'appeler « Votre Grâce » m'agace tout autant. Je trouve cela odieux quand nous sommes entre nous. Revenez ici.

Cet ordre ne lui valut même pas un coup d'œil. Gillie s'affaira dans la chambre à la recherche des chaussettes qu'il l'obligeait à porter. Sans doute était-elle pressée de s'en aller avant que les servantes n'arrivent pour ranimer le feu et lui apporter son thé.

— Elles sont sous la coiffeuse.

Un bref regard – noir – et elle se mit à quatre pattes pour récupérer lesdites chaussettes. Christian se redressa, appréciant le spectacle, et s'efforçant de ne pas laisser certaines pensées érotiques le submerger.

Gilly était pudique, même au lit. Elle attendait toujours que les bougies soient éteintes avant d'ôter sa chemise de nuit. S'il lui avait fait découvrir un certain nombre de positions sexuelles, elle refuserait certainement de s'agenouiller devant lui sous prétexte d'un affront à sa dignité.

Comme si...

— Aïe ! grommela-t-elle, à moitié sous le meuble.

Alors qu'elle avançait encore, un bruit d'étoffe déchiré brisa le silence.

— Ne bougez pas, mon ange, votre chemise de nuit a dû s'accrocher à un clou. Le coupable sera puni.

— Ne vous...

Elle voulut sortir à reculons, chaussettes à la main. Résultat, le tissu se déchira sur toute la longueur laissant une écorchure sur son épaule.

— Laissez-moi vous aider, comtesse, avant qu'il ne me vienne de drôles d'idées à force de vous voir ainsi.

Il s'approcha d'un pas tranquille et ne put s'empêcher de scruter la bande de chair pâle entre son omoplate et le creux de ses reins. Jamais encore il ne l'avait vue...

— Gillian ?

Elle s'assit précipitamment sur ses talons.

— Détournez-vous.

Elle tenta de resserrer la chemise autour de son cou, écartant d'autant plus les pans à l'arrière. Il l'observa de plus près.

— Je vous en prie, Christian... ne regardez pas.

Des cicatrices lui striaient le dos, de fines lignes blanches, certaines plus visibles que d'autres, de plus en plus denses à la hauteur de ses fesses.

— Gilly, murmura-t-il, atterré. Que vous est-il arrivé ?

— Détournez-vous !

Elle se redressa en titubant, mais il lui enserra les poignets, l'empêchant de fuir.

— Non... Laissez-moi, je vous en supplie.

Il l'entoura de ses bras.

— Qui vous a fait cela ?

Elle secoua la tête, le visage pressé contre son torse, le corps tremblant.

— Vous m'avez caché ceci. Vous preniez toutes ces précautions, n'est-ce pas, pour m'épargner ce spectacle ?

Elle laissa échapper un sanglot.

Christian s'étonna d'être encore capable de parler alors qu'il avait envie de hurler, de frapper en son nom, de fouetter avec autant de force, encore et encore, celui qui l'avait flagellée.

— C'était votre père. Vous m'avez dit qu'il était sévère.

De nouveau, elle secoua la tête, pleurant ouvertement, à présent.

— Répondez-moi, murmura-t-il en l'étreignant. Je vous en prie, mon ange, dites-moi qui vous a fait cela.

— Mon mari. C'est mon mari qui m'a fait cela.

Les mains de Christian s'immobilisèrent sur son dos et Gilly regretta de ne pas pouvoir ravaler ses paroles. Pendant des années, elle avait gardé la tête haute, sachant que personne d'autre qu'elle et Greendale n'était au courant. Les domestiques l'avaient probablement deviné – elle avait mis un certain temps à apprendre à combattre Greendale en silence –, mais ils n'en avaient jamais eu la certitude.

Ses parents le savaient, mais avaient choisi de le nier, l'abandonnant à l'âge de dix-sept ans entre les mains d'un monstre.

Helene l'avait soupçonné, et avait donc accueilli Gilly chez elle aussi souvent qu'elle le souhaitait, mais elle non plus n'en avait jamais eu confirmation.

— Ne bougez pas.

Christian la lâcha, s'empara de sa robe de chambre qu'il enfila et quitta la pièce. En son absence, Gilly récupéra la sienne et la revêtit par-dessus sa chemise en lambeaux.

Reverrait-elle un jour cette chambre ? Une duchesse digne de ce nom ne pouvait avoir été le poteau de torture de son défunt mari.

Tandis que les minutes s'égrenaient, elle songea que rien ne l'obligeait à obéir à Christian.

Jamais, parce qu'il ne serait jamais son mari. Pourtant, elle ne bougea pas.

Il reparut enfin avec un grand plateau, qu'il déposa sur une table.

— Venez.

Il tira deux chaises jusqu'à l'âtre et se carra derrière l'une d'elles, impassible.

— Nous allons avoir une conversation, lady Greendale. Vous allez vous confier à moi et je vous écouterai.

Lady Greendale. Le seul fait de s'entendre appeler ainsi suffisait à raviver la douleur.

— Pourquoi ?

— Parce que vous n'aviez même pas une fichue souris apprivoisée à qui vous confier.

Elle s'attendait à tout sauf à cela. Franchissant la distance qui les séparait les plus dignement possible, elle prit place sur l'un des sièges.

Il s'installa sur l'autre, leur versa à tous deux du thé, ajouta un soupçon de lait et du sucre dans celui de Gillian.

— Buvez. Je patienterai le temps qu'il faudra.

Son expression était si féroce qu'elle obtempéra. À sa grande surprise, elle trouva le thé excellent. Fort et revigorant, comme l'homme qui ne la quittait pas des yeux.

— Au début, mon mari était assez affectueux, commença-t-elle malgré elle. Si tant est qu'un vieillard aussi prétentieux puisse l'être. J'ignorais à quoi je devais m'attendre lors de notre nuit de noces. Ma mère m'avait simplement promis que, si je me soumettais docilement, cela ne durerait pas longtemps et que seule la première fois était douloureuse.

La colère de Christian était palpable. Pourtant, il se garda de l'interrompre.

— J'ai eu terriblement mal, j'ai crié, je l'ai supplié d'arrêter. Il m'a giflée. À plusieurs reprises.

Elle marqua une pause, but une gorgée de thé, essayant de réciter les souvenirs plutôt que de les ressusciter.

— Je n'ai pas compris.

— Votre souffrance et votre humiliation l'excitaient.

La perspicacité de Christian la prit de court et elle se figea, le regard dans le vide.

— Oui. Je ne l'ai pas compris cette nuit-là ni avant un bon moment, mais il ne pouvait pas... il ne pouvait pas aller jusqu'au bout, et quand je me mettais à pleurer, et qu'il devenait de plus en plus violent, cela l'aidait à...

— Atteindre l'orgasme.

— Oui, à répandre sa semence en moi ou dans sa main. Quand cela arrivait, il me battait, m'accusait de lui faire gaspiller son sperme.

— Et vous avez supporté cela pendant huit ans ?

— Les dernières années, il n'était plus en mesure d'essayer. Selon moi, l'ignominie de ne pas être à la hauteur, même quand il me maltraitait, a pris l'ascendant sur le plaisir que me frapper lui procurait. Il n'a jamais été... comme vous.

Christian fronça les sourcils.

— À savoir ?

— Il n'était pas... ferme. Sa virilité demeurait molle jusqu'à ce qu'il commence à me fouetter ; elle durcissait alors un peu, mais pas comme vous.

Elle avala une autre gorgée de thé et se risqua à jeter un coup d'œil à Christian.

— Je ne l'ai jamais étudié de près, au cas où vous vous poseriez la question. J'ignore à quoi ressemblaient ses parties génitales. Je ne voulais pas le savoir.

Avec Christian, c'était tout le contraire. Elle aimait le contempler, la toucher, le goûter, sentir son odeur.

— Nom de nom !

Il se frotta le visage, puis la dévisagea, le front plissé.

— Les domestiques ne vous entendaient pas ? Il devait se servir d'une cravache.

— Il avait un faible pour le martinet, mais employait parfois la cravache. Il s'arrangeait toujours pour que cela se passe quand les membres du personnel prenaient leur demi-journée de congé, ou tard dans la nuit, quand ils étaient tous couchés. À d'autres moments, il m'abordait et me convoquait pour une « conversation privée ».

— Je parie qu'il vous arrachait d'un sommeil profond quand l'envie l'en prenait.

Elle acquiesça. Comment l'avait-il deviné ?

— Je parie aussi que, aux moments les plus inattendus, il se montrait aimable et empressé, enchaîna-t-il, les doigts serrés autour de l'anse de sa tasse. Alors, vous vous mettiez à espérer, vous vous disiez que l'horreur était derrière vous, que les choses pouvaient changer.

— Uniquement la première année.

— Huit ans, souffla-t-il.

Cette fois, il se frotta les paupières comme s'il avait une poussière dans l'œil. Puis il releva la tête et fixa sur elle son regard bleu pénétrant.

— Les domestiques n'ont rien entendu ? Jamais ?

— Non.

Elle s'aperçut qu'elle avait fini son thé, reposa la tasse sur la soucoupe.

— Mais ils se doutaient de quelque chose. Certains jours, je pouvais à peine me déplacer tellement je souffrais. Il avait sa panoplie de subterfuges. Il me marchait accidentellement sur le pied avant d'avoir ôté ses bottes et se répandait en excuses pour sa maladresse. Il me baisait la main et me suppliait de lui pardonner.

— J'en ai la nausée.

Christian balaya la pièce du regard comme s'il cherchait le pot de chambre.

— Votre doigt. C'est lui ?

Elle leva la main gauche, dont l'auriculaire était légèrement déformé.

— Je jouais de la flûte et cela le gênait. En général, il s'en tenait aux endroits qu'une robe du soir pouvait dissimuler. Ce jour-là, il m'a pris la main, l'a plaquée sur la cheminée, puis l'a frappée à coups de canne. Il était particulièrement furieux, et je n'ai pas été assez rapide.

— Et l'histoire du thé ? Ce n'est pas vous qui l'avez renversé, n'est-ce pas ?

— Non, c'est lui. Exprès. Après quoi, il m'a exprimé son profond regret sous l'œil des valets.

Le menton en appui sur le poing, Christian se réfugia dans le silence et Gillian en éprouva de l'effroi. Quand il reprit la parole, ce fut d'une voix glaciale.

— Vous vous sentez coupable de ce qui vous est arrivé.

— Bien sûr que non, s'insurgea-t-elle. Jamais de la vie. Je ne suis pas une imbécile.

— Vous aviez dix-sept ans, vos parents étaient incapables de vous venir en aide, ils ont donc préféré ignorer ce qu'ils vous avaient infligé, tout cela pour un malheureux titre de comtesse. Vous sacrifier leur permettait de garder les coffres familiaux suffisamment remplis pour que votre cousine décroche un diadème. Grâce à moi. Vous étiez la seule à pouvoir empêcher cette union avec Greendale et vous n'en avez rien fait.

Il s'exprimait d'une voix sourde comme à son retour de France quand il était à bout de forces et sursautait au moindre bruit.

— Vous dites des bêtises et ce n'est pas gentil de votre part, Christian. Encore un peu de thé, je vous prie.

Elle lui tendit sa tasse en priant pour qu'il ne remarque pas combien sa main tremblait.

Sauf que la tasse en question tintinnabulait sur la soucoupe. Il attendit quelques secondes avant de la remplir.

— Par la suite, enchaîna-t-il comme s'ils ne s'étaient pas interrompus, quand vous vous êtes rendu compte que vous étiez prise au piège, vous étiez la seule à pouvoir orchestrer votre fuite, et là encore, vous avez failli.

— À quoi cela aurait-il servi ? Ceux à qui j'aurais pu demander de l'aide m'auraient aussitôt ramenée chez Greendale ou obligée à subir la justice du roi. Mon propre père, mes oncles, ont refusé de me secourir. Helene ne pouvait rien pour moi, Marcus non plus, en tout cas ouvertement. Greendale s'était débrouillé pour m'isoler complètement de mes amis. Même le vicaire avait interdiction de me rendre visite en privé. Greendale ouvrait mon courrier, gérait mon argent...

Elle dut poser sa tasse de peur de la fracasser contre le mur. Sous aucun prétexte elle ne voulait se laisser aller à la violence qui avait tant réjoui son mari.

— Il n'empêche que vous vous en voulez de ne pas avoir trouvé une solution. Partir pour l'Amérique, suivre l'armée, accepter une place de dame de compagnie dans une lointaine île écossaise. Vous n'avez jamais cessé de vous blâmer, de vous rabaisser, au point que vous avez fini par croire tout ce qu'il disait à votre sujet.

Elle renonça à se demander pourquoi Christian lui disait des choses aussi méchantes, car il avait parfaitement raison. Dès la deuxième année, son mariage était devenu tel qu'il le décrivait.

— J'en suis venue à penser que je ne concevais pas parce que j'en redoutais les conséquences. Je n'imaginais pas mettre au monde un enfant innocent dans la maison d'un homme pareil. C'est la gouvernante qui m'a appris que j'étais sa cinquième épouse. Celles qui m'avaient précédée étaient aussi menues que moi, et toutes s'étaient lamentées de ne pas tomber enceintes. Un détail que mes parents ont soigneusement omis de me révéler.

Elle s'obligea à lui raconter le reste.

— Quelqu'un avait dû entendre la gouvernante, car Greendale l'a renvoyée la semaine d'après.

— Quant à vous, vous avez renoncé à chercher des alliés, grommela Christian en contemplant le feu. Vous ne vous adressiez même plus aux souris.

Qu'avait-il à revenir sans cesse sur les souris ?

— J'ai prié pour qu'il meure. Je ne l'ai pas tué.

— Croyez-vous que je vous le reprocherais ?

Il lui coula un regard.

— Les hommes comme Greendale méritent la mort. Que sa cruauté ne puisse lui survivre n'est que justice divine, et si vous l'aviez tué, je vous porterais un toast dans les rues de Londres.

— Ce qui me vaudrait la pendaison.

Car la violence générait la violence, aussi sûr que les chattes engendraient des chatons et les juments, des poulains.

Il ne contesta pas. Il était mieux placé que quiconque pour comprendre son raisonnement.

— Vous ne pouvez m'épouser à cause de ce que Greendale vous a fait subir, déclara-t-il après un long silence, d'un ton empreint à la fois de colère et de lassitude. Pas tout de suite.

— Je veux vous épouser, mais je ne voulais pas que vous voyiez... que vous *sachiez*. J'ai songé à mettre fin à mes jours, Christian, plutôt que de continuer à m'incriminer ainsi pendant des années. Pourtant, je n'ai pas cédé à ces pulsions. On avait arraché, piétiné mon pouvoir et ma dignité pendant que ma famille et toute la bonne société vivaient allègrement leur vie et que la loi applaudissait. Il y avait là de quoi... s'interroger.

— J'en conviens.

Était-ce sa façon à lui d'initier leurs adieux parce que ses interrogations s'étaient dressées entre eux, et qui savait si elle trouverait un jour une réponse ?

C'est alors qu'il eut une réaction étrange. Quittant sa chaise, il vint s'agenouiller devant elle. Elle se raidit, ne sachant à quoi s'attendre car le moment ne se prêtait guère à une démonstration du vaillant et preux chevalier que décrivait Chaucer dans son prologue des *Contes de Canterbury*.

Il enroula les bras autour de ses hanches et posa la tête dans son giron.

— Votre Grâce ?

Il avait pris cette même position la première fois qu'il lui avait demandé sa main. Il pressa le visage contre sa cuisse.

— Christian ?

— Chut, ma douce. Nous pourrons nous chamailler plus tard ; pour l'heure, taisez-vous. Vous ne devez pas vous tracasser, mais je ne peux vous laisser seule maintenant. Vous m'avez comme jamais je ne l'aurais cru possible.

— Je vous ai donné une leçon d'*humilité* ?

Elle avait de nouveau la gorge nouée, et les larmes lui montèrent aux yeux. Il aimait qu'elle lui caresse la tête, elle se concentra donc sur ce geste, encore et encore, tandis que le thé refroidissait et que son cœur se brisait.

Encore et encore.

17

Grâce à Dieu, la journée fut sauvée par une visite impromptue de Devlin St. Just, qui était de passage dans la région.

— Il s'en est fallu de peu que je ne fracasse la théière, lui avoua Christian. Mais la comtesse paraissait si désemparée.

Ils avaient sillonné la propriété. Le temps était frais et leurs montures, sémillantes. Christian s'était confié entre petits galops et sauts de barrières.

— Son expérience vous oblige à remettre votre propre situation en perspective. Qu'allez-vous faire ?

Sa situation. Il était un héros de guerre pour avoir enduré en silence des mois de sévices alors que Gilly demeurait émotionnellement prisonnière de ses huit années de torture dissimulée, la justice et la bonne société ayant garanti l'impunité à son tortionnaire

— Je vais lui donner du temps.

Il lui aurait volontiers donné ses mains, sa vue, n'importe quoi si cela avait pu l'aider à retrouver un semblant d'estime de soi et de joie.

— Vous voulez lui donner le reste de votre vie et votre fortune, répliqua St. Just. Elle refusera peut-être de se remarier, et vous n'avez pas de fils.

— Je n'ai pas besoin de fils. J'ai besoin de Gilly.

— Le lui avez-vous dit ?

— Très clairement.

— Je ne vous demande pas si vous avez prononcé les mots exacts, mais si vous lui avez fait savoir que vous aviez besoin d'elle.

Sourcils froncés, Christian dévisagea son ami – car s'il pouvait lui révéler de pareils secrets, ce ne pouvait être qu'un ami –, mais ce dernier n'avait pas terminé.

— Vous êtes duc, riche, puissant, raisonnablement séduisant quand vous vous en donnez la peine et un héros de guerre. Elle est la victime sans le sou d'un époux violent. Que peut-elle posséder dont vous ayez besoin ?

— Tout.

— Ma foi, vous êtes vraiment amoureux. Je suis impressionné.

— Par les charmes de madame ?

— Par votre courage. Vous étiez brisé, vous aussi, et à vous voir ainsi...

St. Just s'interrompit tandis que les chevaux contournaient un amas de crottin au milieu du chemin.

— Vous avez trouvé là la plus belle des revanches, mon cher.

— On m'a abîmé, jamais brisé. Girard me le rappelait constamment.

Et il s'en était réjoui tout en se disant que ce n'était qu'une provocation parmi d'autres.

— Gilly m'a aidé à retrouver mon équilibre.

L'air peiné, St. Just désigna le clocher du village.

— On fait la course ?

Christian éperonna Chesterton, persuadé de gagner puisqu'il connaissait le terrain par cœur. Mais St. Just avait du métier, et le battit d'une longueur.

— Le cœur n'y était pas, commenta-t-il, charitable. Et ma monture est en meilleure forme que la vôtre. J'avais prévu de me rapprocher de Londres avant le coucher du soleil, mais invitez-moi donc à passer la nuit chez vous.

292

— Avec plaisir, répondit Christian, soulagé d'avoir un invité. Nous dînerons en toute simplicité. Je vous prêterai des vêtements, mais autant vous prévenir tout de suite, je découvre chaque jour de nouvelles broderies dans des endroits improbables.

En voyant l'expression intriguée de St. Just, Christian décida de changer de sujet.

— Nous avons surpris Lucy en train de chanter pour les chiots.

— Je devine un « mais » ?

— Elle ne parle toujours pas quand elle sait qu'on peut l'entendre. Gilly pense que nous devrions la prendre sur le fait. Je ne suis pas d'accord.

— Pourquoi ?

— Cette petite n'est pas muette. Elle écrit de longues histoires alambiquées, usant d'un vocabulaire étonnamment riche pour son âge. Sa vie est quelque peu solitaire et bizarre à cause de son silence, et j'en déduis qu'elle ne parle pas parce qu'elle ne le peut pas.

— Vous n'en avez pas discuté avec elle. Peut-être en a-t-elle conscience.

Pourquoi n'y avait-il pas songé ?

— Justement, je me taisais parce que c'était le seul moyen de rester en vie. De son côté, Gilly se réfugiait dans le mutisme pour protéger sa dignité. Parfois, le silence est une nécessité.

St. Just, à qui il était sûrement arrivé de se taire, se garda de le contredire.

— Votre Lucy paraît heureuse, mais j'ai demandé à Sa Grâce si elle avait déjà eu connaissance d'un cas semblable. Elle m'a répondu que non.

— Votre belle-mère ?

— Elle a élevé dix enfants dont elle a tenu à s'occuper elle-même, de même que Moreland.

— Si vous appreniez que votre sœur est mariée à un homme qui la maltraite, l'abandonneriez-vous ? demanda Christian à brûle-pourpoint.

Le hongre de St. Just se déroba devant un lièvre qui traversait le chemin, mais son cavalier le remarqua à peine.

— Ma sœur serait à bord d'un bateau pour le Danemark ou Philadelphie avant le coucher du soleil, les poches pleines et munie de papiers indiquant qu'elle est la veuve d'un hallebardier de la garde royale.

Il avait répondu sans hésitation. Ses sœurs avaient beaucoup de chance.

— Et que faites-vous des exhortations bibliques ?

— Saint Paul n'avait pas d'épouse, que je sache, et le Seigneur non plus.

— Voilà un point de vue intéressant.

— Curieusement, je le dois à mon père. Cela dit, je voulais vous transmettre une nouvelle.

— Nous nous rapprochons des écuries, alors je vous écoute.

— J'ai entendu des rumeurs à Londres concernant Girard.

D'un seul coup, cet instant se détacha de tous les autres, de tous ceux écoulés depuis qu'il avait quitté le donjon. L'angle du soleil sur l'étang, les deux alezans dans le paddock, la mélodie que sifflait un palefrenier longeant la clôture, tous ces détails frappèrent Christian comme une tache d'encre noire sur un vélin blanc.

— À propos de Robert Girard ?

Il ne l'affubla pas du possessif « mon » Robert Girard, mais eu égard à son droit de vengeance, Girard n'appartenait à aucun autre.

— Oui, le Robert Girard, qui faisait partie de la garnison déployée au château de Solvigny.

St. Just se pencha et fit mine de démêler la crinière de son cheval afin d'éviter le regard de Christian.

— Apparemment, il batifole à Londres en attendant de reprendre les rênes de la baronnie de St. Clair. Si invraisemblable que cela puisse paraître, il a hérité d'un titre anglais. Le gouvernement a opté officiellement pour la clémence envers les vétérans de toutes nationalités.

Christian immobilisa sa monture, les oreilles bourdonnantes et le cœur battant.

— J'ai pensé que vous aimeriez être au courant.

— Ce que j'aimerais... articula Christian. Ce dont *j'ai besoin*, c'est de le tuer.

Chesterton s'avança sans qu'il lui en donne l'ordre.

L'expression de St. Just demeura neutre. Après tout, il avait mené des charges de cavalerie contre les Français.

— Le duel est proscrit et équivaut désormais à un assassinat, rappela-t-il. Toutefois, étant donné votre titre et votre histoire récente, aucun magistrat du royaume n'osera vous traduire en justice.

Ce qui ne faisait pas la moindre différence. Girard se promenait librement en Angleterre, à moins de trois heures de cheval d'ici. Cette proximité augmentait sa capacité à s'en prendre à Gilly.

— Avez-vous déjà servi comme témoin ?

— Oui, répondit St. Just. Et j'ai au moins deux frères qui en feraient autant, à la dernière minute, le cas échéant. Ils sont d'une discrétion sans faille.

— Marcus pourrait se vexer si je ne le lui propose pas. Il s'est battu avec nous.

Marcus était le mieux à même de veiller sur la sécurité de Gilly et de Lucy.

— La décision vous appartient. Vous avez le matériel adéquat ?

Christian ne voyait plus la cour des écuries. Il voyait les murs du château, humides et malodorants. Il voyait un chat, couché au pied de ces murs, à l'affût d'une proie.

— Vous ne me demandez pas si je possède les facultés adéquates, riposta Christian, submergé par un curieux mélange d'allégresse et de terreur, très semblable à celui qu'avaient éprouvé les soldats de Wellington à l'approche de la fin du siège.

— Girard n'est pas réputé pour son habileté à manier l'épée, répliqua St. Just. Or les Français s'enorgueillissent de telles aptitudes. Il optera probablement pour le pistolet et vous, vous aurez le temps de vous perfectionner, bien que vous soyez un excellent tireur.

— Je l'étais, rectifia Christian en tirant sur les rênes de son cheval. Avant que les hommes de Girard ne mutilent ma bonne main.

— Exercez-vous. Je vous tiendrai au courant de mes projets au fur et à mesure de mes pérégrinations.

Ni l'un ni l'autre ne descendait de cheval, et les palefreniers, qui avaient dû deviner que l'heure était grave, traînaient dans les parages sans oser les interrompre.

— Vous n'occupez pas le fauteuil parlementaire de la famille Moreland ? s'enquit Christian.

— La plupart du temps, je vis à la campagne, mais je me plie aux exigences familiales quand il le faut. Moreland sème le trouble parmi ses enfants légitimes et n'a de cesse qu'il ne tourmente son héritier à propos de la succession. J'ignore comment Westhaven le supporte.

— Vous êtes toujours le bienvenu ici.

St. Just sauta à terre, remonta l'étrier gauche et desserra la sangle de sa monture.

— J'avais compté sur votre sens de l'hospitalité, d'où ma présence aujourd'hui.

Christian descendit à son tour de son cheval, prêt à interroger St. Just sur les sources de la rumeur concernant Girard quand une pensée lui traversa l'esprit.

— Vous ne m'avez pas harcelé au sujet de mon rapport.

D'ailleurs, St. Just avait à peine soulevé le problème lors de sa visite précédente. Pourtant, Christian soupçonnait ses supérieurs d'attendre son compte rendu avec impatience. Bande de fouineurs.

— Je n'en ai pas l'intention.

— Je l'ai rédigé. Je ne m'en suis pas séparé.

Ils demeurèrent silencieux, le temps que les palefreniers s'éloignent avec les chevaux.

— Vous le ferez quand vous serez prêt. Si vous vous rendez à Londres, sachez qu'on vous a attribué un *nom de guerre*[1] ou deux. On vous appelle le « duc indestructible », le « duc silencieux », voire le « duc réservé ».

— Merci de me prévenir.

Christian se tourna vers la maison où l'attendait sa Gilly indestructible, silencieuse et réservée.

— Je préfère ces appellations à celle de « duc disparu ».

Gilly était reconnaissante à Devlin St. Just d'avoir accaparé Christian tout l'après-midi et d'avoir entretenu l'essentiel de la conversation pendant le dîner. Sa gratitude augmenta quand le colonel proposa d'emmener son hôte boire un cognac dans la bibliothèque.

— Gilly, vous montez ? s'enquit Christian.

Gilly, pas comtesse, ce qui aurait dû la rassurer, mais elle était encore bouleversée par leur dernière conversation.

— Je pensais me coucher tôt.

Il l'étudia un instant, et elle regretta qu'il ait une connaissance aussi intime de ses cycles menstruels.

Ou de son passé.

Ou de son cœur.

— St. Just, auriez-vous l'amabilité de me verser à boire pendant que j'escorte lady Greenland jusqu'à sa suite ?

L'infortuné St. Just se contenta de la saluer de loin.

---

1. En français dans le texte. *(N.d.T.)*

Christian attendit qu'ils aient atteint le premier palier avant d'entamer son interrogatoire, sans toutefois aller droit au but.

— Vous semblez fatiguée, Gillian. Il est vrai que vous avez mal dormi la nuit dernière.

— Je ferais peut-être mieux de rester dans mon propre lit ce soir.

Les mots étaient sortis spontanément, mais elle ne voulait pas le contraindre à inventer un prétexte. Révéler son secret avait tout changé, permis de libérer les doutes et le désespoir qu'elle avait passé des mois à emmurer, brique après brique.

— Oubliez-vous que quelqu'un a tenté à trois reprises de vous tuer ? gronda-t-il en lui emboîtant le pas.

— J'y ai réfléchi. J'ai fini par conclure que l'incident du thé était le résultat d'une erreur humaine. Quelqu'un croyait cueillir de la menthe sauvage et a arraché par erreur une mauvaise herbe nocive. Quant au reste, quoi de plus normal qu'une roue qui se détache ou une sangle qui se rompt ?

— Ce thé n'avait pas un goût de menthe, assura-t-il avec une douceur exaspérante. C'était du thé bien noir, le mélange maison, Gilly, et très sucré, sans doute afin de masquer le goût du poison.

Elle s'y était attendue, mais l'entendre prononcer ces mots accrut son anxiété. Chez Greendale, au moins, elle savait exactement qui était son ennemi et sa malveillance datait de bien avant leur mariage.

— Je vous proposerais volontiers de vous coucher dans mon lit et d'en finir avec cette mascarade que nous entretenons chaque soir, à vous transporter d'une pièce à l'autre, mais vous n'y consentirez pas.

— Vous me laisserez donc seule ?

— Vous avez envie de l'être ?

Elle avait envie de lui mais, par-dessus tout, elle rêvait de retrouver une innocence perdue et que rien ne ressusciterait.

— Je suis fatiguée.

— Dans ce cas, mon ange, vous devez vous reposer.

Il s'immobilisa devant sa suite, poussa la porte, jeta un coup d'œil à l'intérieur pour s'assurer que le feu et les bougies étaient allumés, puis s'effaça pour la laisser entrer. Il la suivit.

Gilly fut soulagée qu'il se le permette.

Il s'assit au bord du lit tandis qu'elle s'installait devant sa coiffeuse.

— Quoi que je vous dise maintenant, murmura-t-il, l'air songeur, ce sera maladroit.

— Dites quand même.

Elle profita du miroir pour l'observer.

— Vous vous confiez à moi aisément, rappelez-vous.

Et elle ne l'en aimait que plus.

Il se cala sur les coudes, son grand duc mince doté d'une patience à toute épreuve.

— Vous pensez que tout a changé entre nous parce que désormais, je sais quel enfer a été votre mariage. Vous avez raison : je ne vous vois plus de la même manière.

Elle baissa la tête, feignant de chercher sa brosse et non de cacher ses larmes.

— Je ne voulais pas que vous le sachiez, souffla-t-elle. Je voulais que personne ne le sache. C'était ma victoire, vous comprenez.

— Vous avez préféré vous réfugier dans le silence parce que vous êtes persuadée que cette expérience vous a détruite intérieurement, de même que Greendale a tenté de vous meurtrir extérieurement.

Non seulement il avait tenté, mais il avait réussi.

Gilly fixa la brosse en bois et poils de sanglier, celle qu'elle avait emportée de sa chambre de jeune fille à sa chambre nuptiale, ce que Greendale lui avait reproché.

— Je ne supporte pas la vue d'une cravache ni d'un martinet, je ne souffre pas de m'en servir moi-même. J'ai toujours peur, quand je sers le thé à mes invités, de brûler quelqu'un. Je hais l'odeur du tabac et suis incapable de trouver le sommeil si ma porte n'est pas verrouillée.

Derrière elle, l'expression de Christian était à la fois lasse et méditative.

— Dormez. Vous ne m'avez dévoilé que le début de la très longue liste de transgressions perpétrées par Greendale durant votre mariage. Si St. Just n'était pas là, et si vous m'y autorisiez, je vous brosserais les cheveux et vous m'en révéleriez davantage sur ces abominations que vous vous obstinez à garder pour vous.

— Je vous y autoriserais, murmura-t-elle.

C'était une façon de lui dire que même si les choses changeaient entre eux, l'estime qu'elle avait pour lui demeurait.

— Je tiens à vous faire part de mes projets. Je vais peut-être devoir me rendre à Londres dans les semaines à venir – pour un court séjour. Le cas échéant, je demanderai à Marcus de s'installer ici provisoirement.

Elle acquiesça car cette décision était raisonnable. Un homme de sa carrure ne risquait guère de succomber à une tasse de thé empoisonnée, et Marcus était un officier aguerri.

— Lucy sera ravie d'avoir de la visite. Quant à moi, je n'ai pas revu Marcus depuis sa dernière permission.

— Vous savez combien je tiens à vous, Gillian.

Il s'était levé et emparé d'une bougie sur le manteau de la cheminée. Il ne s'approcha pas pour l'embrasser ou pour la serrer dans ses bras. Gilly continua d'ôter une à une les épingles dans ses cheveux, alors qu'elle avait juste envie de se ruer vers lui et de se cramponner à son cou.

— Moi aussi, je tiens à vous, chuchota-t-elle.

Elle pouvait le lui avouer maintenant que le mariage n'était plus à l'ordre du jour.

Il quitta la chambre, et Gilly alla pousser le verrou avant de laisser libre cours à ses larmes. Elle s'allongea sur le lit, se blottissant contre l'oreiller du côté qu'il venait de libérer.

Christian et St. Just se couchèrent beaucoup plus tard, car ils avaient entrepris d'échanger leurs impressions et de se remémorer diverses batailles et les généraux sous les ordres desquels tous deux avaient servi. Christian finit par se rendre compte que St. Just avait autant de mal à trouver le sommeil que n'importe quel vétéran de la Péninsule.

Christian, lui aussi, repoussait le moment d'aller se coucher. Il n'avait nullement l'intention de dormir seul, surtout cette nuit, alors que les révélations de Gilly le hantaient, et qu'elle lui apparaissait effroyablement distante.

Il se remémora les semaines qui avaient suivi sa libération. Il était dans un état pitoyable, or il n'avait pas plus souffert qu'elle. Sur le plan physique, les supplices que lui avait infligés Girard n'étaient pas de la pire espèce, et relativement espacés.

Les brutalités les plus éprouvantes étaient d'ordre mental, l'incertitude quotidienne quant au sort qu'on lui réservait, les espoirs alléchants et les traitements de faveur entrecoupés de périodes de négligence totale. En outre, le sentiment d'avoir été si rapidement oublié par ses camarades l'avait démoralisé. Mais ce n'était rien comparé à la situation de Gilly, qu'elle devait à ses propres parents et à la loi qui l'avait déclarée légale.

Délivrée depuis peu de ce mariage désastreux, elle avait ressenti le besoin d'attirer l'attention de Christian sur la situation de Lucy, d'exiger de lui qu'il s'en occupe.

Il monta dans la nursery, constata que sa fille dormait paisiblement, les deux chiots lovés à ses côtés.

Puis il gagna ses propres appartements, se déshabilla, se lava, rabattit ses couvertures. Vêtu seulement d'une robe de chambre, il traversa le couloir, déverrouilla la porte de Gilly comme chaque soir et la souleva dans ses bras.

— Christian ?

— Évidemment que c'est Christian. Si St. Just s'avise de braconner, je le provoquerai en duel.

Elle cilla, puis ferma les paupières.

— Je suis toujours indisposée et je vous interdis de tenir de tels propos à l'endroit d'un frère d'armes, même pour plaisanter.

Si elle avait été parfaitement réveillée, elle se serait montrée beaucoup plus froide. L'esprit embrumé, elle lui faisait davantage confiance et il en fut ému. C'était encourageant – et attendrissant.

— Je dors mieux quand je suis sûr que vous êtes en sécurité.

La discussion s'arrêta là, et Christian accueillit son silence avec reconnaissance. Mieux valait qu'elle se repose, plutôt que de gaspiller leur salive à se disputer. Dans son sommeil, elle se blottit contre lui et frotta la joue sur son torse.

Elle se laissa aussi étreindre et entrelaça ses doigts aux siens. Et accepta qu'il la réconforte quand les cauchemars l'assaillirent.

Il pria pour que vienne bientôt le jour où elle lui permettrait aussi d'affronter avec elle ses démons diurnes.

— Bien sûr que je peux rester un jour de plus, répondit St. Just à voix basse alors que Christian et lui se tenaient sur le seuil de la salle du petit déjeuner. Est-ce bien raisonnable d'abandonner votre lady maintenant, étant donné les récents événements ?

— Je ne l'abandonne pas. Je suis son exemple.

— À savoir ?

— Je propose d'en discuter en mangeant. Nous serons plus tranquilles.

Christian congédia les valets d'un geste, se servit ainsi que son invité, puis prit place en bout de table.

— Vous n'aviez pas d'appétit quand nous nous sommes connus, constata St. Just. Cela semble s'être arrangé.

En effet, l'assiette de Christian croulait sous d'épaisses tranches de bacon croustillant, une montagne d'œufs brouillés et deux tranches de pain grillé débarrassées de leur croûte.

— Si je suis en voie de guérison, je peux remercier la comtesse.

Laquelle était toujours couchée dans sa chambre, car il n'avait pas eu le cœur de la ramener dans ses appartements aux premières lueurs de l'aube.

— Sa méthode a consisté à m'obliger à suivre un rythme normal. Elle m'a forcé à dormir la nuit, à affronter les journées, à m'occuper de ma fille, à avaler ce que je pouvais. Elle m'a ramené à la vie.

— Vous vous êtes ramené vous-même à la vie, argua St. Just. Ces œufs brouillés sont une merveille. Vous ne lésinez pas sur la crème.

— Désormais, la cuisinière prépare personnellement tous nos repas. Non seulement cela nous rassure, mais, en plus, nous nous régalons. Mettez donc un peu de beurre sur votre tartine.

Christian poussa le beurrier vers lui.

La perspective de traiter le problème Girard l'animait d'une joie extrême, aiguisait ses sens, l'excitait au plus haut point. Néanmoins, il s'inquiétait pour Gilly et regrettait de n'avoir pu s'attarder avec elle à l'étage.

— Avez-vous progressé dans votre enquête concernant celui qui en veut à la vie de la comtesse ? s'enquit St. Just.

— Dans mes cauchemars, j'imagine que les Français sont derrière ces tentatives. Girard pouvait décrire les alentours comme s'il les avait arpentés toute sa vie.

Cela dit, s'attaquer à un non-combattant dérogeait à l'étrange code d'honneur auquel Girard s'était tenu pendant toute la durée de la captivité de Christian.

St. Just tartina généreusement son pain, puis proposa le beurrier à Christian.

— Girard aurait-il pu échouer à trois reprises ?

La question méritait réflexion. Christian se figea, le couteau à la main.

— Lui, non. Anduvoir, peut-être. Sait-on où se trouve ce dernier ?

— Je peux me renseigner.

S'il se fiait au ton de St. Just, Anduvoir avait tout intérêt à être en route pour la Russie.

— L'hypothèse selon laquelle Girard chercherait à me harceler par le biais de Gilly est un autre problème, avoua Christian, agacé de devoir recourir à la logique plutôt qu'à la violence, qui l'attirait pourtant bien davantage.

St. Just attendit qu'il poursuive.

— Girard était rusé, reprit Christian. On voudrait attribuer à l'ennemi toutes les fautes commises par l'humanité – la stupidité, la vulgarité, la malhonnêteté –, pourtant, il n'était rien de tout cela. Nous sommes enfin en paix, et Girard n'a plus aucune raison de vouloir me contrarier, encore moins si, comme vous le prétendez, il a hérité d'une baronnie.

St. Just reprit du thé et remplit la tasse de Christian comme s'ils étaient au mess des officiers, à partager leur ration quotidienne de ragoût de bœuf, patates et commérages.

— Vu le nombre de pairs anglais que Girard a maltraités, il risque de demeurer une cible malgré son titre, observa-t-il. Il aurait peut-être plus de chances de survivre en Chine, mais pas longtemps.

Tout à coup, ce copieux petit-déjeuner perdit tout son attrait. St. Just semblait sous-entendre que quelqu'un d'autre pourrait s'en prendre à Girard avant que Christian n'en ait l'occasion. Il repoussa ses œufs, des œufs qui lui auraient arraché des larmes de bonheur si on les lui avait servis en France.

— J'ai tout lieu de désirer envoyer Girard en enfer, mais en ce qui concerne Gilly, la fille de cuisine que nous soupçonnons d'avoir empoisonné le thé est originaire d'un village proche de Greendale où elle était employée au relais de poste. Gilly soupçonne cette femme d'être l'une des laissées-pour-compte du vieux comte, dont la fidélité n'était pas la vertu principale.

St. Just eut le tact de boire une gorgée de thé.

— Ainsi, vous allez présenter vos condoléances à l'héritier de Greendale ?

— Il est aussi le mien, répliqua Christian. Du moins pour le moment. Easterbrook a beaucoup à faire car le domaine est dans un état lamentable.

— Le manoir est en ruine ?

— Il est en bon état, mais toutes les annexes et toutes les métairies le sont beaucoup moins. Initialement, si Gilly a accepté de s'installer ici avec Lucy et moi, c'est parce que la maison douairière est inhabitable.

— Easterbr… Greendale compte-t-il remédier à la situation ?

— J'en doute, en tout cas, pas dans un avenir proche. Quant à moi, je préfère enfermer cette femme dans une tour plutôt que de la laisser ne plus bénéficier de ma protection.

— En somme, vous voulez faire d'elle votre prisonnière.

Christian roula sa serviette en boule et la lança en direction de St. Just.

— Vous manquez de subtilité, mon cher.

— La subtilité n'a jamais été mon fort. Trop d'années dans l'armée. Trop de petits frères et de petites sœurs. Trop d'imbroglios avec mon père, Sa Grâce, duc de l'Entêtement, et son épouse, duchesse de l'Écoutez-moi-bien, jeune homme. Comment obtenez-vous un beurre aussi léger ?

— Mystère. Notre cuisinière est maigre comme un coucou, mais elle a la main leste sur la crème. Elle sait aussi que vous êtes de nouveau parmi nous. Elle en pince pour vous ou pour votre appétit, je suppose.

— Filez retrouver votre cheval, Mercie, avant que je ne vous inflige une bonne correction.

— Vous ne l'accompagnez pas ?

Gilly s'encadrait sur le seuil de la pièce, fraîche et pimpante, mais l'air fatigué. Elle avait eu une nuit particulièrement agitée.

St. Just se leva d'un bond.

— Bonjour, comtesse.

— Milady, la salua Christian en tirant la chaise à sa gauche. J'ai une visite à rendre et St. Just a accepté de vous tenir compagnie pour la journée.

Elle examina le colonel d'un air froid.

— Ne vous sentez pas obligé de rester avec moi. Je peux me contenter de George et de John.

Épatant. Ils allaient commencer la journée par une dispute. Cela étant, sa pugnacité était plutôt rassurante – probablement pour elle comme pour lui.

— Voulez-vous que je vous serve, comtesse ? s'enquit Christian, debout près du buffet, une assiette vide à la main.

— S'il vous plaît, répondit-elle. Et si le colonel doit veiller sur moi, j'aimerais savoir où vous allez, enchaîna-t-elle à l'adresse du duc.

— À Greendale Hall. Marcus y réside depuis plusieurs semaines, il est temps que j'aille le voir. La présence de St. Just me permet de vous épargner cette épreuve – à moins que vous ne souhaitiez venir avec moi ? Je peux demander que l'on prépare la voiture.

Le ton était volontairement désinvolte, mais il espérait qu'elle choisirait cette solution plutôt que de passer la journée à Severn. En compagnie du séduisant St. Just, qui plus est.

Cet élan de jalousie prouvait à quel point il était amoureux d'elle. Gilly n'avait sûrement pas plus envie de se rendre à Greendale que Christian de retourner dans le château en France.

— Je reste ici, répondit-elle en déployant sa serviette sur ses genoux. Si nous nous absentons tous les deux, Lucy se languira de nous, en outre, Greendale Hall ne m'évoque pas de bons souvenirs. Colonel, comment allons-nous occuper notre temps ?

Elle concentra son attention sur ce dernier, et Christian se garda de protester. Peut-être lui en voulait-elle de l'abandonner, mais il ne pouvait différer indéfiniment cette visite, et la présence de St. Just lui facilitait la tâche.

Peut-être était-elle de mauvaise humeur parce qu'elle avait mal dormi ou parce qu'il l'avait arrachée à son lit alors qu'elle voulait rester seule. À moins qu'elle ne soit irritée d'avoir de la compagnie.

Et peut-être se déciderait-elle enfin à admettre que tout le monde avait besoin que quelqu'un lui pèle une orange de temps en temps.

Gilly étala un peu de confiture sur son pain – il n'y avait plus de beurre – et ignora les deux hommes, qui ne savaient probablement que faire d'une grenade d'émotions féminines jetée entre eux, dégoupillée et sur le point d'exploser.

À force de se tourner et de se retourner dans les bras de Christian, elle en était arrivée à la conclusion mortifiante qu'il avait raison : elle avait honte d'elle-même. Elle se reprochait de ne pas avoir trouvé le moyen de mettre fin à son mariage.

Greendale était dépravé, mais pas intelligent. Gilly aurait pu vendre l'argenterie de son trousseau, se réfugier en Écosse et gagner sa vie en effectuant des travaux d'aiguille.

Elle aurait pu se battre, montrer ses cicatrices à la bonne société, faire semblant de rendre visite à Helene et prendre un bateau pour l'Amérique du Sud. Au fil des heures, elle avait dressé la liste de tous les plans qu'elle aurait pu échafauder, qu'elle aurait *dû* échafauder.

Elle se reprochait aussi d'avoir révélé son secret à Christian, qui avait su mettre de côté ses propres souffrances pour se consacrer à sa fille et à ses responsabilités ducales.

Enfin, elle s'en voulait de s'être montrée agressive avec l'homme qu'elle aimait. Si la situation entre eux était délicate, elle détestait l'idée qu'il se rende à Greendale sans elle.

Elle n'aurait su dire pourquoi, mais elle était inquiète.

Ainsi se retrouva-t-elle au pied du perron, prête à souhaiter bon voyage à Christian en des termes plus cordiaux qu'un peu plus tôt.

— C'est gentil d'être là, commenta-t-il. Vous avez été fort désagréable pendant le petit déjeuner, sauf avec St. Just.

— Je suis épuisée, murmura-t-elle.

Il s'avança d'un pas, la prit aux épaules et l'attira contre lui.

— Cela ne marchera pas, Gilly. Luttez, renâclez autant que vous voulez. Vous aurez beau éluder, esquiver, traîner des pieds, vous ne me chasserez pas. En allant à Greendale, j'accomplis mon devoir, mais je vous offre par la même occasion un peu de tranquillité.

Elle noua les bras autour de sa taille et savoura le confort de son étreinte.

— Ne laissez pas Easterbrook vous convaincre de fumer un de ses cigares malodorants.

Un conseil surgi de nulle part.

— Gilly, vous n'avez trouvé le sommeil que lorsque je vous serrais contre moi. Je veux être là pour vous et pour toujours.

Elle s'accrocha à lui, s'efforça de le croire. Les souffrances qu'il avait endurées entre les mains des Français le rendaient d'autant plus cher à ses yeux. Intellectuellement, elle savait que les abus de Greendale ne la diminuaient en rien aux yeux de Christian, qu'il la respectait toujours.

Mais son cœur était plus méfiant.

— J'étais dans le déni, gémit-elle. Je refusais d'admettre que j'avais laissé quelqu'un me traiter ainsi. La honte est moins blessante quand on la garde pour soi.

Il demeura silencieux, se contentant de la tenir tout contre lui. Gilly songea qu'elle devait être terriblement bouleversée pour l'autoriser à l'étreindre ainsi plus ou moins en public.

— Je n'ose imaginer les expériences auxquelles vous avez survécu, Gilly, et dont vous ne m'avez pas parlé.

Il lui caressa le dos comme pour lui rappeler qu'il avait vu ses cicatrices et qu'elles ne l'effrayaient pas.

— Je vais vous répéter ce que quelqu'un m'a dit : je vous estime d'autant plus que vous m'avez révélé votre secret ; d'une part parce que vous avez tenu bon, et d'autre part, parce que vous ne prétendez plus que ce n'est jamais arrivé. La honte vous ronge, mais Greendale est l'unique responsable.

Si Christian ne partait pas très vite, elle lui raconterait tout le reste, jusqu'au moindre détail sordide.

— Je voulais que tout cela meure avec lui.

— Sa cruauté est morte avec lui, mais pas vous, ma douce, ce dont je me félicite. Vous serez aimable avec St. Just ?

— Je flirterai comme une folle avec lui.

Cette réponse lui valut un éclat de rire.

— St. Just est officier de cavalerie. Il en faut beaucoup pour l'effaroucher.

Christian déposa un baiser sur son front et elle s'agrippa à lui.

— Je renoncerai à cette expédition si vous me le demandez, lui chuchota-t-il, mais je me dois d'accorder mon soutien à Marcus.

— Allez-y.

Elle recula vivement, de crainte de le supplier.

— Saluez-le de ma part, et dites-lui...

Elle ne voulait plus jamais revoir Marcus Easterbrook, plus jamais remettre le pied à Greendale Hall.

Plus jamais dire au revoir à Christian Severn.

Gilly prit une décision, fondée sur la manière dont Chesterton flairait les poches de Christian, dont Christian l'avait enlacée au vu et au su de tous, et dont son ami, à quelques mètres de là, feignait de jouer avec les chiots tout en veillant sur elle et lui.

— Dites à Marcus de mettre le feu à ma maison. Elle est envahie par le salpêtre et je me vois mal habiter un endroit aussi sinistre.

— Je ne lui dirai rien de la sorte, rétorqua Christian en l'embrassant sur la joue, ce qui la réjouit et l'agaça à la fois car elle ne plaisantait pas.

Puis il enfourcha son cheval et un palefrenier lui tendit sa cravache. Il la leva en une sorte de salut, mais accrocha le regard de Gilly.

Dans son cœur, *Ne partez pas* guerroyait avec *Emmenez-moi avec vous*. Elle lui souffla un baiser, se força à sourire. Il effleura le bord de son chapeau sans toutefois éperonner Chesterton.

— Gilly ?

Elle mit la main en visière pour croiser son regard.

— Gardez cela pour moi – ou détruisez-la.

Il lui lança sa cravache et elle l'attrapa au vol, touchant de son plein gré un tel objet pour la première fois depuis des années.

— À ce soir ! ajouta-t-il.

Chesterton s'élança, ses sabots claquant sur les pavés, et ils disparurent bientôt au tournant de l'allée.

Gilly n'osait regarder la cravache, guettant les battements précipités de son cœur. Les chiots gambadaient, la brise faisait onduler la surface de l'étang, et son cœur... continuait de battre normalement.

Christian lui avait confié sa cravache – un simple instrument en bois recouvert de peau, et muni d'une tresse en cuir. Elle en avait vu des centaines au cours de son existence, en avait tenu quelques-unes, s'en était servie à l'occasion sur un cheval récalcitrant, mais jamais dans un élan de rage.

Elle séchait ses larmes quand St. Just la rejoignit. Il lui tendit un mouchoir tout simple, blanc cassé, qui sentait vaguement l'écurie, puis lui demanda de lui faire visiter le parc.

18

De tous les tourments qui assaillaient Marcus Easterbrook, Christian Severn, huitième duc de Mercie – et, ironie du sort, héritier de la fortune ancestrale Greendale –, occupait la première place. Même la météo coopérait avec les caprices mondains de Sa maudite Grâce, car c'était une magnifique journée d'été. Ensoleillée, sèche, chaude mais pas trop, et dans sa missive, le duc avait annoncé son intention d'arriver pour le déjeuner.

Non seulement l'homme était indestructible, mais en plus, il était sans doute d'une ponctualité sans faille. Marcus avait donc demandé en cuisine que l'on prépare un festin digne de ce nom pour 13 heures.

Les domestiques se montreraient à la hauteur. Sous le joug de leur défunt employeur, ils avaient appris à se plier aux ordres.

Si la chance lui souriait, sa chère comtesse-ex-cousine-par-alliance accompagnerait le duc. Lady Greendale devait avoir envie de prendre l'air, entre son propre deuil et Mercie qui pleurait sa belle Helene.

Marcus gagna les écuries, s'efforçant de ne pas penser à cette dernière. Entre autres conséquences importunes engendrées par le retour parmi les vivants de Mercie, la perte d'Aragon – Chesterton pour le duc –

était la plus douloureuse. Le cheval était superbe, et d'une élégance rare.

Le martèlement de sabots dans la cour signala l'arrivée de Mercie. Marcus afficha son plus charmant sourire, carra les épaules et se prépara à accueillir l'homme qui n'avait pas eu la décence de mourir quand l'occasion s'était présentée, ni même de perdre la raison afin qu'un curateur – en la personne d'un cousin dévoué – soit désigné pour veiller sur les biens ducaux.

— Bonjour, Votre Grâce, fit Marcus tandis que le duc descendait de cheval. Belle journée pour une chevauchée. Bonjour, le cheval ! Il a l'air de s'épanouir grâce à vos bons soins.

— Comme auparavant, grâce aux vôtres.

Le duc serra la main que Marcus lui tendait tout en le gratifiant d'une tape amicale dans le dos, puis il scruta les alentours tandis qu'un garçon d'écurie emmenait sa monture.

— Ce bâtiment est loin de s'écrouler, commenta-t-il. Vous avez exagéré la gravité de la situation.

Sa poignée de main était ferme, sa voix, chaleureuse, et Marcus aurait volontiers effacé son sourire d'un coup de poing magistral.

— Comparée à Severn, cette propriété est dans un état lamentable, se défendit-il. J'aimerais pouvoir dire que j'ai découvert un magot caché, hélas, Greendale a tout dilapidé en divertissements et rénovation du manoir !

Le sourire de Mercie devint odieusement compatissant.

— Vous pourriez épouser une héritière. Ou louer la demeure à un riche citadin, et transformer la maison de gardien en paradis pour célibataire, diversifier vos sources de revenus, et me rendre souvent visite. Je vous promets de vous ouvrir ma cave et d'écouter vos lamentations.

Qu'il aille au diable avec sa jovialité.

— Le conseil me paraît judicieux, surtout s'il me prend l'envie de venir de temps en temps saluer la veuve de mon oncle.

— Elle a proposé de s'occuper de Lucy.

Le regard du duc s'assombrit, et Marcus en fut soulagé car il avait perdu son unique espionne au sein des domestiques de Severn.

— La pauvre petite n'a toujours pas retrouvé sa langue ?

— Non, et mes espoirs s'amenuisent. Si le fait de revoir son papa ressuscité d'entre les morts et d'obtenir les attentions de la comtesse au quotidien n'a pas suffi, j'ignore ce qui pourrait provoquer un tel miracle.

Dieu soit loué.

— Elle n'est pas bête, observa Marcus en guidant son invité à travers les jardins extravagants. Peut-être pourriez-vous l'envoyer dans l'un de ces établissements spécialisés où l'on traite les hystériques.

S'étant renseigné sur la question, Marcus disposait de plusieurs noms d'institutions réputées pour leur aptitude à discipliner les enfants récalcitrants.

— Les médecins avancent diverses hypothèses, mais ils en restent à cela. Vous êtes bien aimable de vous enquérir de sa santé.

— Je suis le meilleur cousin dont vous puissiez rêver, et je vous promets bombance car Dieu sait que Greendale choyait sa cave. Venez débarrasser votre gorge de la poussière de la route. Comment se porte la comtesse ?

Mercie s'immobilisa devant un parterre de roses flétries qui avaient dû coûter davantage que le cheval dont Marcus devait se contenter désormais.

— Lady Greendale se bat, Marcus.

— Le deuil est une période difficile.

Qu'est-ce qui pouvait inciter Gillian à se battre aujourd'hui, alors qu'elle n'y était pas parvenue pendant les huit années passées au côté du vieux grigou ?

— Le deuil est difficile pour nous tous. Helene était votre amie.

Dieu du ciel… après des mois de silence aux mains de ces satanés Français, voilà que Mercie se montrait on ne peut plus direct.

— Helene était votre duchesse, répliqua Marcus. Mais la journée est trop belle pour s'autoriser des pensées lugubres. Allons à la maison, nous savourerons un excellent cognac avant que vous ne m'interrogiez pendant le déjeuner.

Sa Grâce s'assombrit en entendant le mot « interroger », et Marcus éprouva une certaine satisfaction à l'idée qu'il pouvait, mine de rien, mettre mal à l'aise son célèbre et inébranlable cousin.

Ce n'était pas suffisant, mais c'était mieux que rien.

St. Just porta le regard des feuilles de vigne décorant les rideaux, aux housses et coussins ornés de pensées et aux motifs alambiqués du chemin de table drapé sur le guéridon du boudoir de Gilly.

— Vous brodez tout ce qui se voit.

— Et ce qui ne se voit pas, parfois, répliqua-t-elle.

Elle regretta aussitôt ces paroles. À en juger par son sourire, St. Just pensait à autre chose que des mouchoirs.

— Mercie m'a recommandé d'enfermer mes bas à clé, avoua-t-il en déambulant dans la pièce.

Il était bel homme, moins raffiné que Christian, mais doté d'yeux verts remarquables. En dépit de son allure imposante, Gilly le trouvait moins viril que le duc.

St. Just n'avait pas été prisonnier, n'avait pas connu la torture, n'avait pas été pris de fureur à la simple apparition d'un chaton. Mais selon elle, loin de rabaisser Christian, ces faits ajoutaient à son courage et le rendaient d'autant plus exceptionnel.

— Si vous consultez sans cesse la pendule, comtesse, les aiguilles avanceront et votre duc finira par

rentrer, mais il me semble plus judicieux de nous installer sur la terrasse afin de profiter au mieux de cette
belle journée.

— Vous avez été très patient avec moi, murmura-
t-elle en se levant. Une autre promenade dans le parc
me détendrait sans doute.

Il lui offrit son bras et adapta son pas au sien. Il
s'était révélé un compagnon enjoué, sinon impitoyable
tandis qu'elle jardinait, arrachant les mauvaises herbes
à ses côtés avec une sorte d'enthousiasme barbare. Par
contre, lorsqu'elle l'avait interrogé sur ses chevaux, son
regard s'était considérablement radouci.

Pendant le déjeuner, il l'avait régalée d'anecdotes
amusantes à propos de sa fratrie et de son auguste
père, le duc de Moreland. Après le repas, George et
John avaient pris le relais et monté la garde devant
le bureau, le temps qu'elle termine sa correspondance en retard. À présent, St. Just rendossait son
rôle d'escorte.

— Vos frères et sœurs vous manquent-ils, colonel ?
s'enquit-elle tandis qu'ils descendaient les marches de
la terrasse.

— Question difficile à laquelle un homme qui n'a
pas été décoré pour sa bravoure vous répondrait oui,
bien sûr.

— Mais vous êtes un homme brave, donc... ?

— Ils me manquent, et en même temps je les redoute.

Plutôt que de se promener dans la roseraie – dont
les fleurs commençaient à faner –, ils se dirigèrent vers
les écuries.

— Nous sommes en paix depuis plusieurs mois et je
m'attends à me réveiller un beau matin en me disant :
« La vie a repris son cours normal, n'est-ce pas merveilleux ? »

— Sauf que... ?

— Sauf que je continue à me lever, prêt à annoncer à mes hommes que nous nous déplaçons vers
le nord ou vers l'est, forçant notre chemin à travers

la péninsule Ibérique pour surprendre Bonaparte. Ou m'attendant à apprendre que nous allons assiéger encore une ville fortifiée, au prix d'un carnage innommable.

L'officier charmant avait disparu au profit du militaire de carrière, et Gilly appréciait le compagnon d'armes encore plus que le gradé.

— La guerre vous manque ? voulut-elle savoir, elle à qui rien ne manquait s'agissant de son mariage avec Greendale.

Une pensée qui la réjouit.

— Je m'y étais habitué. Je savais qui étaient mes ennemis, qui je commandais et quels étaient nos objectifs. J'avais des tâches spécifiques : porter tel rapport à tel général, recenser le nombre de chevaux perdus dans telle ou telle bataille, et ainsi de suite. Mais c'est là un sujet qui ne convient pas à une dame.

— Comme tous les sujets intéressants, riposta-t-elle. J'en déduis que tout cela vous manque.

St. Just s'accroupit pour cueillir un brin de lavande dont il huma le parfum.

— Je me sens coupable de ne plus risquer ma vie pour défendre mon roi et ma patrie. J'aimerais être autre chose que l'aîné des enfants illégitimes de Moreland.

Pas étonnant que Christian considère cet homme comme un ami.

— Moreland en a plus d'un ?

— J'ai une demi-sœur dans la même situation que moi, mais à bien des égards, la sienne est plus compliquée que la mienne.

Gilly n'insista pas.

— J'ai entendu des rumeurs, reprit-il en écrasant la lavande dans son poing. Il paraît que le Corse cherche à s'échapper de son île, et que les Français seraient prêts à repartir au combat avec lui s'il le décidait. Les pauvres bougres ont oublié comment vivre en temps de paix, et Napoléon ne leur a pas laissé grand-chose à espérer.

— Quant à vous, vous êtes prêt à reprendre les armes, le cas échéant, devina-t-elle.

St. Just parut si désemparé qu'elle comprit qu'elle avait fait mouche.

— Pourquoi ? ajouta-t-elle.

Il jeta la lavande et demeura silencieux un moment, les yeux rivés sur les parterres. Puis un coin de sa bouche se retroussa.

— Je n'en sais fichtre rien, avoua-t-il. Pardonnez mon langage.

Gilly demeura silencieuse. Si Christian avait été là, il aurait peut-être pu répondre. Il aurait peut-être été capable de comprendre pourquoi un homme bon préférait la guerre et la mort à la paix et à l'abondance.

— Votre frère est souffrant, je crois ? dit-elle finalement.

— Je vais devoir tancer le duc. Les confidences déplaisantes autour d'un verre de cognac ne sont pas destinées aux oreilles des jolies dames.

Elle l'entraîna vers un banc, le sujet méritant d'être discuté en position assise.

— Je prie pour vous, colonel, et Christian vous tient pour un ami. N'ayez crainte, je ne révélerai pas vos secrets et ne me répandrai pas en commérages.

À qui pourrait-elle les répéter ? Au vicaire, qui ne se souciait que de son toit qui fuyait et de ses quatre filles à marier ?

— Jamais je ne vous accuserais de commérage. Victor fait bonne figure face à la maladie, par égard pour nos parents. Nous savons tous qu'il est phtisique, mais mon père se comporte comme s'il simulait son mal, et nous devons le traîner au bord de la mer ou à la campagne en feignant d'ignorer sa disparition imminente.

— Quand la mort devient une amie, c'est plus facile pour celui qui va partir, mais sans doute plus difficile pour ceux qui vont le pleurer.

St. Just s'installa près d'elle.

— Vous avez récemment enterré votre mari. C'est bien maladroit de ma part de parler de ces choses alors que vous êtes en deuil.

C'était Gilly qui avait abordé le sujet, pas le colonel.

— Je suis en deuil, concéda-t-elle, mais ce n'est pas mon mari que je pleure. Reprenons notre promenade, colonel. Le soleil va bientôt se coucher, et à cette heure-ci, la lumière est splendide.

Il lui prit le bras et Gilly s'efforça de savourer sa compagnie silencieuse. Il était agréable et attentionné, comme Christian. Il était à peu près de la même taille et sentait bon, comme lui.

Mais ce n'était pas la bonne fragrance, la subtile alliance de vétiver et de citron légèrement teintée de rose. St. Just était un tantinet trop grand, un tantinet trop musclé, et ses yeux étaient verts, pas bleus.

C'était un homme bien mais ce n'était pas le bon. Son but était de repartir en guerre, ce que Gilly pouvait concevoir, mais si elle était amoureuse de Christian, c'était en partie parce que en dépit de son passé, il se projetait dans un avenir dénué de violence et de destruction.

Comme elle.

Encore une pensée réjouissante.

Le duc avait retrouvé son appétit, ce qui déprima Marcus. Sa Grâce accueillait d'un rire sonore les blagues éculées du majordome vieillissant, flirtait avec les filles des métayers et, d'une manière générale, déployait à lui seul plus de charme qu'un régiment d'officiers en permission. Ce Mercie-là avait été facile à oublier, l'homme cordial, sain de corps et d'esprit.

Quand il avait quitté Londres, Mercie en était encore à boire de l'eau chaude plutôt que du thé, à se gaver d'oranges pour surmonter un scorbut naissant. Il avait peur de son ombre et était à peine capable de traverser le parc à cheval. Il ne recevait aucune visite malgré les innombrables sollicitations des meilleures familles.

Les espionnes de Marcus lui auraient-elles menti ? Bah ! Les femmes de chambre étaient le plus souvent trop stupides pour se rendre compte qu'on leur soutirait des informations, surtout quand on le faisait en couchant avec elles.

— Quelle vous semble être la priorité pour remettre cette propriété d'aplomb ? lui demanda le duc.

Ils regagnaient les écuries après avoir passé l'essentiel de l'après-midi à parcourir le domaine. Ils n'avaient visité que les métairies les plus présentables, Marcus répugnant à dévoiler l'étendue du désastre à quiconque hormis son homme d'affaires.

— Cela me coûte de l'avouer, mais je songe à liquider tous les biens aliénables bien que même cela soit devenu compliqué.

— En quoi ?

La vie était tellement plus simple quand on pouvait se débarrasser carrément de ses ennemis.

— Je dois attendre, pour récupérer les biens mobiliers, que les avocats en aient fini de pinailler.

— Ils devraient pouvoir débloquer suffisamment d'argent pour l'entretien des lieux, marmonna Mercie. Bande de vautours. Si vous avez besoin de fonds, je suis là.

— C'est gentil.

Ces mots lui coûtaient, mais Marcus tripota la crinière de son cheval dans l'espoir de paraître décemment gêné.

— Si vous le souhaitez, je peux intervenir auprès du cabinet. Je pense me rendre à Londres très bientôt.

Cette nouvelle prit Marcus de court.

— Pour la séance d'ouverture du Parlement ?

— Pour affaires personnelles. Si j'y vais, j'apprécierais que vous passiez quelques jours à Severn en mon absence.

— Avec plaisir, surtout si c'est pendant cet exercice épuisant que l'on appelle la moisson. Cela a-t-il quelque chose à voir avec la comtesse ?

Pour laquelle Marcus éprouvait, en vérité, quelques frémissements de pitié sincère.

Le regard de Mercie s'assombrit.

— Elle a subi quelques mésaventures depuis le décès de Greendale.

Tant mieux !

— Il semble que l'enquête à la suite du décès de son époux ait pris une tournure particulièrement désagréable. C'est malheureux, mais c'est du passé. Si j'avais été là, les choses se seraient peut-être déroulées différemment.

Très différemment.

— Je doute qu'on l'ait jamais vraiment soupçonnée, enchaîna Mercie.

Ils avaient atteint la cour, Chesterton et son maître apparemment en pleine forme, alors qu'ils avaient dû galoper sur les cinq derniers kilomètres.

— Elle a récemment été victime d'une série d'incidents qui, selon moi, n'étaient pas des accidents.

À quoi servait un cousin, sinon à recevoir des confidences ?

— Quelqu'un lui veut du mal ?

— Quelqu'un veut sa mort.

D'une voix tendue, Christian lui narra les épisodes de la roue qui s'était détachée, de la sangle sectionnée, du thé empoisonné, tous suffisants pour mettre fin aux jours de la comtesse.

Et pourtant, elle avait survécu.

— J'espère que Gillian a raison, déclara Marcus. De simples accidents, ou une maîtresse jalouse évincée du testament de Greendale.

— Auquel cas, puisque j'ai renvoyé la fille de cuisine, Gilly est en sécurité à Severn.

Gilly ?

— Où elle peut choyer lady Lucille, compléta Marcus. Il vous suffit de me prévenir. Je me ferai une joie d'accepter votre hospitalité, le temps qu'il faudra.

Les mots semblaient sincères parce qu'ils l'étaient. Sans doute pour la première fois de la journée.

— Je vous en saurais gré.

Le duc croisa les poignets sur le pommeau de sa selle.

— Ma proposition de prêt est sérieuse, Marcus. Nous sommes une famille, vous avez veillé sur les miens et sur mon cheval, vous avez tenu les rênes pendant que je croupissais sur une montagne française. Je vous suis redevable.

Marcus sauta à terre et confia son hongre épuisé à un garçon d'écurie. Les remerciements de Mercie auraient dû le flatter, ils ne firent qu'alimenter sa rage.

— Protéger vos proches fut pour moi un privilège, et je n'aurai nul besoin d'un prêt.

— À votre guise. L'entêtement est une vertu familiale.

— Ou un vice, répliqua Marcus.

Mercie lui adressa un sourire avant de s'éloigner, élégant, heureux, et en bien trop bonne santé. L'entêtement était un vice qu'ils partageaient. Marcus regagna la maison et appela son secrétaire. Celui-ci arriva promptement et s'inclina devant son maître.

— Je dois écrire une lettre à Robert Girard, St. Clair House, Ambrose Court, à Mayfair. Vous ferez porter le pli et vous en oublierez le contenu avant de quitter cette pièce.

Le secrétaire était accoutumé à de tels ordres. Il avait été au service du vieux comte et avait rédigé pour Marcus de nombreux messages adressés à la belle

Helene. Elle ne lui avait jamais répondu, mais cela n'avait plus aucune importance.

S'arranger pour que Mercie soit agressé par une bande de brigands sur le chemin du retour aurait été plus facile, mais le duc était devenu bien trop populaire. Une enquête serait diligentée et la première question qui se poserait serait : « À qui son décès bénéficie-t-il ? »

Il n'avait donc d'autre choix que d'utiliser Girard comme instrument de la mort de Mercie. Aucune loi, aucun code de l'honneur ne le préserverait des conséquences engendrées par l'assassinat d'un noble estimé de tous, quand bien même ce crime serait commis sur le prétendu champ d'honneur. Girard serait, au minimum, chassé du pays, et personne ne s'en plaindrait.

Aucun homme dont le corps – et la main – avaient subi de telles mutilations ne pouvait espérer remporter un duel, pas même l'indestructible duc.

— Vous ai-je manqué, Gilly chérie ?

Le matelas s'affaissa et un corps chaud se pressa contre son dos.

— Vous avez verrouillé ma porte ?

Si elle était réveillée, ce n'était pas par choix, mais parce que le sommeil la fuyait.

— Bien sûr. Pour qui me prenez-vous ? Les servantes savent qu'elles ne doivent sous aucun prétexte pénétrer dans mes appartements avant le matin, mais je serais très ennuyé qu'elles me surprennent ici. J'aime ce lit, il est plus douillet que le mien.

— Plus petit, vous voulez dire.

Elle se retourna, scruta son visage qu'éclairait un rayon de lune.

— Et vous ne serez plus là au lever du soleil.

— Oh, que si ! Poussez-vous. Je n'ai aucune envie de passer la nuit en équilibre au bord du matelas.

Elle s'exécuta. Une fois de plus, il s'était placé entre la porte et elle sans qu'elle ait eu à le lui demander.

— Comment était Marcus ?

— Trop militaire pour moi. Cessez de froncer les sourcils, ma douce, et pelotonnez-vous contre moi. Les nuits sont fraîches. Nous ne voudrions pas que votre duc préféré prenne mal.

— Les cieux nous en préservent.

Elle se lova dans ses bras, la tête calée sur son épaule, le genou en travers de ses cuisses car il était son duc préféré. Son homme préféré, aussi.

— C'est mieux ainsi ?

— Vous êtes plus qu'obligeante. J'ai croisé St. Just qui souhaitait une bonne nuit à son cheval. Il m'a assuré avoir passé une journée fort agréable et s'est étonné que je ne vous aie pas encore épousée.

— Vous ne voulez pas que je dorme, soupira-t-elle. Vous me houspillez pour la forme, vous hantez mes rêves et vous menacez de scandaliser les bonnes dans le seul but de me tracasser.

— Vous êtes toujours indisposée, n'est-ce pas ?

Il déposa un baiser sur son front.

— Ma pauvre chérie, cela vous rend grincheuse – vous l'a-t-on déjà dit ?

— À présent, je vais dormir.

— Bien sûr, maintenant que je suis là.

Du pouce, il dessina des cercles sur sa nuque, une caresse langoureuse qui aspira toutes ses angoisses.

— Qu'entendez-vous par « trop militaire » ?

Il se figea.

— Marcus s'est montré amène, mais ce n'était qu'une façade. Il est au bord de la ruine, pourtant il a refusé mon offre de prêt.

Le domaine était une victime de plus de l'héritage de Greendale et, à certains égards, la plus meurtrie de toutes.

— Comment vous en êtes-vous aperçu ?

Il se déplaça légèrement pour lui masser les épaules et Gilly laissa échapper un gémissement.

— Ma comtesse réagit comme Chesterton quand il se roule dans la poussière.

— Mon duc possède quelques talents qui pourraient m'inciter à m'abandonner.

— Vous avez mis le doigt sur le plus important. Je suis votre duc. Mais revenons-en au sujet qui nous préoccupe. Marcus a pris soin de me montrer ses plus belles métairies. Toutefois, les barrières s'écroulent, la terre est fatiguée, les troupeaux sont dans un état acceptable bien que la taille des bêtes suggère des années de consanguinité. Les domestiques s'affairent tels des chiens battus, et Marcus prétend que les avocats refusent de débloquer des fonds sous prétexte de restrictions juridiques.

— Greendale était fortuné. Du moins, il se comportait comme tel.

Gilly étouffa un bâillement et glissa la jambe entre celles de Christian.

— Si vous recommencez cela, ce sera à vos risques et périls.

Elle ouvrit les yeux.

— Je ne suis pas… je suis toujours indis…

Il lui tapota les fesses à travers sa chemise de nuit.

— Cela ne m'empêche pas d'avoir envie de vous, et inversement.

— C'est certain.

— Gilly, ma chérie, je pense que vous chérissiez vos menstrues parce qu'elles vous permettaient d'échapper au vieux Greendale. Il est mort. En ce qui me concerne, quelques salissures ne me rebutent pas. C'est l'apanage de la copulation. Et une partie de son charme.

— Vous manquez terriblement de délicatesse.

Pourtant, sa franchise lui était aussi précieuse que ses doigts qui lui massaient le cou.

— Je suis incapable de recourir à des subterfuges lorsqu'il s'agit de ma comtesse.

Il tâtonna, s'empara de sa main.

— Sentez.

Il lui enroula les doigts autour de son sexe engorgé.

— Me parler suffit à vous mettre dans cet état ? s'étonna-t-elle.

— Ajouté à la frustration d'avoir été séparé de vous toute la journée, à la douceur de votre peau, à votre manière de bouger la jambe entre mes cuisses d'une manière involontairement provocatrice.

Il se tut tandis que Gilly faisait courir sa main – intentionnellement – sur toute la longueur de sa virilité. Il était excité, très excité, au point qu'elle songea à sacrifier les draps. Et sa dignité.

— Vous pourriez me faire jouir, vous savez, rien qu'en me touchant ainsi.

— Je peux… ?

Elle le caressa de nouveau.

— Cela vous prendrait environ deux minutes, et vous auriez dans votre lit un duc immensément reconnaissant si vous essayiez.

— Un duc très bavard… marmonna-t-elle.

Elle accéléra légèrement le rythme et il se cambra vers elle.

— Oui, c'est bien. Vous pourriez aussi vous rapprocher et embrasser votre duc.

Il plongea les doigts dans sa chevelure et attira son visage vers le sien pour capturer sa bouche, mais elle s'écarta.

— Je suis heureuse que vous soyez rentré.

Un aveu ridicule, mais elle voulait lui offrir quelque chose car son désir manifeste – malgré sa fatigue et sa mauvaise humeur – lui était un cadeau précieux.

— Je suis heureux d'être rentré.

Il souriait encore lorsqu'il réclama sa bouche. Il la laissa prendre les rênes, ne refermant la main sur la sienne qu'à la toute fin, pour l'inciter à accélérer le rythme. Il repoussa le drap et l'étreignit de toutes ses forces tandis que sa semence tiède se répandait sur leurs mains réunies, lui coupant le souffle. Quand il bascula sur le dos dans un soupir, il ne lâcha pas sa main.

— Nous allons avoir besoin d'un mouchoir, Votre Grâce, ou d'un linge...

— Chut ! Accordez-moi une minute pour vous enlacer, puis une heure pour vous remercier. Vous méritez la plus belle des réciproques, Gilly.

Il paraissait enchanté, parfaitement à l'aise, alors que Gilly éprouvait une désagréable envie de pleurer. Elle libéra sa main, s'empara de son mouchoir sur la table de chevet et le jeta sur le torse de Christian.

— À vous l'honneur, ma douce. Vous m'avez achevé.

— Je... Vous voulez que j'utilise ceci ?

Elle agita le carré de tissu blanc sous son nez.

— Il vaudrait mieux que quelqu'un s'en charge. Je suis mort au combat. Abattu par un tireur embusqué, *non compos mentis...*

— Oh, taisez-vous, à la fin !

Elle obtempéra. Tenant son sexe ramolli d'une main, elle se servit de l'autre pour le nettoyer avec le mouchoir monogrammé. Elle lui frictionna rapidement le ventre, puis se rallongea près de lui.

— Combien de temps vont durer vos menstruations ?

— Des semaines.

Il s'esclaffa et Gilly sourit malgré elle.

— Je suis prêt à patienter, comtesse.

— À condition que je vous tue au combat de temps en temps ?

— On peut être deux à jouer à ce petit jeu. Les ducs ne sont pas les seuls à être prédisposés au plaisir.

— Chut, souffla-t-elle.

Elle déposa un baiser sur le bout de son nez et se blottit contre lui. Christian était d'humeur taquine, mais si jamais il lui arrivait malheur, elle n'y survivrait pas. Dieu merci, il avait décidé de reprendre l'existence bucolique d'un duc anglais. Dieu merci, il se proposait de la vivre avec elle.

Elle ferma les yeux, contente d'elle et de lui.

— Je ne tiens pas du tout à ce que Marcus vienne jouer les nounous ici.

Le mécontentement de Gilly était palpable. Les palefreniers s'éclipsèrent discrètement, mais Christian n'était pas dupe. Ils demeureraient à proximité et ne tarderaient pas à lui faire savoir ce qu'ils pensaient de celui qui osait mettre en colère dès potron-minet leur comtesse préférée.

— Je vous ai dit qu'il n'était pas question de vous laisser sans protection pendant mon séjour à Londres, argua-t-il, s'efforçant à grand-peine de s'exprimer d'un ton posé.

— Faites appel à St. Just ou contentez-vous de savoir que je n'ai rien à craindre. Ce n'étaient que des mésaventures, des accidents.

— Faux.

Il en avait la certitude. Il ignorait pourquoi mais il en était sûr. Était-ce son instinct de militaire ? À moins que ce ne soit la conviction d'un homme ayant trop souvent connu la malchance ces dernières années ?

— Je ne partirai pas forcément tout de suite, je voulais simplement vous rappeler que c'était une possibilité, au cas où vous auriez besoin que je vous rende certains services pendant mon séjour. Voulez-vous que je contacte M. Stoneleigh ? Que je vérifie la situation de vos comptes ? Que je vous déniche de nouveaux châles à broder ?

— Ne me traitez pas de haut, Christian.

L'emploi de son prénom aurait dû le réjouir, mais prononcé ainsi, il résonnait comme le claquement de porte d'une cellule de prison.

— Je m'efforce de communiquer avec vous, insista-t-il en s'avançant vers elle.

Avant qu'elle puisse s'échapper, il drapa un bras sur ses épaules.

— St. Just va descendre d'une minute à l'autre. Je vous promets de me disputer avec vous toute la journée, mais pourrions-nous convenir d'une trêve, le temps de dire au revoir à notre invité ?

Notre invité. Elle parut réfléchir, finit par hocher la tête.

— Oui.

— Je suis sincère. Si vous quereller avec moi peut vous faire du bien, Gilly, je n'y vois aucun inconvénient.

Il connaissait ce besoin gratuit de casser quelque chose, n'importe quoi, quand l'objet de sa vengeance était hors de portée.

— Jusqu'à ce que vous vous enfuyiez à Londres.

Elle s'efforçait d'afficher un air bravache, mais Christian percevait dans sa voix une inquiétude latente. Elle se faisait du souci pour lui, et pour elle.

— Si je vais à Londres, c'est parce que j'ai des affaires à régler, comme vous au début de l'été. En mon absence, vous pourrez m'adresser de longues lettres m'accusant de tous les maux. Vous pourrez expliquer à Lucy les failles d'un homme ordinaire et celles, encore pires, de son papa. Vous pourrez convertir Chesterton à votre cause car vous avez déjà retourné tout mon personnel contre moi.

— Les domestiques vous adorent.

— Ils vous adorent encore davantage, mon ange.

Et lui l'aimait un peu plus chaque jour.

— Vous avez pris soin de Lucy quand cela m'était impossible et si les serviteurs de Greendale savaient des choses au sujet de votre mariage, ils en ont probablement parlé aux nôtres.

Elle s'immobilisa au milieu de l'allée.

— Ils devraient me mépriser.

— Vous vous méprisez vous-même, alors que vous devriez mettre tout cela sur le dos de votre défunt époux et en rester là. Mais voici le colonel, la mine réjouie à la perspective de nous quitter.

— Christian, nous devons parler, déclara-t-elle calmement.

— Vous ne me quitterez pas, lâcha-t-il malgré lui.

— Christian Severn, répondit-elle. Je n'ai aucune envie de vous quitter. Vous êtes mon duc préféré.

St. Just traversait les jardins, ses sacs de selle sur l'épaule. Il sifflotait une version désinvolte de *God Save the King* comme s'il avait deviné que son arrivée tombait mal.

— Nous parlerons, Gillian, promit Christian avant de l'embrasser brièvement sur la joue.

— Mercie, je vous vois, vous vous comportez comme un vilain écolier, à pousser à bout la comtesse. Je ne peux que remercier vos lads d'avoir épargné à mon cheval d'aussi puériles démonstrations.

— Sa Grâce est d'humeur folâtre, ce matin, dit Gilly. L'automne approche et il a la bougeotte. Cela le conduit à faire des bêtises.

— Ne l'écoutez pas, intervint Christian tandis qu'on amenait le cheval de St. Just.

Il lui prit ses sacs de selle et les fixa derrière le troussequin.

— Occupez-vous de ma monture, duc, pendant que je m'occupe de votre comtesse.

St. Just glissa le bras sous celui de Gilly et gratifia Christian d'un sourire désarmant. Ce dernier s'affairait à vérifier la bride, la selle. Une démarche inutile puisque St. Just réitérerait l'inspection aussitôt après, mais Gilly appréciait le colonel et méritait un moment de tranquillité avec un allié.

Ils s'éloignèrent de quelques pas, laissant Christian cajoler la bête, un énorme hongre – pas le même que la fois précédente.

— Vous embobinez mon cheval, Mercie ?

— Vous embobinez ma comtesse, St. Just ?

— Cessez, tous les deux, intervint Gilly d'un ton faussement agacé. Le colonel a des rendez-vous, il est temps pour lui de partir. La cuisinière se plaint de douleurs aux genoux, ce qui signifie qu'il va pleuvoir avant la tombée de la nuit.

— Je m'en vais. Mercie, je vous écrirai. Comtesse...

Il l'embrassa sur la joue et lui chuchota quelques mots à l'oreille, ce qui lui valut un bref hochement de tête. Christian saisit Gilly par la taille.

— Vous serez toujours le bienvenu, St. Just. La cuisinière va vous regretter.

— Je reviendrai, assura-t-il en grimpant en selle. Je veux voir les chiens de Lucy tirer une charrette de poney avec Sa Grâce aux commandes.

Il souffla un baiser à Gilly et s'éloigna au trot, modèle d'élégance et de grâce.

— Comment ai-je pu traverser la France en sa compagnie sans jamais me rendre compte de sa distinction et de sa propension à embrasser les comtesses d'autrui ? s'étonna Christian.

— Son père est duc, murmura Gilly en se dégageant de l'étreinte de Christian. Cela explique sans doute nombre de ses penchants.

— Vous êtes mon hôtesse, si je ne m'abuse. Et moi, votre duc.

Elle s'en alla déambuler dans les jardins, mais il la surveilla de loin. Elle avait beau se convaincre que ses mésaventures étaient le résultat de hasards malencontreux, Christian savait qu'il n'en était rien.

19

Christian faisait preuve d'une patience inouïe, au point que Gilly commençait à se demander s'il s'interrogeait quant à sa demande en mariage.

Durant leurs ébats amoureux, il se montrait tendre, lyrique, doux et silencieux. Gilly s'assoupissait dans ses bras alors qu'elle avait la ferme intention de lui parler.

Elle avait envie d'accepter sa proposition : devenir la femme de Christian Severn. Pas la duchesse du duc de Mercie, le duc disparu, le duc réservé – celui-là appartenait au passé, ainsi que lady Greendale la malheureuse. Mais trouver le bon moment pour discuter de leur avenir était difficile.

Une semaine après le départ de St. Just, ils tiraient sur des cibles, un passe-temps auquel elle avait pris goût. Quand Christian lui en avait soumis l'idée, elle avait frémi à la pensée du bruit et de la violence d'une telle activité, mais un flot d'excitation l'avait submergée la première fois qu'elle avait atteint le centre, et depuis, elle se joignait à lui chaque jour.

Il lui faudrait certes des années avant de le rattraper. Il savait disloquer des projectiles volant dans les airs, tirer à grande distance, toucher dans le mille tout en se déplaçant. Les mutilations qu'avait subies sa main gauche n'avaient en rien affecté son habileté.

— Vous deviez tirer au grand galop, je suppose, avait-elle dit lors d'une démonstration particulièrement spectaculaire consistant à tirer en courant, se jeter à terre, rouler puis vider son deuxième barillet.

— Au grand galop, au sol, depuis un arbre. Un jour, on m'a posté en guetteur au sommet d'un clocher. J'ai fait feu sur la cloche de la mairie située de l'autre côté de la place pour avertir mes hommes du danger.

— L'armée vous manque-t-elle parfois ?

— Jamais, asséna-t-il en lui tendant un pistolet chargé. Pourquoi ?

— St. Just a évoqué une rumeur selon laquelle le Corse échafauderait des plans pour s'échapper. Un homme pourrait être consumé par le désir de traquer ses tortionnaires et de les éliminer. Je remercie le ciel que vous ne soyez pas de ceux-là. J'ai eu mon lot de violence, je ne supporterais pas qu'elle vienne jeter une ombre sur le futur.

Elle avait choisi ses mots avec soin. *Le* futur, pas *notre* futur.

L'arme était de petite taille. Son barillet mesurait une dizaine de centimètres, ce qui réduisait sa précision de tir à distance. Gilly en était rassurée. Christian lui avait appris à la nettoyer, lui en avait expliqué le mécanisme et comment la manipuler lorsqu'elle était chargée.

— Le Corse n'a rien d'autre à faire, répondit-il, les yeux rivés sur la haie vive. Essayez d'atteindre cette brindille, à environ deux mètres sur le tronc de ce chêne.

Il se mit derrière elle tandis qu'elle visait. Elle explosa sa cible.

— J'aime qu'une balle m'obéisse, déclara-t-elle.

— Vous aimez que tout le monde vous obéisse.

Il lui reprit le pistolet.

— Voulez-vous continuer ou en avez-vous assez ?

Le ton était taquin, quoique un peu tendu, à moins que ce ne soit elle qui était tendue. Il ne parlait plus d'aller en ville, mais tous les ducs se devaient de passer du temps à Londres.

— Arrêtons-nous. L'air empeste la poudre.

— Autrefois, j'avais horreur de l'odeur du soufre, murmura-t-il, un peu perplexe.

— Comme vous détestiez les chats, le son de la langue française, les bruits intempestifs... Qu'y a-t-il ?

— On vient nous déranger. De quoi s'agit-il, George ?

— Pardonnez-moi, Votre Grâce, mais un messager vient de me remettre ce pli.

Christian tendit la main et Gilly eut un mauvais pressentiment. St. Just envisageait-il une nouvelle visite ? Il savait pourtant qu'il n'avait pas à les prévenir, encore moins par l'intermédiaire d'un messager. Christian ouvrit la missive et la parcourut, l'expression indéchiffrable.

— Pour finir, je vais devoir faire un saut à Londres.

Flûte. Flûte. Flûte.

— À la demande de St. Just ?

— Plus ou moins. Si nous allions voir Lucy ? Je crains que tout ce vacarme ne l'ait distraite de ses leçons.

La tentative de diversion était flagrante. Elle hocha la tête, et ils regagnèrent la maison. Un tumulte silencieux grandissait en Gilly.

Christian était encore en phase de rétablissement. Il n'était pas censé partir en trombe pour régler ses affaires. Il était duc, il n'avait qu'à claquer des doigts pour que les affaires viennent à lui.

— J'envoie un mot à Marcus, annonça-t-il. Il sera enchanté d'échapper à ses ennuis à Greendale.

— Je ne veux pas de lui ici, rétorqua Gilly.

Sa réaction était irrationnelle, elle en avait conscience, et sa voix, empreinte de panique.

— Gilly...

Il marqua une pause devant la porte-fenêtre menant à la bibliothèque.

— Marcus est un membre de la famille et il a accepté de me rendre ce service. J'espère qu'en retour il me permettra de l'aider à sauver Greendale Hall. Son amour-propre en prendra un coup, je sais...

Elle s'éloigna de quelques pas, lui tournant le dos.

— Gillian ?

Il se rapprocha, suffisamment pour qu'elle perçoive son parfum, mais ne la toucha pas.

— Parlez-moi.

Maintenant qu'il était enfin prêt à discuter, elle était au bord des larmes sans trop comprendre pourquoi.

— Il fume d'abominables cigares.

Un silence accueillit cette déclaration, puis :

— Exprimez-vous, Gilly. Vous êtes une femme merveilleusement sensée. Expliquez-moi les raisons de vos réserves. Je suis obligé d'y aller, mais je veux m'assurer de votre sécurité. Me trouvez-vous déraisonnable ?

Non. Pas plus qu'elle.

Elle pivota vers lui, prête à le supplier.

— Marcus était au courant, Christian. Il savait exactement comment Greendale se comportait avec moi et il n'est jamais intervenu. Il se contentait de me baiser la main, puis allait rendre visite à Helene ou filait en Espagne, ou à Londres pour se noyer dans l'alcool avec ses camarades en permission.

Les bras de Christian l'enveloppèrent, promettant réconfort et arguments patients.

— Greendale a-t-il levé la main sur vous en présence d'étrangers ?

— Parfois, il haussait le ton devant les domestiques, mais il ne me frappait pas.

— Dans ce cas, Marcus devait s'imaginer que vous ne souffriez de rien d'autre que d'agressions verbales.

— Balivernes ! J'ai des oncles. Je sais comment sont les hommes. Vous vous réunissez autour d'un verre de porto et vous parlez de femmes sans aucune pudeur.

— Pas tous. Greendale était arrogant. Pour rien au monde il ne se serait vanté de ses déboires conjugaux.

— Il n'aurait pas hésité à se targuer de mater son épouse rebelle.

— Vous êtes très en colère, murmura-t-il.

Il resserra son étreinte. Gilly avait envie de tout casser, de sangloter, non pas parce qu'il ne comprenait rien, mais parce qu'il comprenait vraisemblablement, mais s'en irait malgré tout.

Elle s'écarta et ils montèrent à la nursery sans un mot.

Pourquoi ne l'invitait-il pas à l'accompagner à Londres ?

Pourquoi ne recrutait-il pas St. Just pour veiller sur elle en son absence ?

Que contenait cette fichue lettre ?

Et pourquoi, après lui avoir tant réclamé une conversation sérieuse, se réfugiait-il de nouveau dans le mutisme ?

— Comment se porte mon écolière aujourd'hui ? lança-t-il à sa fille.

Lucy lui présenta un cahier.

— Tu as une très jolie écriture, constata-t-il. Tu l'as héritée de moi. Celle de ta chère maman était pratiquement illisible, mais elle avait un don pour raconter des histoires et un merveilleux sens de la fête.

Lucy mima un pistolet avec ses doigts.

— Oui, nous nous entraînions au tir, la comtesse et moi. Quand tu auras douze ans, et si tu le souhaites, je t'apprendrai à maîtriser cet art. Tu pourras commencer dès l'âge de dix ans avec un arc et des flèches, si cela te tente.

Elle opina vigoureusement, et Gilly se rendit compte à quel point Lucy voulait communiquer avec son père. Mieux que la nurse, la gouvernante ou elle-même, Christian savait entretenir des conversations avec la fillette, un don à la fois gratifiant et frustrant.

— J'aimerais beaucoup que tu prennes le thé avec nous aujourd'hui car je vais devoir aller passer quelques jours à Londres. J'ai des affaires à régler dont mes intendants ne peuvent se charger.

Quelles affaires ?

Lucy effectua un petit cercle en trottinant.

— Non, je n'emmènerai pas Chesterton. J'irai plus vite en voiture. Tu pourras lui faire prendre l'air, n'est-ce pas ? Ou au moins lui apporter quelques friandises pour le consoler.

Lucy sourit et balança la main de son père.

— Toi aussi, tu vas me manquer, ma princesse, de même que notre comtesse et Chesterton. Mais pas ces deux-là, ajouta-t-il en désignant les chiots (qui grandissaient à vue d'œil) assoupis sur le tapis. D'ici mon retour, ils seront aussi grands que des poneys, mais pas plus sages. Je suis content que les chevaux n'aboient pas, sans quoi nous n'aurions plus d'écuries.

Il continua de bavarder ainsi, affirmant qu'il serait ravi de voir ses dessins à son retour et lui promettant de lui rapporter de jolis rubans. Gilly s'assit sur la banquette devant la fenêtre tandis que le père et la fille se charmaient mutuellement.

— Tu n'auras pas le temps de te languir de moi, d'autant que notre cousin Marcus va venir s'installer ici quelques jours. Il ne t'a pas vue depuis longtemps, et je suis sûr qu'il sera impressionné de constater combien tu as grandi.

La transformation de l'enfant fut si vive et si radicale que Gilly en demeura stupéfaite. Lucy eut un mouvement de recul, croisa les bras et secoua la tête avec force. Se renfrognant instantanément, elle fusilla son père du regard.

— Tu ne veux pas que je m'en aille. Je suis désolé, mon cœur, mais je n'ai pas le choix. Ce ne sera pas long.

Elle lui agrippa la main, secouant la tête de plus en plus frénétiquement.

Non, non, *non* !

Sa bouche bougeait et Gilly pria pour que cet éclat l'incite à parler, mais Lucy se contenta d'articuler le mot « non », en silence, encore et encore. Puis : « Restez. S'il vous plaît, restez. »

— Lucy...

Christian s'agenouilla devant elle, désemparé.

— Assez. Je ne pars pas à la guerre. Je me rends simplement à Londres et tu auras de la compagnie pendant ce temps. La comtesse te rendra visite chaque jour. Tu m'as promis de veiller sur Chesterton et je ne supporte pas de tels caprices de la part de ma grande fille.

Il lui caressa la joue, et à cet instant précis, elle se mit à pleurer.

Ce n'était pas normal. La petite était dans tous ses états. Christian la souleva dans ses bras, s'assit dans un rocking-chair en la calant sur ses genoux.

— Ne pleure pas, mon trésor. Je reviendrai et tout ira bien, tu verras.

« Dis-lui, la supplia Gilly en silence, la gorge nouée. Dis-lui ce qui ne va pas, Lucy. Il se mettra en quatre pour te faire plaisir, mais il faut parler. Dis-lui ce que tu veux avec des mots qu'il peut entendre et comprendre. »

Elle s'éclipsa discrètement, ne sachant trop qui elle exhortait, la fillette ou elle-même.

— Vous envisagez de me quitter.

Christian avait attendu qu'ils soient couchés pour lancer cette accusation.

— Pourquoi, Gilly ?

Il connaissait la réponse. Intuitivement, Gillian soupçonnait apparemment son duc préféré de comploter un meurtre, le premier d'une série, et de masquer ses intentions derrière des « affaires pressantes à régler ».

Pour quelle autre raison serait-il prêt à abandonner sa fille en larmes dans la nursery après l'avoir sermonnée ?

— Pourquoi *nous* quittez-*vous*, Christian ?

Une femme dont la vie même avait dépendu de sa vigilance s'agissant de son mari ne se contenterait pas de platitudes. Elle ferait confiance à son instinct, de même que lui avait appris à se fier au sien.

— Nous ? répéta-t-il.

Du bout du nez, il lui effleura la tempe, humant son parfum.

— Lucy et moi. Jamais je n'ai assisté à une scène aussi poignante que cette enfant pleurant en silence sur l'épaule de son père.

Lui non plus. Toutefois, si Girard projetait de mettre un terme à la vie de Gilly, il pouvait aussi bien s'en prendre à la petite.

— Elle a peur que je reprenne les armes et sois capturé, ce qui est concevable.

Il embrassa Gilly sur le front comme pour chasser tout doute de son esprit.

— Elle n'a pas peur, elle est bouleversée.

Comme Gilly.

Et comme lui, à la vérité. Dans son enthousiasme à la perspective d'éliminer Girard, il avait totalement omis de prendre en compte la méfiance de Gilly envers les hommes et leur penchant pour la violence.

Si sa réaction était compréhensible, pour lui, renoncer à traquer Girard était impensable.

Pas question non plus de mentir à Gillian. Et pourtant, que lui avait-il dit, à cette femme qui avait sauvé son âme sinon son corps ?

Rien d'important.

— Lucy et vous pourrez vous languir de moi ensemble.

Silence. Un silence incisif, impénétrable comme il n'en avait jamais connu.

De leur propre gré, ses lèvres cherchèrent celles de Gillian.

Elle accepta ses baisers, ce dont il lui fut reconnaissant car il lui venait tout à coup à l'esprit – alors qu'il s'apprêtait une fois de plus à affronter la mort – que ce seraient peut-être les derniers.

— Voulez-vous que je vous aime ainsi, madame ?

Elle ramena les genoux de part et d'autre de ses hanches, en une invitation inespérée.

— Je crois que oui, murmura-t-il.

Il s'enfonça en elle, trouva en lui des réserves de patience pour lui donner du plaisir avec plus de lenteur que jamais. Elle s'assouplit entre ses bras, commença à onduler. Plus elle devenait vorace, plus il plongeait en elle avec une langueur exquise.

— Dites-moi que je vais vous manquer, Gilly.

Il s'immobilisa, se maîtrisant avec peine.

— Ne partez pas. Le moment est mal choisi. Vous me cachez quelque chose, Christian, et j'ai besoin de savoir.

Il la perdrait s'il confessait avoir ne serait-ce qu'un point commun avec son défunt et si vicieux mari. Il la perdrait si elle découvrait qu'il lui avait menti.

— Vous craignez que je ne revienne pas ? murmura-t-il. Que je me laisse distraire par le bruit et la frivolité de Londres ?

Paupières closes, elle se pressa contre lui.

— Vous manigancez quelque chose, Christian. Je le sens, je m'inquiète pour vous et vous ne...

— Sentez plutôt ceci.

Il donna un coup de bassin, se retira presque complètement.

— Dites-moi... pourquoi... vous devez...

Il entra de nouveau en elle, et les mots de Gilly demeurèrent en suspens.

— Je vous dis que je vous aime, articula-t-il en accélérant le rythme. Je vous aime comme jamais je n'ai aimé une femme, comme jamais je n'en aimerai.

— Ô mon Dieu... Christian !

Elle s'arc-bouta, le visage contre son épaule et perdit tout contrôle. Surpris par l'intensité de sa passion, il fut incapable de prolonger le plaisir. Et tandis qu'ils basculaient ensemble dans la jouissance, une unique pensée lui martelait l'esprit : « Je vous aime. Je vous aime. Je vous aimerai toujours. »

Dans le silence qui suivit, il se rendit compte qu'il avait prononcé ces mots à voix haute. Puis il prit conscience qu'au petit matin il partirait, mais que cette nuit, c'était peut-être Gilly seule qui avait fait ses adieux.

La journée se déroula comme le duc l'avait prévu, ce qui n'aurait dû ni étonner ni décevoir Gilly, qui pourtant ressentit étonnement et déception. Ils se levèrent et se séparèrent comme chaque jour alors qu'il lui aurait volontiers refait l'amour, devina-t-elle, s'il l'avait sentie réceptive.

Entre sa déclaration répétée et son silence, il lui avait gâché sa nuit. Il savait pertinemment ce qu'il faisait, l'enlaçant quand ils étaient tous deux épuisés et lui murmurant de vagues excuses comme s'il regrettait d'avoir à faire ailleurs.

Il lui avait confié un jour que son tortionnaire, ce maudit Girard, lui avait aussi demandé pardon.

— Bonjour, mon ange.

Il l'embrassa sur la joue avant de se diriger vers le buffet.

— Vous m'attendiez ?

— Je savourais ma première tasse de thé dans le calme.

— Vous allez la savourer d'autant plus maintenant que vous avez de la compagnie.

Il fit une pause, une assiette à la main.

— Voulez-vous que je vous serve des œufs ?

— Une tranche de pain grillé me suffira, merci.

Il s'exécuta avant de s'offrir une part d'omelette contenant au moins six œufs, deux tartines et une demi-douzaine de tranches de bacon.

Lui qui, quelques semaines plus tôt, avait du mal à avaler une moitié de scone beurré et de l'eau chaude aromatisée d'un nuage de lait et d'une cuillerée de sucre…

— Quand partez-vous ? s'enquit Gilly d'une voix mal assurée.

Il déplia sa serviette en lin blanc.

— J'attends Marcus vers le milieu de la matinée. Mon séjour ne devrait pas durer plus de quelques jours, une semaine tout au plus. La scène à laquelle Lucy et vous m'avez soumis serait flatteuse si elle n'était aussi fâcheuse.

Gilly étala un soupçon de beurre sur son pain en se demandant s'il considérait une balle dans sa botte comme une simple gêne. Ses propres réactions la décontenançaient. Elle voulait qu'il reste, mais en même temps, elle voulait fuir Severn, se libérer de sa bonté, de sa patience, de la lueur de *pitié* qu'elle décelait dans son regard. Il avait fait la sourde oreille à ses supplications concernant Marcus et menti sur les véritables raisons qui le poussaient à ce voyage.

— Je veillerai de près sur Lucy, promit-elle. Elle était tellement bouleversée hier qu'elle a failli en retrouver l'usage de la parole. Je me suis alors rappelé que Marcus était ici en permission lorsque Evan est tombé malade, puis à la mort d'Helene.

Une boule lui obstrua soudain la gorge. Comment Lucy se comporterait-elle à la *vue* de Marcus, elle qui n'avait plus prononcé un mot depuis la dernière visite de ce dernier ?

— Mon retour l'incitera peut-être à parler, hasarda-t-il. Voulez-vous encore du thé ?

Elle le laissa remplir sa tasse, gloser sur la pluie et le beau temps, la moisson à venir et l'attelage qui devait le transporter jusqu'à Londres. Il babillait, comme elle au début de leur relation, sauf que ses efforts se révélant vains, le seul son de sa voix suffisant à ébranler Gillian.

Marcus arriva à l'heure dite, se déclara heureux de rendre service à ses proches et le sentiment de malaise de Gilly s'accrut.

Il aurait pu lui *rendre service* en de multiples occasions – en invitant Greendale à l'accompagner à Londres, en s'arrangeant pour lui demander en aparté pourquoi elle boitait, en insistant pour que la maison douairière soit dotée au minimum d'un toit convenable.

Toutefois, rien de tout cela n'expliquait son inconfort. Était-elle devenue dépendante de Christian au point de craindre la moindre séparation ? Si oui, c'était de mauvais augure dans la mesure où jamais elle ne pourrait épouser un homme qui dissimulait des secrets à la femme qu'il prétendait aimer.

— Marcus, lança Christian, par égard pour Gilly qui semblait allergique au titre Greendale, je vous laisse vous installer dans la bibliothèque pendant que la comtesse m'accompagne aux écuries. J'ai des instructions à lui donner concernant le travail scolaire de Lucy en mon absence.

Marcus s'inclina solennellement.

— Je m'épargnerai ce pensum ! Les études ne m'ont jamais attiré.

Il s'éloigna, les talons de ses bottes claquant sur les parquets cirés. Gilly ne put s'empêcher de serrer les dents, tant sa cadence lui évoquait Greendale.

Christian lui offrit son bras. Devant Marcus, il s'était montré d'une courtoisie irréprochable.

Si elle acceptait d'être sa duchesse, il la traiterait bien. Il ne la réprimanderait jamais devant autrui, serait toujours poli, ne permettrait à personne de l'insulter.

Mais pour être sa duchesse, elle devrait l'épouser.

— Vous êtes bien silencieuse, ma chère.

— Que voulez-vous que je vous dise, Christian ? Vous partez pour une mystérieuse mission que vous qualifiez d'affaire à régler, mais qui, selon moi, n'est pas aussi simple. Vous a-t-on convoqué à Carlton

House ? Avez-vous une représentation de gala avec la garde à cheval ?

— Ni l'un ni l'autre. Il s'agit d'un problème d'ordre personnel qui n'affecte que moi. Vous ne devez pas vous inquiéter.

— Vraiment ?

Ils avaient atteint la cour. Christian signala aux pale-freniers qu'il était prêt à monter dans la voiture. Il glissa le bras autour de la taille de Gillian.

— Je pensais vraiment ce que je disais, tout à l'heure. Je vous en prie, prenez un soin tout particulier de Lucy. Elle est anxieuse, elle a besoin de votre bon sens et de votre humeur enjouée.

— Vous pouvez compter sur moi.

— Quant à moi, j'ai besoin de savoir que vous ne détalerez pas pendant mon absence.

Il resserra légèrement son étreinte, sans quoi Gilly se serait écartée pour scruter son visage. De profil, il paraissait plus sérieux que de coutume, ce qui ne fit qu'augmenter ses craintes.

— Croyez-vous que je laisserais Lucy toute seule alors qu'elle refusait catégoriquement la venue de Marcus ?

— Elle refusait catégoriquement que je m'en aille, rétorqua-t-il.

— Elle n'y voyait aucun inconvénient jusqu'à ce que vous lui annonciez que Marcus s'installerait ici pendant la durée de votre séjour en ville. C'est alors *seulement* qu'elle s'est fâchée, qu'elle est devenue inconsolable. Ce matin, elle était repliée sur elle-même. Elle nous a à peine salués.

— Helene avait aussi tendance à se montrer d'humeur maussade, argua-t-il.

Il s'écarta, enfila ses gants.

— D'ici une heure, Lucy jouera avec les chiots et aura tout oublié. Ç'a été une digression instructive, comtesse, mais je vous ai posé une question précise à laquelle vous n'avez pas répondu.

Il la prit aux épaules.

— Promettez-moi de ne pas vous enfuir. Je veux vous l'entendre dire, Gilly. Regardez-moi dans les yeux.

Il craignait qu'elle ne le quitte, preuve qu'il manigançait quelque chose de grave.

— J'attends votre promesse, insista-t-il.

— Je ne m'éloignerai pas d'ici à moins d'une urgence vitale, auquel cas je confierai Lucy à Nanny et à Harris.

— Un accès de colère ne constitue pas une urgence vitale. Pouvons-nous nous mettre d'accord là-dessus ?

— Nous le pouvons, sans quoi vous allez passer toute la sainte journée à me harceler.

Elle noua les bras autour de sa taille, indifférente à la proximité des palefreniers.

— Vous réitérerez votre demande en mariage, j'espère ? murmura-t-elle, maintenant que son départ était imminent. Inutile de vous agenouiller. Quand vous aurez résolu l'affaire qui vous appelle à Londres à tout prix, j'aimerais beaucoup vous entendre renouveler votre demande.

— Cette affaire passera, Gilly, alors que mes sentiments pour vous demeureront. Vous nous mettez tous deux à l'épreuve, vous faites votre deuil à votre manière et vous vous demandez ce qu'il adviendra de vous maintenant que votre ennemi est enterré. Les généraux ont toujours plus de mal à contrôler leurs troupes après la prise d'une ville. C'est là que se produit le chaos. Il en est de même pour vous et pour moi.

— Je ne suis pas quelque soldat pilleur de l'infanterie décidé à exprimer mes frustrations avec mon pistolet et ma baïonnette.

De cela, au moins, elle était sûre.

— Vous savez toutefois ce que c'est que d'être assiégée.

Il parlait à voix basse, ses propos, plus profonds qu'il n'y paraissait. Elle reprit une inspiration, s'abandonna contre lui, la joue sur son torse musclé.

— Je vais pleurer.

— Ce serait justifié.

Elle entendit le fracas des roues de la voiture sur les pavés. Christian s'en allait. Elle se cramponna à lui.

— J'aimerais être en colère contre vous. Suffisamment pour vous repousser.

— Vous avez toutes les raisons d'être en colère, ma douce.

— Mais pas contre vous.

— Quant à moi, je n'ai aucune raison de m'en prendre aux chats, et pourtant, si j'en découvre un chez moi, je serai tenté de le jeter par la fenêtre la plus proche. C'est un petit prix à payer pour avoir le bonheur de me promener au soleil et d'être libre de vous aimer.

— Taisez-vous.

Elle posa un doigt sur ses lèvres, les sentit s'incurver sur un demi-sourire.

— Nous parlons, mon ange. C'est un grand pas en avant, infiniment plus positif que les chamailleries ou le silence.

— En effet, et voilà que vous allez tout gâcher en partant.

— Dès mon retour, nous reprendrons cette discussion. Je suis conscient des difficultés qui nous attendent, Gilly, mais je tiens à ce que nous les affrontions ensemble.

— En me laissant ici, sans m'avoir dit le plus important.

Le sourire de Christian s'estompa, et elle se rendit compte que non seulement ils parlaient mais qu'il l'*écoutait*. Ce constat la réjouit et l'effraya à la fois – plus que tous ses sourires et promesses réunis.

— Je serai là à votre retour, Christian. C'est tout ce dont je puis vous assurer pour l'instant.

— Je m'en contenterai.

L'un des chevaux se mit à piaffer.

— Je file. Occupez-vous de Lucy. Je lui rapporterai des livres.

— Tâchez surtout de rentrer.

Gilly l'embrassa sur la bouche, une erreur. Il resserra son étreinte.

— Allez ! Vos chevaux s'impatientent.

Il grimpa dans le buggy, s'empara des rênes, la salua avec le fouet avant que l'attelage s'ébranle.

Et avant que Gilly ait trouvé le courage de lui dire qu'elle l'aimait aussi.

Les convenances furent respectées à la lettre, Christian ayant traqué Girard dès le soir même dans un club récemment inauguré. Il suffit d'une claque magistrale, administrée avec un gant d'équitation trempé de sueur, devant de nombreux spectateurs parmi lesquels St. Just, qui serait le témoin de Christian. Le coup fut en revanche plus violent qu'il n'était recommandé et provoqua un saignement au coin de la bouche de Girard.

Christian éprouva une vive satisfaction à le voir ainsi tacher ses vêtements, tous les regards braqués sur lui. Il prendrait encore plus de plaisir à le tuer, bien que Girard se fasse désormais appeler Sebastian St. Clair – Sebastian Robert Girard St. Clair, baron St. Clair.

— C'est un défi que vous voulez ? lança Girard, qui se leva tout en plaquant un mouchoir sur sa blessure. Un duel à mort ?

Il examina Christian de haut en bas.

— À votre guise, monsieur le duc. Je suis impatient de me mesurer à vous, maintenant que vous êtes remis de votre épreuve. La guerre nous cause bien des souffrances, n'est-ce pas ?

Girard était décharné et manquait de panache, ce qui déçut vaguement Christian. Il aurait préféré se battre contre un adversaire vaillant plutôt que contre un chien malade.

— Nommez votre témoin, Girard, et St. Just passera le voir.

— Ce sera Michael Brodie, mon homme d'affaires, qui demeure avec moi à Ambrose Court. Le choix des armes vous sera communiqué. À présent, si vous permettez, Votre Grâce, je vais poursuivre ma lecture.

Sur ce, Girard lui avait tourné le dos avec cette insolence virtuose si caractéristique des Français, son sang-froid lui valant l'estime des observateurs.

— Il ne manque pas de cran, marmonna St. Just tandis que Christian et lui émergeaient dans la rue. À croire qu'il vous attendait, tant il a été facile à repérer.

— Il a maigri, fit remarquer Christian. Et vieilli.

Et pourtant, il n'avait pas tant changé que cela, cheveux noirs aux épaules, yeux verts où brillait parfois une lueur d'humour, d'indifférence, voire de respect, attitude glaciale d'un homme dépourvu d'âme.

D'un coup de pied, St. Just envoya un bout de pavé dans le caniveau.

— L'époque est rude pour les ex-officiers de l'armée française. Que pense lady Greendale de tout cela ?

— Vous ne croyez tout de même pas que je lui ai avoué que je comptais provoquer Girard en duel ? Elle a la violence en horreur.

Si elle avait méprisé la brutalité de Greendale, que penserait-elle d'un meurtre ?

Un meurtre prémédité, perpétré sous les yeux de témoins parfaitement sobres et recrutés pour s'assurer du respect des règles d'un homicide rituel ?

— La comtesse et vous m'avez paru très proches, dit St. Just. Je suis souvent surpris de ce que Moreland révèle à sa duchesse derrière les portes closes.

— Gilly a assez de soucis comme cela, et c'est une lady.

St. Just se garda de tout commentaire jusqu'à ce qu'ils soient dans la voiture.

— Vous avez dissimulé vos plans à la comtesse pour épargner sa sensibilité, mais parce que vous saviez aussi qu'elle désapprouverait votre initiative.

— Plus ou moins. Elle est très fragile en ce moment.

— Remarque intéressante de la part d'un homme dont les cauchemars ne lui laissaient pas une heure de répit.

— Silence, St. Just. Girard doit mourir, point final.

Le colonel n'insista pas, et, franchement, qu'y avait-il de plus à dire ?

Le lendemain, tandis qu'il partait pour Ambrose Court, Christian rendit visite à Gervaise Stoneleigh, à la City.

— Votre Grâce, quel plaisir inattendu ! s'exclama ce dernier en s'inclinant.

— Imprévu, je vous le concède. Pouvez-vous néanmoins m'accorder quelques minutes ?

— Lady Greendale l'exigerait.

— Voilà qui est direct.

Il conduisit Christian dans un bureau d'une élégance surprenante. Des violettes poussaient dans des pots alignés devant la fenêtre, et l'un des murs était rempli d'esquisses encadrées représentant une femme souriante et deux enfants potelés.

— Le franc-parler permet de gagner du temps, je suppose, mais on s'attend toujours que les avocats tergiversent par principe, commenta Christian.

Stoneleigh repoussa un pot en céramique de deux centimètres vers la gauche afin que la plante profite davantage du soleil.

— De même que l'on attend des nobles qu'ils se montrent arrogants pour le principe. Asseyez-vous, je vous en prie, Votre Grâce.

— Je comprends pourquoi Gillian vous a engagé.

Christian s'installa dans l'un des deux fauteuils.

— Vous parlez sans doute de la comtesse de Greendale.

Ce n'était ni une question ni tout à fait une réprimande, et Stoneleigh ne demanda pas à Christian la permission de s'asseoir dans son propre bureau. Gilly avait eu raison de lui faire confiance.

— Pour moi, elle est Gillian, et elle seule a le droit de m'appeler par mon prénom.

L'avocat haussa brièvement les sourcils, pour marquer sa surprise, probablement.

— Voulez-vous du thé, Votre Grâce ? Ou quelque chose de plus fort ?

— Quelque chose de plus fort, si cela ne vous ennuie pas.

Quand ils eurent dégusté un excellent cognac, Christian tira de sa poche une lettre scellée et la tendit à son hôte.

— Je dois traiter dans les jours à venir une affaire qui pourrait entraîner ma mort ou mon incapacité légale. Cette lettre est destinée à la comtesse, le cas échéant.

Stoneleigh la posa de côté sans même y jeter un coup d'œil.

— Les rumeurs sont donc vraies ? Les clubs étaient en effervescence hier soir. Il paraît que vous avez provoqué en duel l'homme responsable de votre épreuve après votre capture.

Que de délicatesse.

— Si les Français m'ont fait prisonnier, c'est ma faute. Sur les instructions de ses supérieurs, Girard a exploité le fait que je n'étais pas en uniforme au moment de mon arrestation et m'a soumis à des mois de supplices.

— Ah, parce que maintenant, on tue des soldats qui ont obéi aux ordres des généraux ? plaisanta Stoneleigh en remplissant le verre de Christian. Est-il vrai que vous ne portiez pas votre uniforme, Votre Grâce ?

Un officier en civil était un espion présumé, et les espions étaient considérés autant par les gentlemen que par les voyous comme des moins que rien.

— J'étais nu, Stoneleigh, je me baignais dans une rivière où les soldats des deux parties faisaient boire leurs chevaux et lavaient leur linge. Mon uniforme était parfaitement visible, je l'avais étalé sur des buissons pour qu'il sèche, et j'avais ma bague ducale au doigt.

— C'est bien ce que je disais, vous n'étiez pas en uniforme.

— Où voulez-vous en venir ?

— Dans les jours qui viennent, vous allez soit vous faire tuer, soit commettre un meurtre prémédité, expliqua Stoneleigh d'un ton patient comme s'il s'adressait à un clerc un peu simple d'esprit. J'aimerais comprendre précisément en quoi votre honneur a été bafoué, afin de pouvoir expliquer la situation à la comtesse quand votre mort viendra s'ajouter à tous les malheurs dont elle a déjà été victime. C'est le propos de cette lettre, je suppose ?

Comme Christian demeurait muet, l'avocat coula un bref regard à la missive qu'il avait mis des heures à écrire.

— Un exercice de futilité larmoyant, à remettre à la comtesse au cas où vous perdriez la vie ?

Un avocat chevalier errant. Fastidieux, mais au moins, l'avocat en question était celui de Gilly.

— Cette lettre contient une traite bancaire substantielle à son nom, ainsi que quelques lignes d'excuses et d'encouragements.

Je vous aime. Je vous aimerai toujours.

Stoneleigh croisa les mains, mais ne dit pas un mot. C'était inutile car Christian avait déjà compris que quiconque défendait les intérêts de Gilly désapprouverait ce duel.

— Je la lui transmettrai si j'apprends votre décès, promit finalement Stoneleigh. Sinon, je vous la rendrai. Vous êtes confiant quant à votre victoire ?

— Girard est un adversaire rusé. Je me débrouille plutôt bien au pistolet. S'il opte pour l'épée, quelques prières pour mon âme seront les bienvenues.

— Votre Français n'est pas idiot. Un idiot aurait tenté de se cacher.

— Il n'est pas idiot, mais il est arrogant, enclin au cabotinage et – sauf erreur de ma part – terriblement las.

Stoneleigh se leva et s'affaira à déplacer ses pots de violettes pour qu'ils profitent tous du soleil.

— Vous avez choisi vos témoins.

— Oui.

— Ma foi, je ne peux rien pour vous sinon vous souhaiter bonne chance. Où le duel aura-t-il lieu ?

Il se pencha pour humer les fleurs.

Gilly n'avait pas eu le droit de s'occuper des jardins de Greendale. Entretiendrait-elle sa tombe si Girard l'emportait ? Elle y planterait sans doute des orties et les arroserait chaque jour.

— St. Just proposera trois lieux dans l'ordre inverse de ma préférence.

Il les décrivit – deux d'entre eux étaient situés aux environs de Londres, le troisième, dans un recoin boisé de Hyde Park. Lorsqu'il partit, une heure plus tard, Christian avait la certitude que Stoneleigh donnerait sa lettre à Gilly si nécessaire et saurait se taire sur l'affaire dans son ensemble.

De retour chez St. Just, il découvrit son ami en train de jurer copieusement en gallois tout en arpentant la pièce.

— Calmez-vous, dit Christian en fermant derrière lui la porte de la bibliothèque étonnamment fournie.

— Vous avez rencontré le témoin, mis les détails au point. Si vous pouviez vous exprimer dans ma langue, j'aimerais les connaître.

Un volume de Blake reposait près d'un fauteuil, ouvert à la page du poème que Christian avait cité à Gilly. Elle en savait bien plus qu'il ne le soupçonnait en matière de captivité.

— Il a choisi le fleuret. Ce satané Français veut des fleurets.

Forcément.

— Pour un duel à mort ? Difficile de tuer un homme avec un fleuret.

— Pas difficile, grommela St. Just. Abominablement long, car il faut piquer l'adversaire encore et encore, ou viser le cœur, les poumons, la trachée – bref, un organe vital. Compliqué, le fleuret, et pas courant.

Une étrange pensée traversa l'esprit de Christian. La captivité se présentait sous toutes sortes de formes. Un mariage, un donjon, une quête de vengeance...

— Peut-être est-ce une pratique courante chez les Français, dit-il.

St. Just s'immobilisa, le temps de déplacer un pion blanc sur l'énorme échiquier de marbre trônant devant la fenêtre.

— Si vous voulez vous exercer, Mercie, je peux vous emmener chez Angelo.

— J'apprécie votre offre, mais si je ne me révèle pas à la hauteur, ma confiance en prendra un coup, et si je vous bats, je risque de me montrer trop sûr de moi.

— Dites-moi au moins que vous vous êtes entraîné.

St. Just revint vers l'échiquier, tripota un fou comme s'il s'apprêtait à jouer contre lui-même.

— Oui.

— Au *fleuret* ?

— Vous vous inquiétez inutilement. Je dois affronter cet homme, St. Just. Il en va de ma santé mentale. L'issue est entre les mains du Tout-Puissant. Si je suis plus fort que lui, il mourra. S'il me tue, il sera jugé pour meurtre et exécuté. D'une façon comme d'une autre, un Dieu juste mettra un terme à l'existence de ce monstre.

— Ne mêlez pas Dieu à cela, riposta St. Just en déplaçant le fou noir sur la moitié de l'échiquier. Ces vingt ans de chaos aux mains du Corse ne furent pour Lui qu'un divertissement. Pas moins d'un demi-million d'hommes ont trouvé la mort au cours de la campagne de Moscou en 1812, et vous voudriez que Dieu décide de l'issue d'un vulgaire duel ?

— Dois-je vous soûler, St. Just ?

— Ce soir, oui, gronda le colonel, scrutant l'échiquier du côté blanc. La rencontre aura lieu après-demain, au lever du jour, dans un bosquet à cinq cents mètres du *Sheffield Arms*. Nous avons recruté deux chirurgiens et l'arme choisie – Sainte Vierge, bénissez-nous – est le fleuret.

— St. Just, détendez-vous. Tout se passera bien.

— Pardonnez-moi. Ma mère était papiste. C'était une femme déchue, mais une femme papiste déchue – les plus pieuses de toutes.

Il déplaça un cavalier blanc.

— Tout ira mieux quand vous m'aurez imbibé d'alcool.

Faute d'autre choix, Christian se mit à la tâche.

Deux nuits sans Christian à ses côtés avaient laissé Gilly épuisée et inquiète. Elle se répétait sans cesse qu'ils s'étaient quittés sur une note positive, que leur relation progressait. Vers quoi ? Mystère.

Elle n'avait le courage ni de jardiner, ni de broder, ni même d'errer à travers la maison, de peur de croiser Marcus. Il s'était montré parfaitement courtois pendant le dîner de la veille, mais il l'avait observée avec attention et elle craignait, à la longue, de laisser échapper les questions qui la taraudaient.

Était-il au courant ?

Que savait-il exactement ?

Lui était-il venu à l'esprit de l'aider ?

Greendale l'avait-il menacé ?

Greendale avait-il levé la main sur son héritier ? Une cravache ? Un martinet ?

Ils auraient peut-être beaucoup à se dire, mais dans la mesure où elle supportait à peine d'avoir dévoilé ses secrets à Christian, moins elle voyait Marcus (et moins elle sentait l'odeur de ses satanés cigares), mieux elle se portait.

En revanche, elle passait beaucoup de temps avec Lucy, de plus en plus apathique. C'est ainsi qu'elle quitta son boudoir plus tôt que de coutume dans l'intention de gagner la nursery. À sa grande surprise, George et John l'attendaient dans le couloir.

— Bonjour, messieurs.

— Milady.

— Lord Greendale vous a ordonné de me suivre ?

— Non, madame, répondit George. C'est le duc. Il nous a dit qu'on devait rester collés à vous comme des mouches à un pot de confiture et qu'on serait récompensés de nos efforts.

— Bien. Nous allons à la nursery, leur annonça-t-elle, soulagée d'être espionnée par Christian et non par Marcus. Ensuite, nous irons peut-être nous promener dans le parc.

Ils affichèrent une expression résignée – les jardins, encore ! – et lui emboîtèrent le pas. Gilly envisageait un pique-nique quand un effluve de tabac lui chatouilla les narines. Derrière la porte entrouverte, elle reconnut la voix de Marcus.

— Même ta nurse et ta gouvernante ont oublié le son de ta voix, disait-il d'un ton songeur. Je ne peux qu'applaudir ta diligence, petite. Quand je t'ai demandé de ne pas répéter un mot de ce que tu avais entendu par un malheureux hasard, je ne m'attendais pas que tu m'obéisses à la lettre. Désormais, ta maman est partie, et personne ne te croirait si tu m'accusais d'avoir tenté de la persuader de quitter ton papa.

Une pause suivit, le temps qu'il tire sur son cigare, sans doute.

— Quant au reste, ton papa s'apprête à mourir au champ d'honneur, aux mains du même Français à qui on avait confié la mission de le tuer il y a un peu plus d'un an. Justice différée, justice refusée, n'est-ce pas ? Justice pour moi – et terriblement coûteuse, en plus, crois-moi.

Dans le silence qui suivit, le sang de Gilly se glaça dans ses veines et elle crut qu'elle allait régurgiter son petit-déjeuner. Elle posa un doigt sur ses lèvres et secoua la tête, au cas où George et John voudraient jouer les héros. Sans bruit, elle leur fit signe de la suivre.

— Le scélérat ! siffla George lorsqu'ils eurent regagné le boudoir de Gilly. Pardon, madame, mais ce que disait Greendale...

— Chut, George, j'ai besoin de réfléchir.

Les deux hommes échangèrent un regard.

Marcus était donc le complice de cet horrible Français ? *Marcus* avait cherché à arracher Helene à Christian ? *Marcus* avait menacé Lucy au point qu'elle en avait perdu l'usage de la parole ?

Marcus, qui les avait maintenant à sa merci.

— Messieurs, écoutez-moi attentivement. Demandez aux garçons d'écurie d'équiper Chesterton de ma selle d'amazone et de préparer Damsel pour Lucy. Nous aurons aussi besoin d'un palefrenier et de votre discrétion absolue.

Elle leur donna ses instructions et pria pour que la chance soit avec elle et avec Christian.

Ils en auraient besoin.

20

Gervaise Stoneleigh fixa la lettre posée sur le manteau de la cheminée et se demanda, une fois de plus, si Mercie savait ce qui l'attendait. Un homme affrontant un duel se devait de prendre ses dispositions, le bon sens l'exigeait, mais rares étaient ceux qui avaient été auparavant mutilés, brisés par leur adversaire.

Ce qui pouvait donner à Mercie un avantage tactique, ou se révéler à son désavantage.

Ou les deux.

Un coup discret à la porte de la bibliothèque interrompit ses réflexions.

— Entrez.

— Excusez-moi, monsieur, mais il y a une dame qui veut vous voir. Elle est accompagnée d'une enfant. Une soi-disant cliente.

Le visage du majordome ne trahissait ni curiosité ni désapprobation. Stoneleigh le rémunérait généreusement pour qu'il se taise en toutes circonstances.

— Faites-les entrer.

Gillian, lady Greendale, apparut, tenant par la main une fillette d'environ sept ou huit ans aux cheveux blonds comme les blés.

— Hanscomb, un plateau avec du thé et du chocolat chaud. Et fermez derrière vous, s'il vous plaît. Lady Greendale, quel plaisir inattendu.

Un de plus.

— Je suis navrée de vous déranger, murmura-t-elle. Nous arrivons de Severn, je n'ai pas pu trouver le colonel et Sa Grâce ne réside pas dans sa résidence londonienne. Girard va le tuer si nous ne l'avertissons pas.

Un silence suivit tandis que la comtesse reprenait son souffle et que Gervaise s'efforçait de comprendre le sens de ses paroles.

— L'enfant devrait peut-être boire son chocolat à la cuisine ? suggéra-t-il.

— Lucy reste avec moi.

— Je reste avec cousine Gilly, intervint Lucy.

Ah ! C'était donc elle, la petite fille qui avait causé tant de soucis à lady Greendale. Apparemment, elle avait recouvré l'usage de la parole.

— Fort bien, répondit-il. Le duc est actuellement en sécurité, enchaîna-t-il. Je le sais car il m'a rendu visite et je suis informé de son emploi du temps. Il ne risque rien ce soir.

Il adressa à lady Greendale un regard lourd de sous-entendus et elle hocha la tête.

Le récit qui émergea autour d'une tasse de thé hanterait les cauchemars de Mercie des années durant, à condition qu'il survive pour l'entendre. Lady Greendale tentait d'employer un langage adulte assez codé, mais la fillette balaya ses efforts.

— Cousin Marcus était amoureux de ma maman, déclara-t-elle à un moment donné. Mais pour elle, il n'était qu'une distraction. Elle me l'a dit, et quand elle l'a expliqué à Marcus, il s'est fâché, il a crié qu'il avait tout risqué pour qu'ils soient ensemble. Maman s'est moquée de lui, et moi, je me suis éloignée.

— Vous avez bien fait, la félicita Stoneleigh. Reprenez donc un de ces délicieux gâteaux. Ils favorisent le sommeil.

Lady Greendale haussa les sourcils, mais choisit néanmoins une gourmandise à la framboise pour la petite. La comtesse était épuisée, elle avait les yeux cernés et les lèvres pincées. Se précipiter depuis le Surrey en compagnie d'une enfant alors qu'elle était peut-être pourchassée par un assassin l'avait achevée.

— Je n'ai pas été assez intelligente, reprit Lucille. Cousin Marcus savait que j'étais là et il m'a dit que si je répétais un mot – un seul – de ce que j'avais entendu, il nous arriverait malheur. Evan est mort, puis maman, et papa n'est pas revenu. Il ne pouvait rien y avoir de plus terrible que cela.

— En effet, murmura Stoneleigh. Vous me paraissez toutes deux exténuées. Je peux vous envoyer chez ma sœur, à moins que vous ne préfériez vous installer ici. Mon personnel est la discrétion incarnée. Sinon, je vous escorterai jusque chez Mercie.

— C'est le premier endroit où Marcus ira nous chercher, répondit la comtesse. Et je refuse d'impliquer votre sœur dans cette histoire.

— Dans ce cas, vous êtes mes invitées.

Il attendit que lady Greendale ait couché la petite, puis envoya une femme de chambre la quérir car un sermon s'imposait.

— Comtesse, le duc ne souhaiterait pas que vous vous mêliez de ses affaires.

Stoneleigh lui tendit un doigt de cognac – son remède miracle pour les éventuels clients en détresse.

— Le duc est loin de se douter du danger auquel il fait face, riposta-t-elle. Girard ne lui offrira pas un combat loyal et personne ne peut l'en avertir sauf moi.

— Je peux m'en charger.

Elle secoua la tête.

— Je refuse de vous accabler de détails sur la perfidie de Marcus. Il s'agit d'une affaire familiale.

Sa curiosité piquée au vif, il feignit toutefois de siroter son cognac.

— Encore une goutte ?

— Non, merci.

Lady Greendale était bouleversée mais calme. Greendale lui avait probablement appris à se maîtriser – qu'il brûle en enfer, ce vieux grigou !

— Éclairez-moi, monsieur Stoneleigh, je vous en prie. Je suppose qu'un duel est prévu ?

Il lui confia ce qu'il savait : il y aurait bien un duel le lendemain matin, mais le lieu était encore incertain.

Contrairement à la plupart de ses pairs, Christian ne s'était jamais battu en duel. Selon lui, c'était un moyen hasardeux de défendre son amour-propre – le prétendu honneur n'ayant souvent que peu à voir avec l'affaire –, notamment pour un duc obligé d'assurer sa succession et la transmission du titre.

Il ignorait donc ce qu'il devait ressentir à la veille d'un duel à mort unique contre un ennemi personnel. L'échange avec Stoneleigh avait semé le doute dans son esprit. Et le doute étai un problème.

Techniquement parlant, Girard avait respecté les règles de la guerre, si tant est qu'il y en eût, mais uniquement sur le plan de la méthode.

Était-ce important ? Pour Gilly, ce le serait.

Si Girard l'avait torturé, il l'avait aussi protégé. Il avait veillé sur son prisonnier et fini par épargner sa vie – après l'avoir maintenu en captivité pendant des mois.

Il serait ravi de découvrir que Christian était en proie à d'ultimes doutes.

St. Just entra dans la salle du petit déjeuner, impeccable malgré l'heure matinale.

— Vous êtes resté debout toute la nuit ? s'enquit Christian.

Lui-même s'était couché tôt, laissant St. Just noyer sa morosité dans un excellent cognac.

— Presque. Au passage, j'ai croisé mon père qui se fera un plaisir d'arrêter et de déporter Girard si vous acceptez de lui révéler le lieu de la rencontre. Il prétend que c'est une question de courtoisie entre ducs.

— Vous remercierez Moreland pour moi si je suis dans l'incapacité de le faire, mais la déportation ne sera pas nécessaire.

D'ailleurs, si Girard possédait vraiment un patrimoine anglais, la procédure serait compliquée à l'extrême.

— Girard n'y survivrait pas. De toute façon, la nouvelle de ce duel suffira à elle seule à le tuer si vous ne lui réglez pas son sort vous-même.

— Il se pourrait que la mort lui soit un soulagement.

La vie en soi pouvait-elle être une forme de captivité ? Gilly avait failli atteindre une telle impasse.

— Son empereur a été fait prisonnier, il n'a plus aucune cause à défendre et toutes ses machinations se sont révélées vaines. Aujourd'hui, il se retrouve chargé d'une baronnie anglaise, si les rumeurs sont exactes, tandis qu'un grand nombre d'officiers britanniques se réjouiront de sa disparition. Il est l'exemple criant d'une existence ratée.

Et il méritait de mourir dans la souffrance.

— Ma voiture est prête.

— C'est très aimable à vous.

Le véhicule sans armoiries de St. Just leur assurerait l'anonymat – et serait commode s'il leur fallait ramener un corps en ville. Christian chassa cette pensée de son esprit et quitta la maison avec son témoin.

Le trajet jusqu'au *Sheffield Arms* fut silencieux. Comme souvent à l'approche de l'automne, une couche de brume flottait dans les creux de terrain.

— Pas le moindre courant d'air, constata St. Just. Une chance.

— Le fleuret est moins sensible au vent que le pistolet.

St. Just se frotta le visage.

— Le fleuret. Une farce maudite.

— Mon ami, nous sommes soldats. Nous ne restons pas enfermés dans nos domaines ancestraux telles des araignées dans leur toile qui jouent avec leur proie. Nous nous sommes battus. En tant qu'officiers, nous avons mené la charge. Nous avons donné l'exemple. Nous avons mérité notre victoire.

St. Just contempla le paysage embrumé.

— Cette fois, vous n'agissez pas pour le compte du roi et de la patrie, lui rappela-t-il. Cette fois, c'est un satané duel, et je me méfie de ce Français. Il ne se montrera pas loyal.

Christian était persuadé du contraire.

— Oh que si ! Son arrogance et sa conscience, si singulière soit-elle, l'y pousseront.

St. Just n'insista pas, et la voiture s'arrêta devant le *Sheffield Arms*. Christian sauta à terre alors que les premiers rayons du soleil pointaient à l'horizon et se fraya un chemin entre les arbres jusqu'au lieu désigné. Girard était déjà là. Une paire de fleurets étincelait dans un élégant étui ouvert sur une table pliante.

— Bonjour, Votre Grâce.

— Girard. Ou doit-on vous appeler lord St. Clair, désormais ?

Le Français parut offensé, mais Christian lui tourna le dos et attendit que St. Just les rejoigne.

Les témoins conférèrent, les duellistes s'échauffèrent, mais les chirurgiens n'étaient pas encore arrivés.

— Vous pouvez commencer sans eux, déclara St. Just. Toutefois, je vous le déconseille.

— Patientons encore cinq minutes, décida Christian.

En tant que soldat, il avait assisté à d'innombrables levers de soleil dont chacun aurait pu être son dernier. En tant que prisonnier, il avait passé des semaines entières privé de lumière, au point qu'elle l'aveuglait dès qu'on l'autorisait à quitter sa cellule.

Un soldat accepte l'éventualité de sa mort, surtout lorsqu'il est prisonnier.

Mais Christian n'était plus soldat. Il était le duc de Mercie, il avait des responsabilités envers ses proches et son titre. Il avait une fille dont la courte vie n'avait été que pertes et malheurs.

Et il avait Gilly.

Elle était son réconfort, sa certitude. Elle était l'éclat de la raison, la chaleur de l'espoir, la promesse d'une sagesse suffisante pour surmonter tous les problèmes à venir.

De son point de vue à elle, ce dans quoi il s'était engagé avec Girard équivalait à une trahison.

De son point de vue à lui aussi, très probablement.

— Voici les chirurgiens, annonça St. Just. Vous pouvez encore présenter vos excuses.

— Rappelez-le-moi encore une fois et c'est vous que je provoquerai en duel, St. Just.

Le colonel discuta à voix basse avec son homologue, un grand blond aux épaules larges que Christian reconnut comme le geôlier, la dernière personne à l'avoir vu en captivité.

L'homme qui, sur les ordres de Girard, l'avait libéré.

Christian le salua d'un signe de tête. Il paraissait mieux nourri et mieux habillé, mais toujours aussi agité – et pas particulièrement contrit.

Le témoin de Girard les invita d'un geste à se mettre en place. Christian se campa en face de son adversaire, le salua avec son arme, accepta cette marque de civilité en retour, puis se concentra, guettant le…

— Attendez ! cria une voix féminine, et quatre têtes se tournèrent vivement vers le *Sheffield Arms*. Pour l'amour du ciel, arrêtez tout !

— Bénis soient le ciel et tous les anges ! s'exclama St. Just. Votre comtesse est venue à votre secours.

Calme, posé, et bien vivant, Christian adressa à son adversaire un regard insistant. La brute aux cheveux bruns, qui devait être Girard, le salua avec son fleuret et remit son arme à un grand blond qui hésitait aux côtés de St. Just.

— Bonjour, comtesse.

Pour un homme sur le point de mettre sa vie en jeu, Sa Grâce semblait étonnamment tranquille.

— Ce n'est pas un *bon jour*, riposta-t-elle en s'avançant vers lui. À quoi pensiez-vous donc ?

Elle gratifia Girard d'un coup d'œil venimeux.

— Quant à vous, vous ne méritez pas de mourir. Vous méritez de vivre dans la douleur de ce que vous avez tenté de faire, mais avez échoué à terminer.

— Ai-je échoué ?

Gilly n'avait pas de temps à perdre avec un monstre pareil et son ironie galloise la laissait de marbre.

— Vous ne pouvez pas le tuer ainsi, Votre Grâce.

— Entendez-vous par là que j'en suis incapable ou que ce serait une erreur de ma part ?

La distinction était importante à ses yeux, aussi Gilly pesa-t-elle ses mots lorsqu'elle répondit, les poings sur les hanches.

— Bien sûr, vous pourriez l'éliminer sans difficulté. De là à commettre un meurtre... Vous n'êtes pas une bête sauvage, un individu sans conscience, capable de tuer sur un coup de tête ou pour le simple plaisir.

Greendale aurait pu se comporter ainsi, pas son Christian.

Ce dernier observait à la dérobée le Français qui rabaissait les manches de sa chemise avec une indifférence étudiée.

— Je ne peux supporter un monde où évoluerait Girard, comtesse, encore moins l'idée qu'il puisse se promener dans la campagne anglaise avec sa meute de chiens comme n'importe quel propriétaire terrien.

— Il mourra, dit Gilly. Mais pas de votre fait. Vous devez renoncer. Vous avez vous-même essayé de me l'expliquer.

— Que diable racontez-vous ? rétorqua Christian, parfaitement immobile, et calme, et furieux contre elle.

Le cœur de Gilly battait à grands coups.

— Vous avez tenté de me démontrer qu'après des années de lutte contre un ennemi impitoyable on peut se perdre dans la haine à son endroit, même une fois les hostilités terminées. Si vous vous nourrissez de cette amertume, votre adversaire est doublement gagnant, car vous êtes autant son esclave que vous l'étiez lorsque vous étiez enchaîné dans son donjon.

Christian l'écoutait avec attention, aussi poursuivit-elle sur sa lancée :

— Je ne suis plus l'otage de Greendale, je ne suis plus son bouc émissaire. Vous avez essayé de me convaincre que la guerre était finie. Je ne vous entendais pas mais, à présent, c'est à vous de m'écouter.

Girard laissa échapper un soupir (Gilly aurait préféré qu'il succombe à une crise d'apoplexie), et Christian continua de la dévisager comme si elle s'exprimait dans une langue étrangère.

— Oui, écoutez-la, intervint Girard d'un ton aussi raisonnable que sa voix était séduisante. Je ne suis pas celui que vous devez éliminer car la guerre est bel est bien terminée, et je figure parmi les perdants. Si j'ai choisi le fleuret, c'était dans l'espoir d'avoir le temps de vous l'expliquer. Interrogez-vous, Votre Grâce. Comment Anduvoir a-t-il su précisément où et comment vous capturer ? Qui avait quelque chose – beaucoup – à gagner à votre mort ?

— Il a raison, Christian, murmura Gilly. C'est Marcus qui a lancé les Français à vos trousses. Et je le soupçonne d'avoir prévenu Girard de votre intention de le tuer.

— Marcus est mon héritier, cracha Christian. Vous dites des bêtises.

— Pas du tout, intervint Girard. Votre cousin a traité non pas avec moi, mais avec Anduvoir. Je commandais une garnison. Je ne capturais personne. Les prisonniers m'étaient amenés par mes supérieurs et vous étiez parmi eux. Votre situation n'était pas… elle n'était pas normale. Vous aviez été trahi et vous relâcher en pleine guerre serait revenu à signer votre arrêt de mort. J'ai convenu de vous rencontrer ici aujourd'hui, certes, mais c'était pour vous mettre en garde, pas pour vous éliminer.

S'il disait peut-être la vérité, le Français cherchait aussi à atténuer son rôle dans le calvaire qu'avait subi Christian.

Du coin de l'œil, Gilly vit Stoneleigh s'approcher de la clairière. Il menait Chesterton, que l'on avait envoyé à la poursuite d'une élégante et confortable voiture ouverte. Un silence tendu enveloppa l'assistance jusqu'à ce que Chesterton secoue la tête, faisant tinter son mors. Christian se tourna vers son cheval.

— Réfléchissez, Votre Grâce, reprit Girard d'un ton las. J'étais votre ennemi et je comprends que vous m'en vouliez. Je ne le suis plus aujourd'hui, et je ne vous ai pas tué alors que j'en aurais eu l'occasion à maintes reprises.

Gilly détestait Girard, mais Christian l'écoutait et les fleurets étaient entre les mains des témoins.

— Il avait mon cheval. *Marcus*. Je revois la scène, le jour où j'ai été fait prisonnier. Je vois Chesterton s'éloigner, enfourché par un Français. Je me rappelle avoir été rongé par les remords parce que je n'avais pas au moins libéré ma monture avant d'être capturé. Et puis, Marcus avait mon cheval…

Un muscle tressaillit sur sa joue.

— Oui, je l'avais.

Marcus surgit d'entre les buissons, de l'autre côté de la clairière.

— J'ai failli avoir aussi votre femme, mais elle tenait trop à son titre. Elle n'appréciait guère que vous soyez prisonnier et il n'a pas été difficile d'orchestrer son malheureux accident au laudanum. La Providence s'est chargée du sort du garçon. Je ne m'en serais jamais pris à un enfant.

Un flot de répulsion submergea Gilly à la vue de son cousin, qui portait en lui une violence semblable à celle de son mari, mais sous une forme encore plus pernicieuse.

— Vous allez donc m'abattre devant témoins quand je ne dispose d'aucune arme équivalente à la vôtre ? interrogea Christian.

Empoignant la cape de Gilly, il la poussa derrière lui, dans les bras de St. Just.

— Il était censé vous tuer en France ! aboya Marcus, désignant Girard avec le canon de son horrible pistolet. Anduvoir m'avait promis que ce serait fait. J'ai appris ensuite que les généraux envoyaient leurs meilleures prises à Girard pour un traitement particulier. J'ai été stupide de faire confiance à un satané Français. Et il a fallu que vous surviviez à la guerre et couriez vous réfugier dans *ses* bras !

Ce disant, il braqua son arme sur Gilly. Christian *et* Girard se déplacèrent d'un même mouvement pour former un bouclier devant elle.

— Alors vous avez tenté de l'éliminer, fit Christian. Sans succès.

— Évidemment, que j'ai essayé. Si jamais elle avait mis au monde un enfant dans l'année suivant le décès de Greendale, j'aurais été déshérité. Dans le cas où ç'aurait été un garçon, j'aurais perdu mon titre, et je serais allé vivre comme un miséreux à Greendale Hall, priant pour que vous ne tombiez pas amoureux d'elle.

— Marcus, vous êtes en position d'infériorité, déclara Christian. Trop de témoins peuvent attester de vos stratagèmes abjects.

— Si vous n'êtes plus là, je serai jugé par les lords, et ils ne condamnent jamais l'un des leurs. D'ailleurs, qui croira sur parole un Français honni, un traître écossais ou un avocat, plutôt qu'un pair du royaume ?

Marcus visa Christian avec son pistolet.

Une rage comme elle n'en avait jamais connu s'empara de Gilly. Marcus savait ce que lui infligeait Greendale. Marcus avait détruit la famille de Christian, menacé Lucy et s'apprêtait maintenant à commettre un meurtre de sang-froid...

Elle ne réfléchit pas davantage. Elle s'empara de la cravache du boghei de Stoneleigh, dont la lanière en cuir mesurait plusieurs mètres. Contournant les hommes qui la protégeaient, elle leva le bras et abattit la lanière de toutes ses forces en travers du visage de Marcus.

— Pour Christian, espèce de monstre, cracha-t-elle, levant le bras de nouveau. Pour Helene, pour Evan...

Jamais elle ne s'était sentie à ce point dans son droit, tandis qu'elle continuait de frapper Marcus, dont le visage zébré de rouge était déformé par la stupeur.

Elle, Gilly, la moins puissante de ses adversaires, le tenait pour responsable de ses crimes. La jouissance qu'elle éprouvait à lui faire mal redoublait son ardeur et son indifférence face à son propre sort.

Il tenta de s'esquiver, bien sûr, s'éloignant de Christian pour se protéger et, ce faisant, pointa son pistolet sur elle.

En levant le fouet pour la quatrième fois, Gilly se rendit compte qu'elle allait mourir. Le canon était dirigé droit sur elle, Marcus n'était qu'à quelques mètres, et dans un instant, elle exhalerait son dernier soupir.

Qu'il en soit ainsi. Christian et Lucy vivraient, les crimes de Marcus seraient dévoilés, et elle mourrait en protégeant ceux qu'elle aimait.

En se battant pour eux.

Une détonation retentit, atrocement bruyante dans le silence matinal, et une odeur de soufre flotta dans les airs. Gilly se figea, balayant son corps du regard en quête d'une blessure.

Girard souffla sur l'extrémité fumante d'un pistolet et Marcus écarquilla les yeux.

Une tache rouge vif se déployait au milieu de son torse.

Il contempla sa blessure, puis Girard, et s'effondra lourdement au sol.

Gilly lâcha le fouet et se précipita dans les bras de Christian pendant que Stoneleigh s'efforçait de calmer les chevaux et que St. Just allait s'accroupir près de Marcus pour vérifier son pouls.

— Mort avant de toucher terre, annonça-t-il en fermant les paupières du défunt avec une douceur surprenante.

Girard tendit l'arme à son témoin comme il aurait confié un gibier à son valet en pleine chasse au faisan.

— Cela ne règle pas nos comptes, j'en suis conscient, duc.

Girard s'approcha du corps de Marcus et sortit un objet de sa poche.

— Toutefois, me voilà en partie lavé de ma culpabilité.

— Qu'il se taise, pour l'amour du ciel, marmonna Gilly contre la poitrine de Christian. Je ne supporte pas d'entendre cet accent français. Je ne suis pas dans mon état normal et je ne peux répondre de mes actes. Christian, j'ai frappé Marcus, j'y ai pris plaisir. Je continuerais de le brutaliser si...

— Chut, Gilly. Je vous en prie. Vous n'avez plus rien à craindre.

— Serrez-moi fort. Ne me lâchez plus jamais.

— Je vous tiens.

Christian appuya le menton contre sa tempe et lui caressa la nuque.

— À moins que vous ne vouliez vomir. La plupart des soldats sont malades après leur première bataille. Je l'ai été, même si, comme pour vous, ce fut une victoire éclatante.

Elle se sentait comme purgée d'une toxine.

— Dites à M. Stoneleigh de récupérer son fouet, souffla-t-elle.

La chaleur et le froid l'envahissaient, en même temps que la faiblesse et la stupéfaction.

Elle était capable de se défendre. S'il le fallait, si elle se trouvait de nouveau face à un danger, n'importe lequel, elle *serait capable de se défendre*.

Christian lui tamponna les joues avec un mouchoir.

— Désolé de vous importuner, dit Girard. Mercie, je crois que ceci vous appartient.

Il lui lança ce qui, aux yeux de St. Just, ressemblait à la chevalière aux armoiries de la famille Severn.

— Comtesse, reprit Girard, et elle lui fit face, vous n'imaginez pas par quoi je suis passé pour garder votre duc en vie alors que mes supérieurs m'ordonnaient de l'exécuter ou pire encore.

Il désigna Marcus.

— J'ai envoyé le cheval à cet homme en pensant que les Anglais résoudraient ainsi le mystère de la capture de Mercie, mais ils n'ont pas réagi. Je soupçonne le défunt colonel d'avoir déclaré à ses supérieurs que c'était inutile. J'avais envoyé une lettre par les canaux diplomatiques, je suis sûr qu'elle a été ignorée à la requête d'Easterbrook. J'ai initié des rumeurs, j'ai...

Gilly lui coula un regard noir car sa litanie ressemblait à une supplication, comme s'il souhaitait que Christian l'absolve de ses péchés.

Pelotonnée contre le duc, elle eut une pensée terrible. À aucun moment Christian n'avait décrit Girard comme un homme qui pratiquait la violence pour le seul plaisir alors qu'elle-même, en certaines circonstances, en était capable.

Elle n'en avait pas honte – pas encore.

— Pourquoi m'avoir maintenu en vie ? demanda Christian.

Girard ferma la boîte des fleurets.

— Pour deux raisons. La première : je sais ce que c'est que de vivre un enfer loin de chez soi, sans grand espoir de s'en sortir. J'étais enfant quand, à la suite du traité d'Amiens, je me suis retrouvé dans la famille de ma mère, en France. J'avais le choix entre rejoindre les prisonniers anglais ou, plus tard, rallier l'armée française – tuer le peuple de mon père ou être prisonnier de celui de ma mère. Deux options réjouissantes, non ? Vous n'étiez pas mieux loti, vous aviez le choix entre la trahison et la torture, et cependant, vous avez réussi à survivre sans attenter à votre honneur. Je respectais votre ténacité. Je dirais même qu'elle m'a inspiré.

Girard parlait tout bas, comme Christian, des semaines auparavant lorsque Gilly avait déboulé chez lui. Si, d'un côté, elle avait envie d'éloigner le duc de la clairière, de l'autre, elle avait mal pour un garçon – pas un officier de cavalerie, un garçon – victime de l'injustice de la guerre.

Girard offrit son visage au soleil qui filtrait à travers les feuillages. D'un point de vue purement objectif, il était bel homme, mais – elle l'admit à contrecœur – il arborait les marques d'un accablement profond.

— Sachez aussi qu'Anduvoir a causé de sérieux problèmes en enlevant un duc de toute évidence en possession d'un uniforme, continua-t-il. Il s'est humilié davantage en se montrant incapable de vous arracher la moindre information. En conséquence, il a été privé de toute promotion, ce qui devrait l'empêcher de nuire davantage. Grâce à votre silence, vous avez non seulement sauvé des Anglais mais aussi des Français. C'est pourquoi, selon moi, votre vie devait être préservée.

Il y avait dans l'attitude de Girard une patience teintée d'un détachement frisant la folie – à moins que ce ne soit le besoin de confession d'un saint barbare qui s'était fourvoyé.

Si Gilly ne pouvait s'empêcher de ressentir de la compassion pour Girard, dont l'existence avait été ravagée par la guerre, elle ne tenait pas non plus à supporter plus longtemps sa présence.

— Et la deuxième raison ? s'enquit Christian.

Girard ébaucha la caricature de ce qui aurait pu être un sourire charmant, et au-dessus de leurs têtes, un oiseau se mit à gazouiller.

— Vous voulez mes aveux, Mercie ?

— Je veux la vérité.

— Je vous la dois.

Les yeux rivés sur la dépouille de Marcus, Girard enchaîna :

— Nous avons à peu près le même âge, Votre Grâce. S'il n'y avait pas eu la guerre, j'aurais fait mes études à Eton après avoir passé un peu de temps chez mes grands-parents, en France. Vous et moi aurions appartenu à la même promotion, sans doute aux mêmes clubs, et aurions joué ensemble dans l'équipe de cricket. Nous aurions été pratiquement voisins car le domaine de St. Clair est à moins d'une journée de cheval de Severn. On pourrait presque dire que votre combat était le mien, et que vous vous êtes battu pour nous deux.

Girard détourna la tête, l'air vaguement gêné. Ou bien était-il éberlué de se confesser ainsi – et que Christian accepte de l'écouter ?

De même, Gilly était étonnée de découvrir derrière le monstre qui avait hanté les cauchemars de Christian un homme de chair et de sang, porteur lui aussi de regrets et de cicatrices.

Comme l'oiseau interrompait son ode à cette nouvelle journée, Stoneleigh prit la parole :

— Ce Français a commis un meurtre en temps de paix sur le sol anglais. L'arme de Greendale n'était pas braquée sur lui, et Girard ne peut pas plaider la défense de ses proches.

Girard examina ses ongles comme si la menace de la pendaison le laissait indifférent, ce qui était fort possible.

— Gilly ? dit Christian. Quel sera le sort de Girard ?

Le Français – l'Anglais ? – la dévisagea. Dans son regard brillait une lueur impitoyable, et pourtant, elle crut y déceler… une prière, pas pour la liberté. Pour une certaine compréhension, peut-être ?

Tout ce qu'elle savait, c'était que l'homme qu'elle aimait n'était plus en proie au besoin de commettre un meurtre, elle non plus, et qu'indirectement, elle devait la vie à Girard.

— Son sort dépendra de vous, Christian.

À lui de décider quand s'arrêtait la guerre et quand la vie reprenait ses droits. Elle se contenterait de l'aimer, quelle que soit sa décision.

Paupières closes, il s'appuya contre elle comme au début, quand elle s'était installée chez lui alors qu'il était incapable de trouver le sommeil, d'avaler une tasse de thé ou de signer un document.

— Alors, que Girard vaque à ses occupations, et je vaquerai aux miennes.

— Merci, Votre Grâce.

Girard s'inclina devant Gilly, appela son témoin et s'éloigna dans la brume.

— Lucy est plus enthousiasmée par votre chevauchée jusqu'à Londres qu'elle n'est choquée par la mort de Marcus, observa Christian d'un ton neutre, comme s'il parlait de la pluie et du beau temps.

Gilly était assise au bureau de la bibliothèque de St. Just tandis que Christian déplaçait des pions sur l'échiquier devant la fenêtre.

— Nous avons eu beaucoup de chance.

Elle s'empara d'un coupe-papier aux armoiries des Moreland. Les licornes allaient bien à St. Just. Il n'était pas encore rentré car il avait à déclarer un malheureux accident ayant entraîné la mort de lord Greendale par arme à feu.

— En quoi ? s'enquit Christian en remettant chaque pièce à sa place.

— Les routes étaient sèches, la circulation quasiment inexistante, et George et John s'étaient débrouillés pour remplir nos sacs de victuailles. Le palefrenier savait exactement où nous allions, et M. Stoneleigh nous a accueillies à bras ouverts. Lucy a cru que nous partions en promenade jusqu'au moment où nous avons quitté les pistes cavalières. Elle monte très bien.

— Normal. C'est une Severn.

— Pourvu qu'elle dorme paisiblement.

Christian esquissa un sourire, son premier de la journée. Une journée occupée à récupérer Lucy chez Stoneleigh, rester en contact avec St. Just tandis qu'il s'occupait des démarches auprès des autorités et épiloguer sur la trahison de Marcus.

Et bien sûr, Lucy et son papa avaient eu beaucoup, beaucoup de choses à se raconter.

— Je l'espère. Qu'est-ce qui vous a pris de tenter d'interrompre un duel ? Et si Girard et moi avions déjà été engagés ? J'aurais pu mourir ou, pire, vous auriez pu être blessée.

Gilly alla s'installer sur le canapé.

— Je devais à tout prix vous voir, vous parler. Venez près de moi.

Elle lui tendit la main et il hésita. Elle s'y attendait plus ou moins, mais n'en fut pas moins anéantie.

Quel homme pouvait être attiré par une femme qui avait jugé si sévèrement son désir de vengeance alors qu'elle-même avait été incapable de se contrôler, se laissant aller à une violence inouïe ?

— Si je vous touche, comtesse, je veux vous emmener dans mon lit.

Elle laissa retomber sa main.

— Pourquoi ? J'aurais tué Marcus si je l'avais pu. À présent, la colère semble ne pas vouloir me lâcher.

Je crains pour la vie de Girard si nos chemins devaient se croiser un jour, Christian. Pourtant, après ce qu'il nous a dit dans cette clairière, il mérite au minimum mon indulgence. Quiconque tente de vous faire du mal, à vous ou à Lucy, tombera sur une folle...

Impassible, il s'installa à ses côtés.

— La vigueur avec laquelle vous avez manipulé ce fouet – qui m'a sauvé la vie, soit dit en passant – est l'antithèse de ce qui motivait Greendale et n'a rien à voir avec les agissements d'un Marcus. Ces hommes-là incarnent la haine. Vous incarnez l'amour.

Il parlait à voix basse comme s'il craignait de l'effaroucher.

— Justement, à ce propos...

Les mots refusèrent de sortir de sa bouche.

— Gillian ?

Il l'entoura du bras et elle cacha le visage au creux de son épaule.

— Je déteste la broderie, avoua-t-elle. Les travaux d'aiguille me donnent la migraine et les yeux me brûlent. D'ailleurs, quand j'étais jeune, j'étais très malhabile.

— Vous avez fait de votre aiguille une arme. Aujourd'hui, vous n'en avez plus besoin.

— Exactement. Vous le comprenez mieux que moi. Je me croyais au-dessus de la barbarie. Je pensais avoir opté pour une voie meilleure. Je me trompais. J'avais opté pour des combats silencieux, jusqu'à maintenant. Qu'est-ce que cela fait de moi ?

— Une femme courageuse. Déterminée, perspicace, résistante. Formidable.

À chacun de ces mots, il lui baisa le dos de la main, et son absolution la fit fondre.

— Vous êtes mon héros de guerre, chuchota-t-elle. Vous avez été victime de votre propre héritier, un homme qui s'en est pris à votre femme, et à vos enfants.

— J'ai trop d'amour-propre pour accepter le terme de victime. Vous aussi.

— Je n'ai pas été prisonnière de l'ennemi. J'étais une épouse.

— Vous étiez tout autant captive que moi, Gilly. Tant que vous ne l'admettrez pas, vous hésiterez à devenir ma femme.

Sa voix était douce, son pouce caressait la petite cicatrice sur son doigt.

— Vous avez été trahie par votre famille, reprit-il, comme moi. Vous avez été torturée, comme moi. On s'est joué de vous, on vous a brandie comme un trophée de guerre, comme moi. Vous vous êtes défendue à votre manière, comme moi, et vous avez fini par remporter la victoire quand je me suis contenté d'endurer ma situation.

— Pas du tout, souffla-t-elle. Mon ennemi est mort, tout bêtement, et même mort, il a failli me briser. Si Girard n'avait pas tiré sur Marcus, j'aurais volontiers renoncé à la vie, à condition de pouvoir frapper Marcus avant de mourir.

Un constat consternant, à l'opposé de ce qu'elle se croyait être. Et pourtant, le cas échéant, elle recommencerait sans hésiter.

— Vous avez été battue par un homme qui méritait bien pire. Je comprends votre désarroi à l'idée d'avoir attaqué Marcus, mais n'avez-vous pas l'impression qu'il a laissé à ses avocats des instructions précises les incitant à vous soupçonner au moment du décès de Greendale ? Vous avez gagné, Gilly. Contre Greendale, contre son héritier, contre les démons qui me hantent, et même contre ceux qui taraudaient ma fille.

Il la souleva, l'installa sur ses genoux et l'étreignit avec force.

— Ma duchesse devrait être aussi fière de ses victoires que je suis fier d'elle.

— Je me sens p-presque fière, bredouilla-t-elle. Marcus vous aurait tué. Il a failli réussir, et moi, arriver trop tard. Et il a tué Helene, tout ça pour un stupide t-titre. Je vous aime. Je vous aime tant !

Elle se mit à sangloter, cramponnée à son cou telle une naufragée, lui répétant encore et encore qu'elle l'aimait. Quand il la porta jusqu'au lit, elle lui arracha ses vêtements.

Une femme prête à se battre pour son amour l'est aussi pour son plaisir.

Ils s'abandonnèrent, savourant leurs baisers, échangeant chuchotements et soupirs.

Elle voulait un mariage intime. Il préférait organiser une grande cérémonie à St. George.

Elle voulait attendre le printemps, par respect pour Helene et Evan. Il préférait qu'ils échangent leurs vœux le jour où les bans seraient proclamés pour la troisième fois.

Elle voulait regagner Severn immédiatement. Il mourait d'envie de la présenter à toutes ces dames de la bonne société.

Ils ne se disputèrent pas. Ils se parlèrent, s'écoutèrent, mais surtout, ils s'aimèrent jusqu'au petit matin, et pour le reste de leur vie.

POUR elle

Si vous souhaitez être informée en avant-première
de nos parutions et tout savoir sur vos autrices préférées,
retrouvez-nous ici :

www.jailu.com

Abonnez-vous à notre newsletter
et rejoignez-nous sur Facebook !

11315

Composition
FACOMPO

Achevé d'imprimer en Italie
par GRAFICA VENETA
le 6 novembre 2023

Dépôt légal : décembre 2023
EAN 9782290395707
OTP L21EPSN002574-613916

ÉDITIONS J'AI LU
82, rue Saint-Lazare, 75009 Paris

Diffusion France et étranger : Flammarion